Visit classzone.com and get connected

Online resources for students and parents

ClassZone resources provide instruction, practice, and learning support.

eEdition Plus ONLINE

This interactive version of the text encourages students to explore science.

Content Review Online

Interactive review reinforces the big idea and key concepts of each chapter.

SciLinks

NSTA-selected links provide relevant Web resources correlated to the text.

Chapter–Based Support

Math tutorials, news, resources, test practice, and a misconceptions database help students succeed.

Now it all clicks!™

Las ciencias de McDougal Littell

Ciencia del espacio

cometa

UNIVERSO

radiación
electromagnética

telescopio

LAS CIENCIAS DE LA TIERRA

A ▶ La superficie de la Tierra
B ▶ La Tierra cambiante
C ▶ Las aguas de la Tierra
D ▶ La atmósfera de la Tierra
E ▶ Ciencia del espacio

LAS CIENCIAS FÍSICAS

A ▶ Materia y energía
B ▶ Interacciones químicas
C ▶ Movimiento y fuerzas
D ▶ Ondas, sonido y luz
E ▶ Electricidad y magnetismo

LAS CIENCAS DE LA VIDA

A ▶ Células y herencia
B ▶ La vida con el paso del tiempo
C ▶ La diversidad de los seres vivos
D ▶ Ecología
E ▶ Biología humana

Acknowledgments: Excerpts and adaptations from *National Science Education Standards* by the National Academy of Sciences. Copyright © 1996 by the National Academy of Sciences. Reprinted with permission from the National Academies Press, Washington, D.C.

Excerpts and adaptations from *Benchmarks for Science Literacy: Project 2061.* Copyright © 1993 by the American Association for the Advancement of Science. Reprinted with permission.

ISBN: 0-618-46431-X   1 2 3 4 5 6 7 8 VJM 08 07 06 05 04

Internet Web Site: http://www.mcdougallittell.com

Asesores científicos

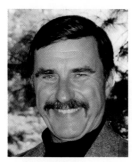

Asesor científico principal

James Trefil, Ph.D. es el Profesor de Física de Clarence J. Robinson en George Mason University. Es autor o coautor de más de 25 libros, entre los que se encuentran *Science Matters* y *The Nature of Science*. El Dr. Trefil es miembro del Committee on the Public Understanding of Science and Tecnology de la American Association for the Advancement of Science. Es también miembro del World Economic Forum y colaborador asiduo de la revista *Smithsonian*.

Rita Ann Calvo, Ph.D. es Profesora Adjunta de Biología Molecular y Genética de Cornell University, institución en la que además ha dirigido durante 12 años el Cornell Institute for Biology Teachers. La Dra. Calvo recibió el premio College and University Teaching Award de 1999 de la National Association of Biology Teachers.

Kenneth Cutler, M.S. es el Coordinador de Educación del Julius L. Chambers Biomedical Biotechnology Research Institute, de North Carolina Central University. Enseñó ciencias a los niveles intermedio y secundario y recibió el premio Presidential Award for Excellence in Science Teaching de 1999.

Asesores de planificación educativa

Douglas Carnine, Ph.D. es Profesor de Educación y Director del National Center for Improving the Tools of Educators, de la University of Oregon. Es autor de siete libros y de más de 100 publicaciones especializadas, principalmente en los campos de la planificación educativa y de las estrategias y herramientas educativas dirigidas a los diferentes niveles de adquisición de conocimientos. El Dr. Carnine es también miembro del National Institute for Literacy Advisory Board.

Linda Carnine, Ph.D. es asesora de los distritos escolares en lo referente al desarrollo de programas académicos y métodos educativos dirigidos a los estudiantes de bajo nivel académico. Tiene experiencia en la enseñanza y en la administración de escuelas; además, es coautora de un conocido programa de lectura de recuperación.

Donald Steely, Ph.D. es el responsable principal del Oregon Center for Applied Science (ORCAS) en lo referente a subvenciones federales para los programas de ciencias y de artes de lenguaje. Tiene experiencia en la enseñanza y es autor de programas impresos y de multimedia sobre las ciencias, las matemáticas, la historia y la ortografía.

Sam Miller, Ph.D. enseña ciencias en una escuela intermedia y es el Teacher Development Liaison de las escuelas públicas de Eugene, Oregon. Es también autor de programas académicos para la enseñanza de las ciencias, las matemáticas, las técnicas de computadora y las artes de lenguaje.

Vicky Vachon, Ph.D. es asesora de diferentes distritos escolares de los Estados Unidos y Canadá en lo referente al mejoramiento del progreso académico general y especialmente de la educación básica. Es también coautora de un programa de lectura de recuperación de amplia aceptación.

Revisores del contenido

John Beaver, Ph.D.
Ecology
Professor, Director of Science Education Center
College of Education and Human Services
Western Illinois University
Macomb, IL

Donald J. DeCoste, Ph.D.
Matter and Energy, Chemical Interactions
Chemistry Instructor
University of Illinois
Urbana-Champaign, IL

Dorothy Ann Fallows, Ph.D., MSc
Diversity of Living Things, Microbiology
Partners in Health
Boston, MA

Michael Foote, Ph.D.
The Changing Earth, Life Over Time
Associate Professor
Department of the Geophysical Sciences
The University of Chicago
Chicago, IL

Lucy Fortson, Ph.D.
Space Science
Director of Astronomy
Adler Planetarium and Astronomy Museum
Chicago, IL

Elizabeth Godrick, Ph.D.
Human Biology
Professor, CAS Biology
Boston University
Boston, MA

Isabelle Sacramento Grilo, M.S.
The Changing Earth
Lecturer, Department of the Geological Sciences
Montana State University
Bozeman, MT

David Harbster, MSc
Diversity of Living Things
Professor of Biology
Paradise Valley Community College
Phoenix, AZ

Richard D. Norris, Ph.D.
Earth's Waters
Professor of Paleobiology
Scripps Institution of Oceanography
University of California, San Diego
La Jolla, CA

Donald B. Peck, M.S.
Motion and Forces; Waves, Sound, and Light;
Electricity and Magnetism
Director of the Center for Science Education (retired)
Fairleigh Dickinson University
Madison, NJ

Javier Penalosa, Ph.D.
Diversity of Living Things, Plants
Associate Professor, Biology Department
Buffalo State College
Buffalo, NY

Raymond T. Pierrehumbert, Ph.D.
Earth's Atmosphere
Professor in Geophysical Sciences (Atmospheric Science)
The University of Chicago
Chicago, IL

Brian J. Skinner, Ph.D.
Earth's Surface
Eugene Higgins Professor of Geology and Geophysics
Yale University
New Haven, CT

Nancy E. Spaulding, M.S.
Earth's Surface, The Changing Earth, Earth's Waters
Earth Science Teacher (retired)
Elmira Free Academy
Elmira, NY

Steven S. Zumdahl, Ph.D.
Matter and Energy, Chemical Interactions
Professor Emeritus of Chemistry
University of Illinois
Urbana-Champaign, IL

Susan L. Zumdahl, M.S.
Matter and Energy, Chemical Interactions
Chemistry Education Specialist
University of Illinois
Urbana-Champaign, IL

Asesora sobre seguridad

Juliana Texley, Ph.D.
Former K–12 Science Teacher and School Superintendent
Boca Raton, FL

Consejera sobre el uso del inglés

Judy Lewis, M.A.
Director, State and Federal Programs for reading proficiency
and high risk populations
Rancho Cordova, CA

Comité de maestros

Carol Arbour
Tallmadge Middle School,
Tallmadge, OH

Patty Belcher
Goodrich Middle School,
Akron, OH

Gwen Broestl
Luis Munoz Marin Middle School,
Cleveland, OH

Al Brofman
Tehipite Middle School,
Fresno, CA

John Cockrell
Clinton Middle School,
Columbus, OH

Jenifer Cox
Sylvan Middle School,
Citrus Heights, CA

Linda Culpepper
Martin Middle School,
Charlotte, NC

Kathleen Ann DeMatteo
Margate Middle School,
Margate, FL

Melvin Figueroa
New River Middle School,
Ft. Lauderdale, FL

Doretha Grier
Kannapolis Middle School,
Kannapolis, NC

Robert Hood
Alexander Hamilton Middle School,
Cleveland, OH

Scott Hudson
Coverdale Elementary School,
Cincinnati, OH

Loretta Langdon
Princeton Middle School,
Princeton, NC

Carlyn Little
Glades Middle School,
Miami, FL

Ann Marie Lynn
Amelia Earhart Middle School,
Riverside, CA

James Minogue
Lowe's Grove Middle School,
Durham, NC

Joann Myers
Buchanan Middle School,
Tampa, FL

Barbara Newell
Charles Evans Hughes Middle School,
Long Beach, CA

Anita Parker
Kannapolis Middle School,
Kannapolis, NC

Greg Pirolo
Golden Valley Middle School,
San Bernardino, CA

Laura Pottmyer
Apex Middle School,
Apex, NC

Lynn Prichard
Booker T. Washington Middle Magnet
School, Tampa, FL

Jacque Quick
Walter Williams High School,
Burlington, NC

Robert Glenn Reynolds
Hillman Middle School,
Youngstown, OH

Stacy Rinehart
Lufkin Road Middle School,
Apex, NC

Theresa Short
Abbott Middle School,
Fayetteville, NC

Rita Slivka
Alexander Hamilton Middle School,
Cleveland, OH

Marie Sofsak
B F Stanton Middle School,
Alliance, OH

Nancy Stubbs
Sweetwater Union Unified School District,
Chula Vista, CA

Sharon Stull
Quail Hollow Middle School,
Charlotte, NC

Donna Taylor
Okeeheelee Middle School,
West Palm Beach, FL

Sandi Thompson
Harding Middle School,
Lakewood, OH

Lori Walker
Audubon Middle School & Magnet Center,
Los Angeles, CA

Maestros asesores de laboratorio

Jill Brimm-Byrne
Albany Park Academy,
Chicago, IL

Gwen Broestl
Luis Munoz Marin Middle School,
Cleveland, OH

Al Brofman
Tehipite Middle School,
Fresno, CA

Michael A. Burstein
The Rashi School,
Newton, MA

Trudi Coutts
Madison Middle School,
Naperville, IL

Jenifer Cox
Sylvan Middle School,
Citrus Heights, CA

Larry Cwik
Madison Middle School,
Naperville, IL

Jennifer Donatelli
Kennedy Junior High School,
Lisle, IL

Paige Fullhart
Highland Middle School,
Libertyville, IL

Sue Hood
Glen Crest Middle School,
Glen Ellyn, IL

Ann Min
Beardsley Middle School,
Crystal Lake, IL

Aileen Mueller
Kennedy Junior High School,
Lisle, IL

Nancy Nega
Churchville Middle School,
Elmhurst, IL

Oscar Newman
Sumner Math and Science Academy,
Chicago, IL

Marina Peñalver
Moore Middle School,
Portland, ME

Lynn Prichard
Booker T. Washington Middle Magnet
School, Tampa, FL

Jacque Quick
Walter Williams High School,
Burlington, NC

Stacy Rinehart
Lufkin Road Middle School,
Apex, NC

Seth Robey
Gwendolyn Brooks Middle School,
Oak Park, IL

Kevin Steele
Grissom Middle School,
Tinley Park, IL

eEdition

Ciencia del espacio

Standards and Benchmarks x
Introducción a las ciencias de la Tierra xii
Principios unificadores de las ciencias de la Tierra xiii
La naturaleza de las ciencias xxii
La naturaleza de la tecnología xxvi
Cómo usar *Las ciencias de McDougal Littell* xxviii

Secciones especiales de la unidad

SCIENTIFIC AMERICAN

FRONTERAS EN LAS CIENCIAS *Peligro del cielo* 2

LÍNEAS DE TIEMPO EN LAS CIENCIAS *La historia de la astronomía* 72

1 Explorar el espacio — 6

la GRAN idea

Se desarrolla y se usa la tecnología para explorar y estudiar el espacio.

1.1 Algunos objetos del espacio son visibles por el ojo humano. 9

1.2 Los telescopios nos permiten estudiar el espacio desde la Tierra. 15
   INVESTIGACIÓN DEL CAPÍTULO *Observar espectros* 20

1.3 Las naves espaciales nos ayudan a explorar más allá de la Tierra. 22
   LAS MATEMÁTICAS EN LAS CIENCIAS *Usar exponentes* 30

1.4 La exploración espacial beneficia a la sociedad. 31
   CONECTAR LAS CIENCIAS *Cómo afecta la gravedad de la Tierra a las plantas* 35

2 La Tierra, la Luna y el Sol — 40

la GRAN idea

La Tierra y la Luna se mueven de maneras predecibles al orbitar el Sol.

2.1 La Tierra rota en torno a un eje inclinado y orbita el Sol. 43
   INVESTIGACIÓN DEL CAPÍTULO *Hacer un modelo de las estaciones* 50

2.2 La Luna es el satélite natural de la Tierra. 52
   LAS MATEMÁTICAS EN LAS CIENCIAS *Hacer gráficas lineales* 58

2.3 Las posiciones del Sol y de la Luna afectan a la Tierra. 59
   LAS CIENCIAS EN EL TRABAJO *La astronomía en la arqueología* 67

¿Qué verías si miraras la Luna con un telescopio? página 40

Esta imagen muestra a Júpiter con una de sus lunas grandes. ¿Cómo se comparan los tamaños de estos objetos con el de la Tierra? página 76

3 Nuestro sistema solar   76

la GRAN idea

Los planetas y otros objetos forman un sistema alrededor del Sol.

3.1 Los planetas orbitan el Sol a diferentes distancias.   79
LAS MATEMÁTICAS EN LAS CIENCIAS *Usar porcentajes*   84

3.2 El sistema solar interno contiene planetas rocosos.   85
PIENSA CIENTÍFICAMENTE *¿Qué moldea la superficie de Marte?*   93

3.3 El sistema solar externo contiene cuatro planetas gigantes.   94

3.4 Los objetos pequeños están compuestos de hielo y roca.   100
INVESTIGACIÓN DEL CAPÍTULO *Explorar cráteres de impacto*   106

4 Las estrellas, las galaxias y el universo   112

la GRAN idea

El Sol es una de las miles de millones de estrellas de una de las miles de millones de galaxias del universo.

4.1 El Sol es nuestra estrella local.   115
INVESTIGACIÓN DEL CAPÍTULO *Temperatura, brillo y color*   120

4.2 Las estrellas cambian a lo largo de su ciclo de vida.   122
LAS MATEMÁTICAS EN LAS CIENCIAS *Interpretar una gráfica de dispersión*   129

4.3 Las galaxias tienen diferentes tamaños y formas.   130
CIENCIA EXTREMA *Cuando las galaxias chocan*   134

4.4 El universo se está expandiendo.   135

Manuales de recursos para estudiantes   R1

Manual de razonamientos científicos   R2
Manual de laboratorio   R10
Manual de matemáticas   R36
Manual para tomar apuntes   R45

Apéndice   R52
Glosario   R60
Índice   R67
Agradecimientos   R78

Secciones especiales

LAS MATEMÁTICAS EN LAS CIENCIAS
Usar exponentes   30
Hacer gráficas lineales   58
Usar porcentajes   84
Interpretar una gráfica de dispersión   129

PIENSA CIENTÍFICAMENTE
Formular hipótesis   93

CONECTAR LAS CIENCIAS
Ciencias de la Tierra y ciencias de la vida   35

LAS CIENCIAS EN EL TRABAJO
La astronomía en la arqueología   67

CIENCIA EXTREMA
Cuando las galaxias chocan   134

FRONTERAS EN LAS CIENCIAS
Peligro del cielo   2

LÍNEAS DE TIEMPO EN LAS CIENCIAS
La historia de la astonomía   72

Representaciones visuales

Estructuras en el universo   11
Estaciones   47
Fases lunares   61
Objetos en el sistema solar   80
Formaciones en los planetas rocosos   87
Capas del Sol   117
Ciclos de vida de las estrellas   127

Internet Resources @ ClassZone.com

SIMULATIONS
Niveles de escala del universo   7
El Sol a diferentes longitudes de onda   116

VISUALIZATIONS
El cielo nocturno a lo largo del año   12
Explorar las estaciones   41
Las fases lunares   60
Un vuelo espacial virtual por el sistema solar   77
Las formas de las galaxias   113

RESOURCE CENTERS
Telescopios   18
Exploración espacial   22
Las estaciones   48
Las mareas   66
Avances en la astronomía   75
Cráteres de impacto   86
Lunas de los gigantes de gas   102
Ciclos de vida de las estrellas   126
Galaxias   132
Colisiones de las galaxias   134

CAREER CENTER
Astronomía   5

NSTA SCILINKS
Space Probes   7
The Moon   41
The Solar System   77
The Sun   113

MATH TUTORIALS
Potencias y exponentes   30
Gráficas lineales   58
La ecuación de porcentaje   84
Gráficas de dispersión   129

CONTENT REVIEW
                          8, 36, 42, 68, 78, 108, 114, 140

PRÁCTICA PARA EL EXAMEN
                                       39, 71, 111, 143

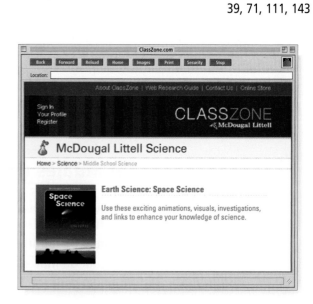

INVESTIGACIONES Y ACTIVIDADES

EXPLORA LA GRAN IDEA

Investigaciones iniciales del capítulo

1. ¿Por qué parece que el Sol se mueve alrededor de la Tierra?
   ¿Qué colores hay en la luz solar? Actividad en Internet: El universo   7
2. ¿Cómo se mueven las sombras? ¿Qué hace a la luna brillante?
   Actividad en Internet: Las estaciones   41
3. ¿Cuál es el tamaño de Júpiter? ¿Es redonda una órbita?
   Actividad en Internet: El espaciamiento   77
4. ¿En qué pueden diferir las estrellas? ¿Cómo se separan las galaxias
   unas de otras? Actividad en Internet: Las formas de las galaxias   113

INVESTIGACIÓN DEL CAPÍTULO

Sesiones completas de laboratorio

1. Observar espectros   20
2. Hacer un modelo de las estaciones   50
3. Explorar cráteres de impacto *Diseña tu propio experimento*   106
4. Temperatura, brillo y color   120

EXPLORA

Actividades de investigación preliminar

Distancia   9
Distorsión de la luz   15
Ver objetos espaciales   22
Zonas de tiempo   43
Movimiento de la luna   52
Formación de planetas   79
Superficies   85
Atmósfera solar   115
Características de las estrellas   122
La Vía Láctea   130
Números grandes   135

INVESTIGA

Laboratorios

Posición de las constelaciones   *Analizar*   13
Planear lanzamientos   *Identificar variables*   25
Meteorización   *Predecir*   33
Rotación   *Hacer modelos*   44
Rasgos de la luna   *Inferir*   55
Fases lunares   *Hacer modelos*   62
Distancias   *Usar modelos*   82
Capas   *Usar modelos*   88
Planetas gigantes   *Observar*   97
Paralaje   *Medir*   123
Formas de galaxias   *Clasificar*   131
Galaxias   *Medir*   138

Standards and Benchmarks

Each chapter in **Space Science** covers some of the learning goals that are described in the *National Science Education Standards* (NSES) and the Project 2061 Benchmarks for Science Literacy. Selected content and skill standards are shown below in shortened form. The following National Science Education Standards are covered on pages xii-xxvii, in Frontiers in Science, and in Timelines in Science, as well as in chapter features and laboratory investigations: Understandings About Scientific Inquiry (A.9), Understandings About Science and Technology (E.6), Science and Technology in Society (F.5), Science as a Human Endeavor (G.1), Nature of Science (G.2), and History of Science (G.3).

Content Standards

1 Exploring Space

	National Science Education Standards
A.9.d	Technology allows scientists to be more accurate and to use data.
B.3.f	Energy from the Sun has a range of wavelengths, including visible light, infrared radiation, and ultraviolet radiation.
F.5.c	Technology influences society through its products and processes. Technology influences the quality of life and the ways people act.

	Project 2061 Benchmarks
3.A.2	Technology is essential in order to access outer space and other remote locations, to collect, use, and share data, and to communicate.
4.A.1	• The Sun is a star in a disk-shaped galaxy. • Galaxies contain many billions of stars. • The universe contains many billions of galaxies.
10.A.2	Telescopes reveal that • there are many more stars than are evident to the unaided eye • the surface of the Moon has many craters and mountains • the Sun has dark spots • Jupiter and some other planets have their own moons

2 Earth, Moon, and Sun

	National Science Education Standards
D.3.b	The regular and predictable motions of objects in the solar system explain such phenomena as the day, the year, phases of the Moon, and eclipses.
D.3.c	Gravity holds us to Earth's surface and explains the phenomena of the tides.
D.3.d	Seasons result from varying amounts of the Sun's energy hitting the surface due to the tilt of Earth's axis and the length of the day.

	Project 2061 Benchmarks
4.B.4	Seasons occur due to the intensity of sunlight on different parts of Earth, which changes over the year because • Earth turns daily on its axis • Earth orbits the Sun yearly • Earth's axis is tilted with respect to Earth's orbit
4.B.5	Phases of the Moon occur because the Moon's orbit changes the amount of the sunlit part of the Moon that can be seen from Earth.
4.G.2	The Sun's gravitational pull holds Earth in its orbit, just as Earth's gravitational pull holds the Moon in orbit.

3 Our Solar System

National Science Education Standards

D.1.a Landforms are the result of a combination of forces, including crustal deformation, volcanic eruption, weathering, and erosion.

D.2.a Earth processes include changes in atmospheric conditions and occasional events such as the impact of a comet or asteroid.

D.3.a The Sun is the central and largest body in a system that includes nine planets and their moons and smaller objects, such as asteroids and comets.

Project 2061 Benchmarks

4.A.3 Nine planets that vary in size, composition, and surface features orbit the Sun in nearly circular orbits. Some planets have rings and a variety of moons. Some planets and moons show signs of geological activity.

4.A.4 Chunks of rock that orbit the Sun sometimes impact Earth's atmosphere and sometimes reach Earth's surface. Other chunks of rock and ice produce long, illuminated tails when they pass close to the Sun.

4 Stars, Galaxies, and the Universe

National Science Education Standards

B.3.a Energy is associated with heat, light, electricity, motion, sound, nuclei, and the nature of a chemical. Energy is transferred in many ways.

G.2.a Scientists use observations, experiments, and models to test their explanations.

G.2.b All scientific ideas are subject to change. Scientists change their ideas when they find evidence that does not match their existing explanations. However, most major ideas in science have a lot of experimental and observational confirmation and are not likely to change much in the future.

Project 2061 Benchmarks

4.A.2 Light takes time to travel, so distant objects seen from Earth appear as they were long ago. It takes light
• a few minutes to reach Earth from the Sun, the closest star
• a few years to reach Earth from the next-nearest stars
• several billion years to reach Earth from very distant galaxies
A fast rocket would take thousands of years to reach the star nearest the Sun.

11.B.1 Models are often used to think about processes that cannot be observed directly, changed deliberately, or examined safely.

Process and Skill Standards

National Science Education Standards		Project 2061 Benchmarks	
A.2	Design and conduct a scientific investigation.	1.B.1	Design an investigation in which you • collect relevant evidence • reason logically • use imagination to devise hypotheses
A.3	Use appropriate tools and techniques to gather and interpret data.		
A.4	Use evidence to describe, predict, explain, and model.	11.A.2	Think about things as systems by looking for the ways each part relates to others.
A.5	Use critical thinking to find relationships between results and interpretations.	12.B.2	Use and compare numbers in equivalent forms such as decimals and percents.
A.7	Communicate procedures, results, and conclusions.	12.B.9	Express numbers like 100, 1,000, and 1,000,000 as powers of 10.
A.8	Use mathematics in scientific inquiry.	12.D.1	Use tables and graphs to organize information and identify relationships.
F.4.b	Understand the risks associated with natural hazards.	12.E.4	Recognize more than one way to interpret a given set of findings.

Introducción a las ciencias de la Tierra

Los científicos sienten curiosidad. Ya desde tiempos antiguos, han formulado y contestado preguntas sobre el mundo que los rodeaba. Pero no confían en las respuestas que obtienen. Por ello, recogen cuidadosamente las evidencias y prueban las respuestas muchas veces antes de aceptar como correcta una idea.

En este libro verás cómo los conocimientos científicos siguen aumentando y cambiando conforme los científicos formulan nuevas preguntas y se cuestionan hechos ya establecidos. Las siguientes secciones te servirán de orientación.

Principios unificadores de las ciencias de la Tierra — xiii

¿Qué saben los científicos acerca de la Tierra y de su lugar en el universo? En estas páginas se presentan cuatro principios unificadores que te darán una visión general de las ciencias de la Tierra.

La naturaleza de las ciencias — xxii

¿Cómo aprenden los científicos? En esta sección se hace una exposición general del razonamiento científico y de los procesos que los científicos usan para formular preguntas y buscar las respuestas.

La naturaleza de la tecnología — xxvi

¿Cómo usamos lo que descubren los científicos? En estas páginas verás cómo se desarrollan y utilizan las tecnologías para dar soluciones a problemas del mundo real.

Cómo usar *Las ciencias de McDougal Littell* — xxviii

¿Cómo puedes aprender más sobre las ciencias? En esta sección se ofrecen útiles consejos sobre cómo aprender y usar el contenido científico de los componentes clave de este programa: el texto, el material visual, las actividades y los recursos de Internet.

¿Qué son las ciencias de la Tierra?

Las ciencias de la Tierra estudian el interior de nuestro planeta, las rocas y el suelo, la atmósfera, los océanos y el espacio exterior. Durante muchos años, los científicos estudiaron por separado cada uno de estos temas y aprendieron muchas cosas importantes. Recientemente, sin embargo, han empezado a examinar cada vez más las conexiones entre los diferentes componentes de la Tierra: los océanos, la atmósfera, los seres vivos, las rocas y el suelo. También han ampliado sus conocimientos sobre otros planetas de nuestro sistema solar y sobre las estrellas y galaxias lejanas. Gracias a estos estudios, han aprendido más acerca de la Tierra y de su lugar en el universo.

El texto y las imágenes de este libro te facilitarán el aprendizaje de los conceptos clave y de importantes datos relacionados con las ciencias de la Tierra. Las diversas actividades te ayudarán a investigar estos conceptos. Al estudiarlos, conviene contar con una visión general de las ciencias de la Tierra como marco para la nueva información. Los siguientes cuatro principios unificadores te darán esa visión. Lee las siguientes páginas para hacerte una idea general de cada uno de estos principios y de su gran importancia.

- **La energía térmica del interior de la Tierra y la radiación del Sol proporcionan energía para los procesos de nuestro planeta.**

- **Las fuerzas físicas, como la gravedad, afectan al movimiento de toda la materia en la Tierra y en todo el universo.**

- **La materia y la energía se mueven entre las rocas y el suelo, la atmósfera, el agua y los seres vivos de la Tierra.**

- **La Tierra ha cambiado a través del tiempo y aún continúa su evolución.**

la GRAN idea

Cada capítulo empieza con una gran idea. Ten en cuenta que cada gran idea está relacionada con uno o más de los principios unificadores.

La energía térmica del interior de la Tierra y la radiación del Sol proporcionan energía para los procesos de nuestro planeta.

La lava que sale de este volcán de Hawaii es roca líquida derretida por la energía térmica que hay bajo la superficie de la Tierra. Hay otra fuente energética mucho más potente que asedia continuamente de energía la superficie de la Tierra, calentando el aire que nos rodea e impidiendo que se hielen los océanos. Esta fuente energética es el Sol. Todo lo que se mueve o cambia en la Tierra obtiene su energía o del Sol o del interior de nuestro planeta.

Qué significa

Siempre estás rodeado de diferentes formas de energía, como la energía térmica o luminosa. La **energía** es la capacidad de causar cambios. Todos los procesos de la Tierra necesitan energía para poder ocurrir. Un proceso es una serie de cambios que dan lugar a un resultado determinado. Por ejemplo, la **evaporación** es el proceso por el que el líquido se convierte en gas. Un charco de la acera se seca gracias al proceso de evaporación. La energía necesaria para secar el charco proviene del Sol.

Energía térmica del interior de la Tierra

Bajo la fría capa superficial de roca, el interior de la Tierra es tan caliente que la roca sólida puede fluir muy lentamente, desplazándose unos pocos centímetros cada año. En el proceso llamado **convección,** el material caliente sube, se enfría y vuelve a hundirse hasta que se calienta lo suficientemente para subir de nuevo. La convección de la roca caliente transporta energía térmica hasta la superficie de la Tierra, donde proporciona la energía necesaria para levantar montañas, provocar terremotos y hacer que entren en erupción los volcanes.

Radiación del Sol

La Tierra recibe energía del Sol en forma de **radiación,** o sea energía que se mueve en forma de determinados tipos de ondas. La luz visible es un tipo de radiación. La radiación del Sol calienta la superficie de la Tierra, haciendo que los días luminosos de verano sean calurosos. Las diferentes partes de la Tierra reciben diferentes cantidades de radiación durante diferentes épocas del año, dando lugar a las estaciones. La energía del Sol también hace que los vientos soplen, las corrientes oceánicas fluyan y el agua pase del suelo a la atmósfera y otra vez al suelo.

Por qué es importante

Comprender los procesos de la Tierra hace posible

- saber qué tipos de cultivos sembrar y cuándo sembrarlos
- saber cuándo pueden darse condiciones meteorológicas peligrosas, como los tornados y los huracanes
- predecir la erupción de un volcán con la suficiente antelación para permitir la evacuación de las personas de la zona

PRINCIPIO UNIFICADOR

Las fuerzas físicas, como la gravedad, afectan al movimiento de toda la materia en la Tierra y en todo el universo.

El universo es todo lo que existe, y todo lo que hay en el universo se rige por las mismas leyes físicas. Esas mismas leyes rigen las estrellas que aparecen en esta imagen y la página en la que la imagen está impresa.

Qué significa

¿Qué tienen en común las galaxias, las estrellas, el sistema solar y la Tierra? Para empezar, están compuestos todos de materia. La **materia** es todo lo que tiene masa y ocupa un espacio. Las rocas son materia. Tú tambien eres materia. Hasta el aire que te rodea es materia. La materia está compuesta de diminutas partículas llamadas **átomos,** los cuales son tan pequeños que no se ven bajo un microscopio normal.

Todo lo que hay en el universo se ve afectado por las mismas fuerzas físicas. Una **fuerza** es un empujón o un tirón. Las fuerzas afectan al movimiento de la materia en todo el universo.

- Una fuerza que experimentas en todo momento es la **gravedad,** o sea la atracción, o tirón, entre dos objetos. La gravedad tira de ti hacia la Tierra y de la Tierra hacia ti. Esta fuerza es aquella que hace que los objetos caigan hacia abajo en dirección al centro de la Tierra. Es también la fuerza que mantiene a los objetos en órbita alrededor de los planetas y las estrellas.

- La **fricción** es la fuerza que se opone al movimiento entre dos superficies que presionan una contra otra. La fricción puede impedir que una roca de la ladera de una colina ruede hasta el pie de la colina. Si frotas suavemente el dedo sobre la página de un libro y luego sobre un trozo de papel de lija, sentirás cómo las diferentes superficies producen diferentes fuerzas de fricción. ¿Cuál es más fácil de frotar?

- Hay muchas otras fuerzas que actúan en la Tierra y en todo el universo. Por ejemplo, la Tierra tiene un campo magnético. La aguja de una brújula responde a la fuerza ejercida por el campo magnético de la Tierra. Otro ejemplo es la fuerza de contacto entre una roca y el suelo situado debajo de ella. Una fuerza de contacto se produce cuando un objeto empuja o tira de otro objeto sin tocarlo.

Por qué es importante

Las fuerzas físicas afectan al movimiento de toda la materia, desde la partícula más diminuta a ti mismo y hasta la galaxia más grande. Comprender estas fuerzas hace posible

- predecir cómo los objetos y los materiales se mueven en la Tierra
- enviar al espacio naves espaciales y aparatos
- explicar y predecir los movimientos de la Tierra, la Luna, los planetas y las estrellas

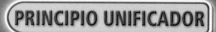

PRINCIPIO UNIFICADOR

La materia y la energía se mueven entre las rocas y el suelo, la atmósfera, el agua y los seres vivos de la Tierra.

Cuando un lobo se come un conejo, la materia y la energía pasan de un ser vivo a otro. Cuando el lobo bebe agua calentada por el Sol, la materia y la energía pasan del agua de la Tierra a uno de sus seres vivos. Son tan sólo dos ejemplos de cómo la energía y la materia se mueven entre los diferentes componentes del sistema Tierra.

Qué significa

Considera la Tierra como un enorme sistema, o un grupo organizado de componentes que trabajan conjuntamente. Dentro de este sistema, la materia y la energía se mueven entre los diferentes componentes. Los cuatro componentes principales del sistema Tierra son los siguientes:

- la **atmósfera,** que incluye todo el aire que rodea al planeta
- la **geosfera,** que incluye todas las rocas y minerales de la Tierra, además del interior del planeta
- la **hidrosfera,** que incluye océanos, ríos, lagos y cada una de las gotas de agua que se encuentran en la superficie de la Tierra o debajo de ella
- la **biosfera,** que se compone de todos los seres vivos de la Tierra

La materia del sistema Tierra

Es fácil ver cómo la materia se mueve por el sistema Tierra. Cuando el agua de la atmósfera cae en forma de lluvia, pasa a formar parte de la hidrosfera. Cuando un animal bebe agua en un charco, el agua pasa a formar parte de la biosfera. Cuando el agua de lluvia penetra en el suelo, se mueve por la geosfera. Al secarse el charco, el agua vuelve a formar parte de la atmósfera.

La energía del sistema Tierra

La mayor parte de la energía que necesitas proviene del Sol y se mueve entre los cuatro componentes principales del sistema Tierra. Piensa otra vez en el charco que se seca. La luz del Sol ilumina el agua y calienta el suelo, o geosfera, que se encuentra debajo del charco. Parte de esta energía térmica entra en el charco, pasando a la hidrosfera. El agua, al evaporarse y pasar a la atmósfera, se lleva con ella la energía proveniente del Sol. El Sol proporciona energía para todas las corrientes meteorológicas y oceánicas. Sin el Sol, la vida no podría existir en la superficie de la Tierra.

Por qué es importante

Comprender cómo la materia y la energía se mueven por el sistema Tierra hace posible

- predecir cómo podría afectar al tiempo un cambio en la temperatura del agua del océano
- determinar cómo podría afectar a la cantidad de lluvia la eliminación de los bosques
- explicar de dónde obtienen energía los organismos del fondo marino para realizar los procesos de la vida

La Tierra ha cambiado a través del tiempo y aún continúa su evolución.

Ves los cambios constantes de la Tierra. La lluvia transforma la tierra en barro, y un viento seco transforma el barro en polvo. Muchos de los cambios son pequeños y pueden tardar cientos o miles o hasta millones de años en hacerse notar. Otros cambios son repentinos y pueden destruir en cuestión de minutos una casa que había durado muchos años.

Qué significa

Los sucesos están cambiando continuamente la superficie de la Tierra. Algunos sucesos, como el levantamiento o desgaste de las montañas, ocurren a lo largo de millones de años. Otros, como los terremotos, ocurren en cuestión de segundos. Un cambio puede afectar a una zona pequeña o a todo un continente, como América del Norte.

Registros de los cambios

¿Cómo sería el pasado lejano? Piensa en cómo los científicos pueden conocer las civilizaciones antiguas. Pues, estudian lo que éstas dejaron atrás y sacan conclusiones basándose en las evidencias. Y de una manera parecida, los científicos pueden conocer el pasado de la Tierra examinando las evidencias que encuentran en las capas de roca y observando los procesos que tienen lugar actualmente.

Al observar que el agua descompone las rocas y transporta el material de un lugar a otro, se descubrió que los ríos lentamente pueden ir formando profundos valles. Las evidencias de las rocas y fósiles hallados en los bordes de los continentes muestran que en cierto momento todos los continentes estuvieron unidos y se fueron separando con el tiempo. Un **fósil** es el indicio de un organismo que estuvo vivo. Los fósiles también muestran que surgen nuevos tipos de plantas y animales y desaparecen otros, como los dinosaurios.

Los cambios aún continúan

Cada año, hay terremotos, volcanes que entran en erupción y ríos que se desbordan. Los continentes continúan su lento desplazamiento. Las montañas del Himalaya en Asia se siguen levantando milímetro a milímetro. El **clima,** o sea los patrones meteorológicos a largo plazo de una zona, también puede cambiar. Los científicos estudian cómo los cambios climáticos ocurridos alrededor del mundo podrían afectar a la Tierra, incluso antes de finalizar el siglo.

Por qué es importante

Comprender los cambios de la Tierra hace posible

- predecir y prepararse para sucesos como las erupciones volcánicas, los derrumbes, las inundaciones y los cambios climáticos
- diseñar edificios resistentes a los sacudidos de los terremotos
- proteger medios ambientes importantes para plantas y animales

La naturaleza de las ciencias

Puedes considerar las ciencias como un conjunto de conocimientos o una colección de hechos. Sin embargo, las ciencias son mucho más: son un proceso activo en el que entran en juego determinadas visiones del mundo.

Hábitos científicos de la mente

Los científicos sienten curiosidad. Formulan preguntas. Un científico, al encontrar una roca poco común a orillas de un río, formularía preguntas como las siguientes: "¿Se formó esta roca en esta zona?" o "¿Se formó esta roca en otro lugar y luego llegó hasta aquí?" Este tipo de preguntas incentivan a los científicos a investigar.

Los científicos son observadores. Observan con mucha atención el mundo que los rodea. Un científico que estudia las rocas puede descubrir mucho sobre una de ellas con sólo levantarla, observar su color y sopesarla.

Los científicos son creativos. Recurren a lo que ya saben para formular posibles explicaciones de un patrón, un suceso o un fenómeno interesante que han observado. Después desarrollan un plan para probar sus ideas.

Los científicos son escépticos. No aceptan una explicación o una respuesta que no se base en evidencias y razonamientos lógicos. Además, cuestionan constantemente sus propias conclusiones y las conclusiones de otros científicos. Confían sólo en las evidencias que pueden ser confirmadas por otras personas u otros métodos.

Los científicos usan sismógrafos para observar y medir las vibraciones que se propagan por el suelo.

Este científico recoge una muestra de roca fundida de una colada de lava caliente, en Hawaii.

El desarrollo de los procesos científicos

Puedes considerar las ciencias como un ciclo constante de formular preguntas sobre el mundo y buscar las respuestas. Aunque son muchos los procesos que usan los científicos, normalmente realizan cada uno de los siguientes pasos:

- Observar y formular una pregunta
- Determinar lo que ya se conoce
- Investigar
- Interpretar los resultados
- Compartir los resultados

Observar y formular una pregunta

Te puede sorprender que el formular preguntas sea una destreza importante. Una investigación científica puede iniciarse a raíz de una pregunta de un científico. Quizá observe un suceso o un proceso que no comprenda o quizá la respuesta a una pregunta dé lugar a otra pregunta.

Determinar lo que ya se conoce

Al iniciar una investigación, los científicos primero se informan de lo que ya se conoce sobre la pregunta. Para ello, estudian los resultados de otras investigaciones científicas, leen revistas especializadas y hablan con otros científicos. El científico que trata de averiguar el lugar de origen de una roca poco común examinará mapas que muestran los tipos de rocas que se sabe son originarios de la zona donde se encontró la roca.

Investigar

Investigar es el proceso de recoger evidencias. Dos maneras importantes de hacerlo son hacer experimentos y observar.

Un **experimento** es un procedimiento organizado que sirve para estudiar algo en condiciones controladas. Por ejemplo, el científico que encontró la roca del río podría observar que donde a la roca le falta un trozo, el interior es más claro. Entonces podría idear un experimento para determinar por qué el color del interior es diferente. Podría quitar un trocito de la roca del interior y calentarlo para ver si se pone del mismo color que el exterior. Ese trocito tendría que ser de la misma roca sometida a estudio ya que otra roca podría reaccionar ante el calor de forma diferente.

A veces, los científicos usan la fotografía para estudiar sucesos rápidos, como la descarga múltiple de rayos.

Las rocas, como esta que proviene de la Luna, pueden someterse a diferentes condiciones en un laboratorio.

Observar es el proceso de percibir y anotar un suceso, una característica o cualquier otro factor detectado con un instrumento o con los sentidos. Los científicos hacen observaciones durante la realización de un experimento. Pero no todo se puede estudiar mediante un experimento. Por ejemplo, los rayos de luz que llamamos meteoros se producen cuando pequeñas rocas del espacio exterior llegan a la atmósfera de la Tierra. Para estudiarlos, los científicos pueden sacar fotografías del cielo en el momento en que sea más probable que se produzcan.

Formular hipótesis y hacer predicciones son otras dos destrezas utilizadas en las investigaciones científicas. Una **hipótesis** es una explicación provisional de una observación o de un problema científico que puede someterse a prueba mediante investigaciones adicionales. Por ejemplo, el científico que encontró la roca del río podría hacer la siguiente hipótesis:

La roca es un meteorito, es decir, una roca que cayó al suelo desde el espacio exterior. El exterior de la roca cambiaría de color debido al calentamiento que sufriría al pasar por la atmósfera de la Tierra.

Una **predicción** es una expectativa de lo que se observará u ocurrirá. Para probar la hipótesis que establece que el exterior de la roca es negra por ser un meteorito, el científico podría predecir que, tras examinar detenidamente la roca, se comprobará que tiene muchas características en común con otras rocas ya confirmadas como meteoritos.

Interpretar los resultados

Los científicos en sus investigaciones analizan las evidencias, o datos, y sacan las primeras conclusiones. **Analizar datos** es el proceso de examinar las evidencias recogidas mediante las observaciones o los experimentos e identificar los patrones que haya en los datos. Frecuentemente, los científicos necesitan hacer observaciones o experimentos adicionales para asegurarse de sus conclusiones. A menudo, hacen nuevas predicciones o revisan sus hipótesis.

Los científicos usan computadoras para recoger e interpretar datos.

Los científicos producen imágenes, como este dibujo de un relieve generado por computadora, para compartir sus resultados con los demás.

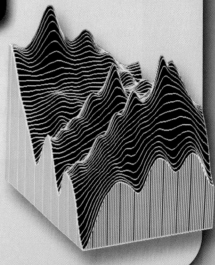

Compartir los resultados

Una parte importante de la investigación científica es el compartir los resultados de los experimentos. Los científicos leen y publican artículos en revistas especializadas y asisten a congresos para así comunicarse con otros científicos de todo el mundo. Al compartir los datos y los procedimientos, pueden probar los resultados obtenidos por los demás. También comparten los resultados con el público a través de los periódicos, la televisión y otros medios de comunicación.

La naturaleza de la tecnología

Cuando piensas en la tecnología, tal vez pienses en automóviles, computadoras y teléfonos celulares. Imagínate cómo sería no tener refrigerador ni radio. Es difícil pensar en un mundo sin los productos de lo que llamamos tecnología. Sin embargo, la tecnología no son sólo los aparatos que nos facilitan las actividades diarias. La tecnología es el proceso de usar los conocimientos científicos para dar soluciones a problemas del mundo real.

Ciencia y tecnología

La ciencia y la tecnología están estrechamente relacionadas. Cada una depende de la otra. Hasta para diseñar algo tan sencillo como un termómetro se necesita saber cómo los diferentes materiales responden a los cambios en la temperatura. Gracias a los termómetros, los científicos han podido ampliar sus conocimientos del mundo. Conocer más a fondo las reacciones de los materiales ante los cambios en la temperatura ayudó a los ingenieros a fabricar productos como los refrigeradores. También han construido termómetros de lectura automática por computadora. Las nuevas tecnologías dan lugar a nuevos conocimientos científicos y éstos a su vez dan lugar a tecnologías aun mejores.

El proceso del diseño tecnológico

El proceso del diseño tecnológico implica muchas opciones. Por ejemplo, ¿cómo proteger a los habitantes de una zona propensa a intensas tormentas como tornados y huracanes? ¿Construir casas más resistentes a los vientos? ¿Desarrollar un método para detectar las tormentas antes de que se produzcan? ¿Aprender más sobre los huracanes para descubrir nuevas formas de proteger a las personas de sus peligros? Los pasos que se siguen para resolver el problema dependen en gran medida de lo que ya se sabe acerca del problema y de las soluciones razonables que se le pueden dar. Al familiarizarte con los pasos del proceso del diseño tecnológico, considera las diferentes opciones que se podrían escoger en cada paso.

Identificar una necesidad

Para estudiar los huracanes, los científicos necesitaban saber qué ocurría en las partes más peligrosas de la tormenta. No obstante, era peligroso acercarse al centro de los huracanes ya que los vientos eran demasiado fuertes y cambiaban de dirección con demasiada rapidez. Los científicos necesitaban un método para medir las condiciones en lo más profundo de la tormenta sin ponerse ellos mismos en peligro.

Diseñar y desarrollar

Uno de los planteamientos fue diseñar una sonda robótica para hacer las mediciones. La sonda y los instrumentos tenían que ser lo suficientemente resistentes para soportar los veloces vientos del centro del huracán. También se necesitaba saber cómo enviar la sonda hasta la tormenta y obtener rápidamente los datos con los instrumentos.

Los científicos diseñaron un aparato llamado radiosonda lanzable que se podía dejar caer desde un avión que sobrevolaba el huracán. Este aparato realiza mediciones en lo más profundo de la tormenta y envía por radio los datos a los científicos.

Probar y mejorar

Por lo general, incluso las buenas tecnologías pueden mejorarse. Cuando los científicos usaron por primera vez las radiosondas lanzables, descubrieron más sobre los huracanes. Pero también descubrieron qué ventajas e inconvenientes tenían las radiosondas. Por ejemplo, necesitaban saber con más precisión y en todo momento la posición de las radiosondas. Las nuevas radiosondas hacen uso del Sistema de Posicionamiento Global, el cual proporciona la posición de un punto en cualquier lugar de la Tierra mediante señales emitidas por satélite.

Cómo usar
Las ciencias de McDougal Littell

Cómo leer el texto y el material visual

Este libro está pensado para ayudarte a aprender. Usa las sugerencias de los recuadros como ayuda para aprender y recordar las **grandes ideas** y los **conceptos clave.**

Toma apuntes.

Aplica las estrategias de la página **Prepárate para aprender.**

Lee la gran idea.

Al leer los **conceptos clave** del capítulo, relaciónalos con **la gran idea.**

CAPÍTULO

2 La Ti Luna

la GRAN idea

La Tierra y la Luna se mueven de maneras predecibles al orbitar el Sol.

CONCEPTOS CLAVE

SECCIÓN
2.1 La Tierra rota en torno a un eje inclinado y orbita el Sol.
Aprende qué causa el día y la noche y por qué hay estacione

SECCIÓN
2.2 La Luna es el satélite natural de la Tierra.
Aprende acerca de la estruct y el movimiento de la Luna la Tierra.

SECCIÓN
2.3 Las posiciones del So de la Luna afectan a Tierra.
Aprende acerca de las fase la Luna, los eclipses y las mareas.

 Internet: Primer vis

CLASSZONE.COM

Recursos en Internet para el capítulo 2: **Content Review,** dos **Visualizations,** dos **Resource Centers, Math Tutorial, Test Practice**

40 Unidad: Ciencia del espacio

CAPÍTULO 2
Prepárate para aprender

◀ REPASO DE LOS CONCEPTOS

- El cielo parece rotar conforme la Tierra gira.
- Los movimientos de los objetos espaciales cercanos son visibles desde la Tierra.
- La luz y otras radiaciones portan información sobre el espacio.

◀ REPASO DEL VOCABULARIO

órbita pág. 10
radiación electromagnética pág. 15
satélite pág. 23
Consulta las definiciones del Glosario.
fuerza, gravedad, masa

CONTENT REVIEW
CLASSZONE.COM
Repasa los conceptos y el vocabulario.

▶ TOMAR APUNTES

APUNTES COMBINADOS

Para tomar apuntes acerca de un concepto nuevo, primero haz un esquema informal de la información. Luego haz un dibujo del concepto y rotúlalo para que lo puedas estudiar después.

ESTRATEGIA PARA EL VOCABULARIO

Escribe cada nuevo término de vocabulario en el centro de un diagrama de **marco.** Decide con qué información enmarcarlo. Usa ejemplos, descripciones, dibujos u oraciones en las cuales el término se use en contexto. Puedes cambiar el marco para acomodar cada término.

Consulta el Manual para tomar apuntes, R45 a R51.

42 Unidad: Ciencia del espacio

CUADERNO DE CIENCIAS

APUNTES

La Tierra gira.
- Gira sobre un eje imaginario.
  - Los polos son los extremos del eje.
  - El ecuador está en la mitad.
- La rotación dura 24 horas.
- El Sol brilla sólo de un lado.
  - Es de día en el lado iluminado.
  - Es de noche en el lado oscuro.

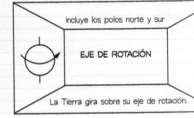

incluye los polos norte y sur

EJE DE ROTACIÓN

La Tierra gira sobre su eje de rotación.

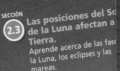

CONCEPTO CLAVE

La Tierra rota en torno a un eje inclinado y orbita el Sol.

Recuerda lo que ya sabes.

Piensa en los conceptos ya aprendidos y mira lo que ahora aprenderás.

◄ **ANTES, aprendiste**

- Las estrellas parecen salir, cruzar el cielo y ponerse porque la Tierra gira
- El Sol es muy grande y está lejos de la Tierra
- La Tierra orbita el Sol

► **AHORA, aprenderás**

- Por qué tiene la Tierra día y noche
- Cómo producen estaciones los ángulos cambiantes de la luz solar

VOCABULARIO

eje de rotación pág. 44
revolución pág. 45
estación pág. 46
equinoccio pág. 46
solsticio pág. 46

EXPLORA Zonas de tiempo

¿Qué hora es en Islandia en este momento?

PROCEDIMIENTO

① Encuentra tu posición y la de Islandia en el mapa. Identifica la zona de tiempo de cada una.

② Cuenta el número de horas entre tu posición y la de Islandia. Suma o resta ese número de horas de la hora en tu reloj.

MATERIALES
mapa de zonas de tiempo

¿QUÉ PIENSAS?

- ¿Es más temprano o más tarde en Islandia? ¿Por cuántas horas?
- ¿Por qué ponen diferentes horas en los relojes?

Haz las actividades.

En ellas se presentarán conceptos científicos.

La rotación de la Tierra causa el día y la noche.

Cuando los astronautas exploraron la Luna, sintieron la gravedad de la Luna jalándolos hacia abajo. Su "abajo" habitual, es decir la Tierra, se encontraba arriba, en el cielo de la Luna.

Al leer este libro, es fácil saber hacia dónde es abajo. ¿Pero es abajo en la misma dirección para una persona que está del otro lado de la Tierra? Si ambos señalaran hacia abajo, cada quien estaría señalando en la dirección de la otra persona. La gravedad de la Tierra atrae los objetos hacia el centro de la Tierra. No importa en qué parte de la Tierra te encuentres, la dirección de abajo será hacia el centro de la Tierra. No hay una parte inferior y una parte superior. Arriba es hacia el espacio y abajo es hacia el centro del planeta.

Conforme la Tierra gira, tú también lo haces. Permaneces en la misma posición con respecto a lo que está debajo de tus pies, pero la vista sobre tu cabeza cambia.

Aprende el vocabulario.

Toma apuntes sobre cada término.

LEER
¿Comprendiste?   ¿En qué dirección jala la gravedad a los objetos que están cerca de la Tierra?

Capítulo 2: **La Tierra, la Luna y el Sol   43**

Contesta las preguntas.

Las preguntas de **Leer ¿Comprendiste?** te ayudarán a recordar lo que leíste.

Cómo leer el texto y el material visual

Estudia el material visual.

- Lee el título.
- Lee todas las designaciones y leyendas.
- Determina qué muestra la imagen. Fíjate en los colores, las flechas y las líneas.

El espectro electromagnético

Los diferentes tipos de radiación electromagnética varían en su longitud de onda.

luz visible

longitud de onda

| ondas de radio | microondas | infrarrojo | ultravioleta | rayos X | rayos gamma |

Ondas de radio

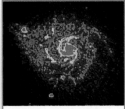

Esta imagen de una galaxia muestra dónde se emiten ondas de radio.

Luz visible

Esta imagen de una galaxia muestra dónde se emiten ondas de radio.

La luz visible es el único tipo de radiación que nuestros ojos pueden detectar.

Rayos X

Esta imagen muestra dónde la misma galaxia emite rayos X.

LEER Un consejo

Un prisma es un objeto transparente que se usa para separar las longitudes de onda de la luz.

Si alumbras a través de un prisma con una linterna, el rayo de luz blanca se separará en una gama de colores llamada **espectro.** Los colores que componen la luz visible son el rojo, anaranjado, amarillo, verde, azul, índigo y violeta. Éstos son los colores en un arco iris, el cual aparece cuando la luz se separa al pasar por gotas de lluvia.

En un espectro, los colores de la luz visible se presentan en el orden de sus longitudes de onda. La **longitud de onda** es la distancia entre la cresta de una onda y la cresta de la onda siguiente. La luz roja tiene la mayor longitud de onda y la luz violeta tiene la menor.

Lee un párrafo cada vez.

Busca la oración principal que explica la idea central del párrafo. Determina cómo los detalles están relacionados con esa idea. Un párrafo puede contener varias ideas importantes; puede ser necesario leerlo más de una vez para entenderlo.

Como puedes ver en la ilustración de arriba, la luz visible es sólo una diminuta parte de un espectro más grande llamado espectro electromagnético. El espectro electromagnético incluye todos los tipos de radiación electromagnética. Observa que la longitud de onda de la radiación infrarroja es mayor que la longitud de onda de la luz visible pero menor a la longitud de onda de los microondas o de las ondas de radio. La longitud de onda de la radiación ultravioleta es menor que la longitud de onda de la luz visible pero no tan corta como la longitud de onda de los rayos X o de los rayos gamma.

LEER ¿Comprendiste? ¿En qué se diferencia la luz visible de otros tipos de radiación electromagnética?

Contesta las preguntas.

Las preguntas de **Leer ¿Comprendiste?** te ayudarán a recordar lo que leíste.

16 Unidad: **Ciencia del espacio**

Actividades de laboratorio

Para comprender las ciencias, tienes que llevarlas a la práctica. Las actividades de laboratorio te ayudan a entender cómo funcionan realmente las cosas.

① Primero lee todo el texto del laboratorio.

② Haz una hipótesis.

③ Sigue el procedimiento.

④ Anota los datos.

INVESTIGACIÓN DEL CAPÍTULO

Hacer un modelo de las estaciones

DESCRIPCIÓN Y PROPÓSITO ¿Por qué son las condiciones meteorológicas en Norteamérica mucho más frías en enero que en julio? Te sorprenderá saber que no tiene nada que ver con la distancia de la Tierra al Sol. De hecho, la Tierra está más cerca del Sol en enero. En este laboratorio harás un modelo de lo que causa las estaciones al
- orientar una fuente de luz hacia una superficie en diferentes ángulos
- determinar cómo cambian los ángulos de la luz solar en un lugar conforme la Tierra orbita al Sol

▶ Problema *Por escrito*

¿Cómo afecta el ángulo de la luz a la cantidad de energía solar que un lugar recibe en diferentes épocas del año?

▶ Hacer hipótesis *Por escrito*

Después de realizar el paso 3, escribe una hipótesis que explique cómo afectan los ángulos de la luz solar a la cantidad de energía solar que recibe tu localidad en diferentes épocas del año. Tu hipótesis debe tomar la forma de un enunciado "Si..., entonces..., porque...".

MATERIALES
- papel cuadriculado
- linterna
- regla de un metro
- transportador
- globo terráqueo
- pila de libros
- papel engomado

▶ Procedimiento

PARTE A

1. Escribe una X cerca del centro del papel cuadriculado. Alumbra el papel con la linterna desde una distancia de 30 cm directamente sobre la X, a un ángulo de 90° de la superficie. Observa el tamaño de la mancha de luz.

2. Alumbra la X con la linterna a diferentes ángulos. Mantén la linterna a la misma distancia. Escribe qué sucede con el tamaño de la mancha de luz al cambiar los ángulos.

3. Repite el paso 2, pero observa sólo un cuadro cerca de la X. Escribe lo que le sucede al brillo de la luz al cambiar el ángulo. El brillo muestra cuánta energía de la linterna recibe el área.

4. Piensa en las temperaturas en diferentes épocas del año en tu localidad, luego escribe tu hipótesis.

paso 2

90°

PARTE B

5. Coloca el globo terráqueo, los libros y la linterna como se muestra en la fotografía. Apunta el Polo Norte del globo terráqueo hacia la derecha. Esta posición representa el solsticio A.

solsticio A

6. Encuentra tu localidad en el globo terráqueo. Coloca un papel engomado doblado sobre tu localidad en el globo terráqueo como se muestra en la fotografía. Haz rotar el globo sobre su eje hasta que el papel apunte hacia la linterna.

7. El rayo de luz de la linterna representa la luz solar de mediodía en tu localidad. Usa el transportador para calcular el ángulo al cual la luz incide sobre la superficie.

luz
pasos 6 y 7

8. Mueve el globo terráqueo al lado izquierdo de la mesa y la linterna y los libros al lado derecho de la mesa. Apunta el Polo Norte hacia la derecha. Esta posición representa el solsticio B.

9. Repite el paso 7 para el solsticio B.

solsticio B

▶ Observar y analizar *Por escrito*

1. **ANOTAR** Dibuja el montaje de tus materiales en cada parte de la investigación. Organiza tus apuntes.

2. **ANALIZAR** Describe cómo afectó el ángulo de la linterna en el paso 2 al área de la mancha de luz. ¿Qué ángulo concentró la luz en la menor área?

3. **EVALUAR** ¿A qué ángulo recibió la mayor energía un cuadro del papel cuadriculado?

4. **COMPARAR** Compara los ángulos de la luz en los pasos 7 y 9. ¿En qué posición estuvo el ángulo de luz más cercano a los 90°?

▶ Sacar conclusiones *Por escrito*

1. **EVALUAR** ¿En qué se diferenció el ángulo de la luz solar en tu localidad en las dos épocas del año? ¿En qué posición está más concentrada la luz solar en tu localidad?

2. **APLICAR** La cantidad de luz solar en tu localidad afecta a la temperatura. ¿Qué solsticio, A o B, representa el solsticio de verano en tu localidad?

3. **INTERPRETAR** ¿Tus observaciones apoyan a tu hipótesis? Explica por qué sí o por qué no.

▶ INVESTIGAR más

RETO ¿Qué sucede en el otro hemisferio en las dos épocas del año? Usa tu modelo para averiguarlo.

Hacer un modelo de las estaciones

Problema ¿Cómo afecta el ángulo de la luz a la cantidad de energía solar que una localidad recibe en diferentes épocas del año?

Hacer hipótesis

Observar y analizar

Tabla 1. Solsticios A y B

	Solsticio A	Solsticio B
Dibujo		
Ángulo de la luz (°)		
Observaciones		

Sacar conclusiones

Capítulo 2: La Tierra, la Luna y el Sol **51**

50 Unidad: Ciencia del espacio

---

⑤ Analiza los resultados.

⑥ Escribe el informe del laboratorio.

Cómo usar la tecnología

El Internet es una excelente fuente de información sobre temas científicos
actuales. Los sitios Web de ClassZone y SciLinks son interesantísimos para explorar.
Los videos cortos y las simulaciones pueden hacer que las ciencias cobren vida.

Busca los mensajes rojos.

Visita **ClassZone.com** para ver
simulaciones, visualizaciones,
centros de recursos y un repaso
del contenido.

Mira los videos.

Ve los usos de las ciencias
en el video de **Scientific
American Frontiers.**

Busca SciLinks.

Visita **scilinks.org** para explorar
el tema.

Space Probes **Code: MDL057**

Ciencia del espacio
Perspectiva general del contenido

Secciones especiales de las unidades

FRONTERAS EN LAS CIENCIAS Peligro del cielo   2

LÍNEAS DE TIEMPO EN LAS CIENCIAS La historia de la astronomía   72

1 Explorar el espacio   6

la GRAN idea

Se desarrolla y se usa la tecnología
para explorar y estudiar el espacio.

2 La Tierra, la Luna y el Sol   40

la GRAN idea

La Tierra y la Luna se mueven de maneras
predecibles al orbitar el Sol.

3 Nuestro sistema solar   76

la GRAN idea

Los planetas y otros objetos forman
un sistema alrededor del Sol.

4 Las estrellas, las galaxias y el universo   112

la GRAN idea

El Sol es una de las miles de millones
de estrellas de una de las miles de
millones de galaxias del universo.

PELIGRO del cielo

¿Cómo pueden averiguar los astrónomos si un objeto grande del espacio va a chocar con nuestro planeta?

SCIENTIFIC AMERICAN FRONTIERS

Ve el segmento de video "Big Dish" para saber cómo usan los astrónomos el mayor radiotelescopio de la Tierra.

El rayo de luz de la fotografía superior fue producido por una diminuta partícula espacial que ardía en la atmósfera de la Tierra. En la imagen de la izquierda aparece el cráter de Barringer, en Arizona.

Colisiones en el espacio

En el verano de 1994, telescopios de todo el planeta apuntaban hacia Júpiter. Por primera vez, los astrónomos sabían de antemano que ocurrirá una colisión en el espacio. La gravedad de Júpiter había partido en más de 20 trozos grandes al cometa Shoemaker-Levy 9. Los objetos rocosos, al chocar con la atmósfera de Júpiter, explotaron de forma espectacular.

Los astrónomos han hallado evidencias de impactos más cerca de casa. Los cráteres que cubren gran parte de la superficie lunar fueron producidos hace miles de millones de años por colisiones con objetos espaciales. En 1953, un astrónomo logró captar una imagen fotográfica del intenso destello de un objeto al caer en la Luna. Otros cuerpos sólidos del espacio también tienen cráteres de impacto. En la Tierra quedan escasas evidencias de impactos ya que su superficie está siempre cambiando. Menos de 200 cráteres siguen visibles.

La atmósfera de la Tierra nos protege de las colisiones con objetos pequeños, ya que éstos arden en el aire. Sin embargo, cuando un objeto grande choca con la Tierra, la atmósfera puede extender los efectos del impacto mucho más allá del cráter. Una colisión grande podría arrojar polvo en el aire hasta grandes alturas, donde puede ser transportado por todo el planeta. El polvo puede impedir el paso de la luz solar durante meses y bajar bruscamente las temperaturas del planeta.

Hace aproximadamente 65 millones de años, un objeto espacial grande chocó con la Tierra. El polvo de la colisión se puede encontrar en todas partes del mundo, en una capa de roca que se estaba formando en ese momento. Y casi al mismo tiempo, la mayoría de las especies se extinguieron, incluyendo los dinosaurios. Muchos científicos creen que la colisión provocó esa devastación en el planeta.

El riesgo de una colisión importante

¿Cuándo chocará un objeto espacial con la Tierra? Probablemente esté produciéndose una colisión mientras lees esta frase. Diminutas partículas chocan en todo momento con la atmósfera de la Tierra. Algunas de estas partículas tienen suficiente masa para pasar a través de la atmósfera. Los objetos que alcanzan la superficie de nuestro planeta se llaman meteoritos. La mayoría de ellos caen al océano sin causar daños o llegan a zonas deshabitadas. Cada pocos años un meteorito daña una casa u otra propiedad. Sin embargo, no se conoce ningún caso de muerte de una persona debido a un meteorito.

Las colisiones que causan daños extensos ocurren menos a menudo ya que el sistema solar contiene menos objetos grandes. En 1908, un objeto grande del espacio estalló sobre una región remota de Rusia. El estallido derribó los árboles de una zona mayor que la mitad del estado de Rhode Island. Pero hasta este impacto fue pequeño en comparación con las colisiones importantes que afectan a todo el planeta. Este tipo de colisiones ocurren, por término medio, aproximadamente dos veces cada millón de años. Los acontecimientos que extinguen gran número de especies ocurren incluso menos a menudo.

Seguir la pista de los asteroides

Aunque es improbable que en un futuro próximo la Tierra sufra una importante colisión con un objeto espacial, el peligro es merecedor de atención. Los científicos usan telescopios para localizar grandes objetos espaciales rocosos llamados asteroides. Tras localizar un asteroide, utilizan modelos computarizados para predecir su trayectoria en los siglos venideros. Los científicos prevén que para el año 2008 habrán localizado casi todos los asteroides que podrían producir efectos devastadores en la Tierra.

Localizar objetos que podrían amenazar la vida en la Tierra es sólo el primer paso. Los científicos también

SCIENTIFIC AMERICAN FRONTIERS

Ve el segmento "Big Dish" del video de *Scientific American Frontiers* para saber cómo usan los astrónomos el gigantesco radiotelescopio de Arecibo para explorar el universo.

EN ESTA ESCENA DEL VIDEO ▶

Ves un primer plano de la cúpula del telescopio de Arecibo y una de sus antenas.

EXPLORAR ANTENAS El choque de un asteroide con la Tierra puede parecer el tema de una película de ciencia ficción. Y sin embargo, los asteroides representan un peligro real para los humanos. Algunos al chocar con nuestro planeta podrían causar daños de gran amplitud. Los astrónomos están siguiendo estos asteroides para determinar a qué distancia mínima pasarán de la Tierra en el futuro.

Los asteroides son demasiado tenues para observarse claramente en la Tierra con telescopios ópticos. Sin embargo, los radiotelescopios pueden ofrecer imágenes detalladas de ellos. Dentro de la cúpula del telescopio de Arecibo se encuentra el transmisor de radar más poderoso del mundo. Este transmisor puede hacer rebotar un haz de ondas de radio sobre el disco del telescopio para alcanzar un asteroide a millones de millas de distancia. El telescopio capta las señales que vuelven, las cuales son convertidas en imágenes.

La imagen de la izquierda es del telescopio de Arecibo. Los datos recogidos con el telescopio se utilizaron para hacer este modelo del asteroide Toutatis.

quieren conocer las características de los asteroides. El telescopio de Arecibo, en Puerto Rico, es una herramienta importante para estudiar los asteroides. Es el mayor disco de radio del mundo y permite a los científicos determinar el movimiento y la forma de los asteroides. Los modelos computarizados y las pruebas realizadas con materiales reales proporcionan información adicional sobre la masa, los materiales y la estructura de cada asteroide.

Si alguna vez los científicos localizan un asteroide que se dirija hacia la Tierra, estos estudios podrían ayudarnos a cambiar sin peligro su trayectoria. ¿Recuerdas el cometa ya fragmentado que chocó con Júpiter? Pues, si un asteroide se fragmentara antes de alcanzar la Tierra, los trozos que cayeran en distintos lugares podrían causar incluso más daños que un solo impacto. Antes de usar una bomba o un láser para cambiar la trayectoria de un asteroide, los gobiernos tendrían que asegurarse de que el asteroide no se fragmentaría. Afortunadamente, los científicos dispondrían de varias décadas para estudiar un asteroide peligroso y determinar qué medidas tomar.

PREGUNTAS sin respuesta

Los científicos van aprendiendo más sobre el peligro que representaría la colisión de un asteroide con la Tierra. Cuanto más aprendemos sobre las colisiones en el espacio, más preguntas tenemos.

- ¿Qué métodos podrían usarse para cambiar la trayectoria de un asteroide que amenazara la Tierra?
- ¿Cómo podemos asegurarnos de que el asteroide no se fragmentaría precisamente debido a las medidas tomadas para cambiar su trayectoria?
- ¿Cuántos objetos más pequeños pero peligrosos podrían estar dirigiéndose hacia la Tierra?

PROYECTOS DE LA UNIDAD

Mientras estudias esta unidad, trabaja solo o en grupo en uno de estos proyectos.

Observar el cielo

Escoge un objeto del espacio o parte del cielo lejano para observarlo durante un mes. Apunta en un cuaderno de observaciones lo que veas y pienses.

- Presta una atención especial a los cambios relativos con respecto a otros objetos del cielo.
- Busca información o construye herramientas que te ayuden a observar.
- Copia tus mejores dibujos para exhibirlos en un tablero de presentación. Explica tus observaciones.

Presentación multimedia

El telescopio de Arecibo no sólo se usa para estudiar los asteroides. Prepara una presentación multimedia sobre otras investigaciones realizadas con el gigantesco radiotelescopio.

- Busca información sobre las investigaciones en sitios web de Internet y en otras fuentes de información.
- Prepara los componentes auditivos y visuales de la presentación.

Mapea un objeto espacial

Usa una papa grande para representar un objeto espacial recien explorado. Dibuja las líneas de latitud y longitud. Después identifica las formas del relieve y haz un mapa plano.

- Marca con una pluma los polos, el ecuador y las líneas de longitud y latitud. Trata de no romper la piel de la papa.
- ¿Parecen cráteres o volcanes los ojos de la papa? Decide qué nombre darles a los diferentes tipos de formas del relieve.
- Haz un mapa plano del objeto espacial.

CAREER CENTER
CLASSZONE.COM

Aprende más acerca de las profesiones relacionadas con la astronomía.

CAPÍTULO

1

Explorar el espacio

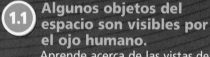
la GRAN idea

Se desarrolla y se usa la tecnología para explorar y estudiar el espacio.

Conceptos clave

SECCIÓN
1.1 Algunos objetos del espacio son visibles por el ojo humano.
Aprende acerca de las vistas del espacio desde la Tierra y acerca de la organización del universo.

SECCIÓN
1.2 Los telescopios nos permiten estudiar el espacio desde la Tierra.
Aprende cómo reúnen los astrónomos información acerca del espacio a partir de diferentes tipos de radiación.

SECCIÓN
1.3 Las naves espaciales nos ayudan a explorar más allá de la Tierra.
Aprende cómo los astronautas y los instrumentos proporcionan información acerca del espacio.

SECCIÓN
1.4 La exploración espacial beneficia a la sociedad.
Aprende acerca de los beneficios de la exploración espacial.

Internet: Primer vistazo

CLASSZONE.COM

Recursos en Internet para el capítulo 1: **Content Review, Simulation, Visualization,** dos **Resource Centers, Math Tutorial, Test Practice**

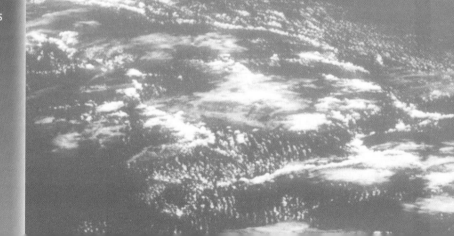

¿Qué retos tienen que vencerse en la exploración espacial?

¿Por qué parece que el Sol se mueve alrededor de la Tierra?

Ponte de pie frente a una lámpara de piso y gira lentamente. Observa el movimiento de la lámpara dentro de tu campo visual.

Observar y pensar ¿Por qué parecía que la lámpara se movía?

¿Qué colores hay en la luz solar?

En luz solar brillante, sostén un bolígrafo de plástico transparente sobre una caja. Mueve el bolígrafo hasta que aparezca un patrón de arco iris.

Observar y pensar ¿Qué colores viste? ¿Qué podría haber causado que aparecieran?

Actividad en Internet: El universo

Visita **ClassZone.com** para simular el moverte por diferentes niveles de escala del universo.

Observar y pensar ¿Qué porción del universo puedes ver sin un telescopio?

NSTA
scilinks.org

SCI**LINKS**

Space Probes **Code: MDL057**

CAPÍTULO 1

Prepárate para aprender

REPASO DE LOS CONCEPTOS

- Hay más estrellas en el cielo que una persona puede contar fácilmente.
- Los telescopios aumentan los aspectos de objetos lejanos en el cielo.
- Ya que un nuevo invento existe, es probable que la gente piense en nuevas maneras de usarlo.

REPASO DEL VOCABULARIO

Consulta las definiciones del Glosario.

datos

energía

gravedad

tecnología

 CONTENT REVIEW
CLASSZONE.COM

Repasa los conceptos y el vocabulario.

TOMAR APUNTES

RED DE IDEAS

Escribe cada nuevo encabezamiento azul, o idea principal, en el recuadro del centro. En los recuadros a su alrededor, escribe apuntes acerca de importantes términos y detalles relacionados a la idea principal.

ESTRATEGIA PARA EL VOCABULARIO

Piensa en un término de vocabulario como un diagrama de **palabra imán**. Escribe los otros términos o ideas relacionadas al término a su alrededor.

Consulta el Manual para tomar apuntes, R45 a R51.

CUADERNO DE CIENCIAS

Las constelaciones cambian de posición en el cielo nocturno conforme la Tierra gira.

Polaris se encuentra directamente arriba del Polo Norte.

El cielo parece rotar conforme la Tierra gira.

Polaris te puede ayudar a determinar dirección y posición.

ÓRBITA

trayectoria alrededor de otro objeto

influencia de la gravedad

La Luna orbita la Tierra.

Los planetas orbitan el Sol.

telescopios espaciales

satélites

CONCEPTO CLAVE

Algunos objetos del espacio son visibles por el ojo humano.

◄ **ANTES, aprendiste**

- La Tierra es uno de los nueve planetas que orbitan el Sol
- La Luna orbita la Tierra
- La Tierra gira sobre su eje cada 24 horas

▶ **AHORA, aprenderás**

- Cómo está organizado el universo
- Cómo forman patrones en el cielo las estrellas
- Cómo se ven desde la Tierra los movimientos de los cuerpos en el espacio

VOCABULARIO

órbita pág. 10
sistema solar pág. 10
galaxia pág. 10
universo pág. 10
constelación pág. 12

EXPLORA Distancia

¿A qué distancia está la Luna de la Tierra?

PROCEDIMIENTO

1. Amarra un extremo de la cuerda alrededor de una pelota de tenis. La pelota de tenis representará la Tierra.

2. Enrolla la cuerda 9.5 veces alrededor de la pelota de tenis y haz una marca en la cuerda en ese punto. Forma una bola alrededor de la marca con el papel de aluminio. La bola de papel aluminio representará la Luna.

3. Desenrolla y extiende la cuerda para colocar los modelos de la Luna y de la Tierra a la distancia correcta en comparación a sus tamaños.

¿QUÉ PIENSAS?

- ¿Cómo se compara el modelo a escala con la idea que antes tenías sobre la distancia entre la Tierra y la Luna?
- ¿Cuántas Tierras calculas que se puede acomodar entre la Tierra y la Luna?

MATERIALES

- pelota de tenis
- papel de aluminio (tira de 15 cm)
- cuerda delgada (250 cm)
- marcador

Vemos patrones en el universo.

RED DE IDEAS
Anota detalles acerca de los patrones en el espacio.

Durante casi toda la historia, el conocimiento que la gente tenía sobre el espacio era muy limitado. Veían a los planetas y a las estrellas como puntos de luz en el cielo nocturno. Sin embargo, no sabían la distancia entre esos cuerpos y la Tierra o entre un cuerpo y otro. Los primeros observadores hicieron conjeturas acerca de los planetas y las estrellas según su aspecto y las maneras en que parecían moverse por el cielo. Diferentes pueblos alrededor del mundo relacionaron los patrones que veían en el cielo con historias sobre seres imaginarios.

Todavía tenemos mucho que aprender sobre el universo. Sin embargo, en los últimos cientos de años, nuevas herramientas y teorías científicas han aumentado enormemente nuestro conocimiento. En este capítulo aprenderás acerca de la organización de los planetas y las estrellas. También aprenderás acerca de las maneras en las cuáles los astrónomos exploran y estudian el espacio.

La organización del Universo

Si miras el cielo en una noche despejada, verás solamente una diminuta fracción de los planetas y las estrellas que existen. El número de objetos en el universo y las distancias entre ellos son mucho más grandes de lo que la mayoría de las personas pueden imaginar. Sin embargo, estos objetos no están distribuidos al azar. La gravedad causa que los objetos en el espacio estén unidos en grupos de diferentes maneras.

Las imágenes de la página 11 muestran algunas estructuras básicas en el universo. Como diferentes posiciones de la lente de una cámara, las imágenes proporcionan vistas del espacio a diferentes niveles de tamaño.

LEER Un consejo

La palabra *órbita* es un sustantivo. La palabra *orbita* es un verbo.

1 **La Tierra** El diámetro de nuestro planeta es de alrededor de 13,000 kilómetros (8000 mi). Esto es casi cuatro veces más grande que el diámetro de la Luna, la cual orbita la Tierra. Una **órbita** es la trayectoria de un objeto en el espacio conforme se mueve alrededor de otro objeto debido a la gravedad.

2 **El sistema solar** La Tierra y otros ocho planetas importantes orbitan el Sol. El Sol, los planetas y varios cuerpos más pequeños componen el **sistema solar.** El Sol es alrededor de 100 veces más grande en diámetro que la Tierra. Podrías acomodar más de 4000 cuerpos del tamaño del Sol entre el Sol y el planeta más remoto del sistema solar a su distancia promedio del Sol. El Sol es una de las innumerables estrellas en el espacio. Los astrónomos han detectado planetas orbitando algunas de estas estrellas.

3 **La Vía Láctea** Nuestro sistema solar y las estrellas que puedes ver a simple vista son parte de una galaxia llamada Vía Láctea. Una **galaxia** es un grupo de millones o miles de millones de estrellas que se mantienen unidas por su propia gravedad. Si el sistema solar fuera del tamaño de una moneda de un centavo, la Vía Láctea se extendería desde Chicago hasta Dallas. La mayoría de las estrellas en la Vía Láctea están tan lejos que vemos nuestra galaxia como una borrosa banda de luz.

4 **El universo** El **universo** es todo; incluye el espacio y toda la materia y la energía en él. La Vía Láctea es sólo una de miles de millones de galaxias en el universo. Estas galaxias se extienden en todas las direcciones.

Los astrónomos estudian el espacio a cada uno de estos diferentes niveles. Algunos se enfocan en los planetas del sistema solar. Otros astrónomos estudian galaxias lejanas. Para aprender cómo se formó el universo, los astrónomos estudian incluso las más pequeñas partículas que constituyen toda la materia.

LEER ¿Comprendiste? ¿Cuál es la relación entre el sistema solar y la Vía Láctea?

Estructuras en el universo

La gravedad causa que los objetos se agrupen en el espacio.

① La Tierra

Vivimos en la Tierra, un planeta que orbita el Sol.

② El sistema solar

El sistema solar contiene el Sol, nueve planetas importantes y muchos objetos más pequeños.

③ La Vía Láctea

El Sol y miles de millones de otras estrellas están unidos en un grupo en una galaxia llamada Vía Láctea.

④ El universo

Miles de millones de galaxias están dispersas por el universo.

LEER DATOS VISUALES ¿En qué se diferencian estas estructuras una de la otra? ¿En qué se parecen?

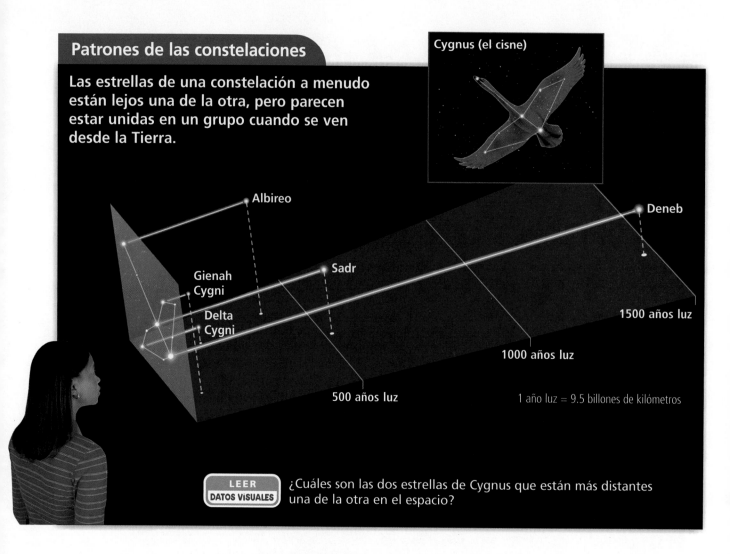

Patrones de las constelaciones

Las estrellas de una constelación a menudo están lejos una de la otra, pero parecen estar unidas en un grupo cuando se ven desde la Tierra.

Cygnus (el cisne)

Albireo

Deneb

Gienah Cygni

Sadr

Delta Cygni

1500 años luz

1000 años luz

500 años luz

1 año luz = 9.5 billones de kilómetros

LEER DATOS VISUALES ¿Cuáles son las dos estrellas de Cygnus que están más distantes una de la otra en el espacio?

Constelaciones

VISUALIZATION
CLASSZONE.COM

Examina imágenes del cielo nocturno tomadas a lo largo del año.

Si quieres encontrar un lugar en particular en los Estados Unidos, es útil saber el nombre del estado en el cual se encuentra. Los astrónomos usan un sistema parecido para describir las posiciones de los objetos en el cielo. Han dividido el cielo en 88 áreas que reciben sus nombres por las constelaciones.

Una **constelación** es un grupo de estrellas que forman un patrón en el cielo. En la constelación de Cygnus, por ejemplo, un grupo de estrellas brillantes forman la figura de un cisne volando. En cuanto a otros objetos que se encuentren en esa área del cielo, como las galaxias, se dice que son del Cygnus, aun cuando no sean parte del patrón del cisne. Los antiguos griegos les dieron a muchas de las constelaciones nombres de animales y seres imaginarios.

A diferencia de los planetas en el sistema solar, las estrellas de una constelación normalmente no están cerca unas de las otras. Parecen estar unidas en un grupo cuando se ven desde la Tierra. Pero como se muestra en la ilustración de arriba, no verías el mismo patrón en las estrellas si las vieras desde otro ángulo.

LEER ¿Comprendiste? ¿Qué relación existe entre las estrellas de una constelación?

El cielo parece rotar conforme la Tierra gira.

No puedes ver todas las constelaciones al mismo tiempo porque la Tierra tapa tu vista de la mitad del espacio. Sin embargo, puedes ver un desfile de constelaciones cada noche conforme la Tierra gira. A medida que algunas constelaciones se presentan sobre el horizonte oriental, otras pasan en el cielo sobre ti y otras se ponen en el horizonte occidental. A través de los años, muchos pueblos han observado estos cambios y los han usado para ayudarles a navegar y a medir el transcurso de tiempo.

Si extendieras el Polo Norte hacia el espacio, apuntaría casi exactamente a una estrella llamada Polaris, o Estrella del Norte. Si estuvieras de pie en el Polo Norte, Polaris estaría directamente sobre tu cabeza. Conforme la Tierra gira durante la noche, las estrellas cercanas a Polaris parecen moverse en círculos a su alrededor. A pesar de que no es la estrella más brillante en el cielo, Polaris es bastante brillante y fácil de encontrar. Puedes usar Polaris para determinar dirección y posición.

Se tomaron fotografías de las estrellas en esta imagen durante varias horas para mostrar cómo se mueven a través del cielo nocturno.

 LEER **¿Comprendiste?** ¿Qué causa el cambio de posición de las constelaciones durante la noche?

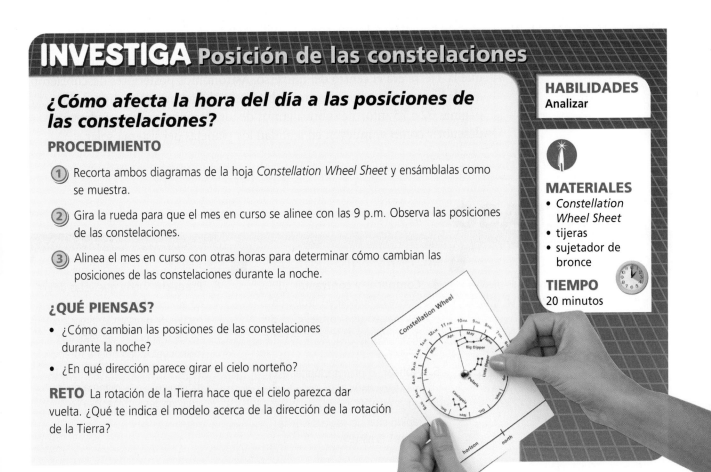

INVESTIGA Posición de las constelaciones

¿Cómo afecta la hora del día a las posiciones de las constelaciones?

PROCEDIMIENTO

1. Recorta ambos diagramas de la hoja *Constellation Wheel Sheet* y ensámblalas como se muestra.

2. Gira la rueda para que el mes en curso se alinee con las 9 p.m. Observa las posiciones de las constelaciones.

3. Alinea el mes en curso con otras horas para determinar cómo cambian las posiciones de las constelaciones durante la noche.

¿QUÉ PIENSAS?

- ¿Cómo cambian las posiciones de las constelaciones durante la noche?

- ¿En qué dirección parece girar el cielo norteño?

RETO La rotación de la Tierra hace que el cielo parezca dar vuelta. ¿Qué te indica el modelo acerca de la dirección de la rotación de la Tierra?

HABILIDADES
Analizar

MATERIALES
- *Constellation Wheel Sheet*
- tijeras
- sujetador de bronce

TIEMPO
20 minutos

Los movimientos de los planetas y otros objetos cercanos son visibles desde la Tierra.

Un avión viaja a mayor velocidad y altitud que un ave. Sin embargo, si un ave y un avión volaran sobre ti al mismo tiempo, podrías pensar que el ave iba más rápido. Tendrías esta impresión porque entre más lejos está de ti un objeto en movimiento, menos parece moverse.

Las estrellas siempre están en movimiento, pero están tan lejos que no se percibe el movimiento. Los observadores han visto los mismos patrones de constelaciones por miles de años. Únicamente durante un período mucho más largo el movimiento de las estrellas cambia gradualmente los patrones de las constelaciones.

En contraste, la Luna se mueve sobre el fondo de estrellas una distancia igual a su ancho cada hora conforme orbita la Tierra. La Luna es nuestro vecino más cercano. Los planetas están más lejos, pero puedes ver sus movimientos graduales entre las constelaciones durante un período de semanas o meses.

La palabra *planeta* proviene de una palabra griega que significa "errante". Los antiguos astrónomos griegos usaron este término porque observaron que los planetas se mueven entre las constelaciones. Los movimientos de Venus y de Marte, los dos planetas más cercanos a la Tierra, son los más fáciles de ver. Sus posiciones en el cielo cambian de una noche a otra.

El movimiento aparente del cielo llevó a los primeros astrónomos a creer que la Tierra era el centro del universo. Astrónomos posteriores descubrieron que la Tierra y los otros planetas orbitan el Sol. La línea de tiempo de las páginas 72 a 75 informa sobre algunos de los astrónomos que ayudaron a descubrir cómo se mueven en realidad los planetas del sistema solar.

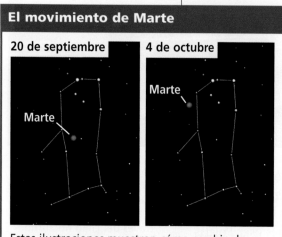

El movimiento de Marte

20 de septiembre

Marte

4 de octubre

Marte

Estas ilustraciones muestran cómo cambia de posición Marte en la constelación de Géminis durante un período de dos semanas.

1.1 REPASO

CONCEPTOS CLAVE

1. ¿Cuáles son las estructuras básicas en las cuales se unen en un grupo los objetos en el espacio?

2. ¿Qué es una constelación?

3. ¿Cómo afecta la rotación de la Tierra a la manera en que vemos las estrellas?

RAZONAMIENTO CRÍTICO

4. **Comparar y contrastar** ¿En qué se diferencia un grupo de estrellas en una constelación del grupo de planetas en el sistema solar?

5. **Aplicar** El planeta Júpiter está más lejos de la Tierra que Marte. ¿Qué planeta parece moverse más rápido cuando se ve desde la Tierra? Explica.

⬥ RETO

6. **Predecir** Supón que estás de pie en el Polo Norte en una noche oscura. Si giras en la dirección de las manecillas del reloj a la misma velocidad que la rotación de la Tierra, ¿cómo afectaría tu movimiento a la manera en la cual ves las estrellas?

CONCEPTO CLAVE

Los telescopios nos permiten estudiar el espacio desde la Tierra.

◀ **ANTES, aprendiste**

- Los objetos en el universo están unidos en grupos de diferentes maneras
- Los movimientos de los planetas y de otros objetos cercanos son visibles desde la Tierra

▶ **AHORA, aprenderás**

- Acerca de la luz y otras formas de radiación
- Cómo reúnen los astrónomos información acerca del espacio

VOCABULARIO

radiación electromagnética pág. 15
espectro pág. 16
longitud de onda pág. 16
telescopio pág. 17

EXPLORA Distorsión de la luz

¿Cómo puede distorsionarse la luz?

PROCEDIMIENTO

1. Coloca una hoja de papel blanco detrás de un vaso lleno de agua. Alumbra con una linterna a través del vaso y observa el punto de luz sobre el papel.

2. Agrega una cucharada de sal al agua. Revuelve el agua y observa el punto de luz.

¿QUÉ PIENSAS?

- ¿Cómo cambió el punto de luz después de que mezclaste la sal en el agua?
- ¿Cómo podría la atmósfera de la Tierra causar cambios parecidos en la luz proveniente del espacio?

MATERIALES
- linterna
- vaso lleno de agua
- hoja de papel blanco
- cuchara
- sal

La luz y otros tipos de radiación portan información acerca del espacio.

VOCABULARIO
Agrega a tu cuaderno un diagrama de palabra imán para *radiación electromagnética.*

Cuando miras un objeto, tus ojos están recogiendo luz proveniente de ese objeto. La luz visible es un tipo de **radiación electromagnética,** la cual es energía que viaja en forma de ciertos tipos de ondas. Hay otros tipos de radiación electromagnética que no puedes ver directamente, como las ondas de radio y los rayos X. Los científicos han desarrollado instrumentos para detectar estos otros tipos.

La radiación electromagnética viaja a través del espacio en todas las direcciones. Casi todo lo que sabemos acerca del universo proviene de nuestro estudio de la radiación. Los astrónomos a menudo aprenden acerca del tamaño, la distancia y el movimiento de un objeto al estudiar su radiación. La radiación tambien puede revelar de qué está hecho un objeto y cómo ha cambiado.

El espectro electromagnético

Los diferentes tipos de radiación electromagnética varían en su longitud de onda.

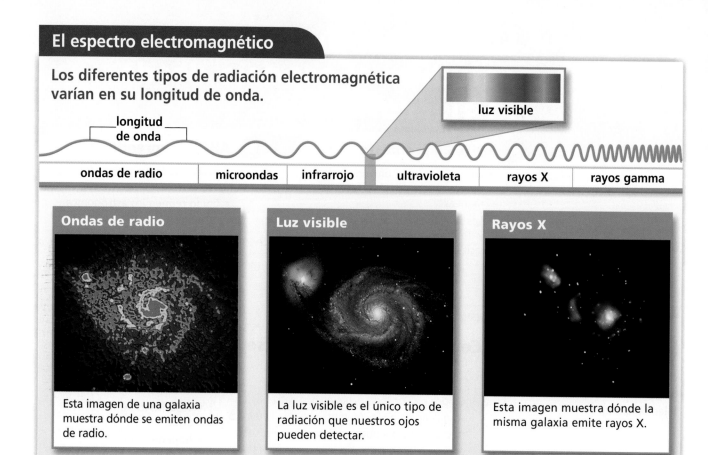

longitud de onda

luz visible

| ondas de radio | microondas | infrarrojo | ultravioleta | rayos X | rayos gamma |

Ondas de radio

Esta imagen de una galaxia muestra dónde se emiten ondas de radio.

Luz visible

La luz visible es el único tipo de radiación que nuestros ojos pueden detectar.

Rayos X

Esta imagen muestra dónde la misma galaxia emite rayos X.

LEER Un consejo

Un prisma es un objeto transparente que se usa para separar las longitudes de onda de la luz.

Si alumbras a través de un prisma con una linterna, el rayo de luz blanca se separará en una gama de colores llamada **espectro.** Los colores que componen la luz visible son el rojo, anaranjado, amarillo, verde, azul, índigo y violeta. Éstos son los colores en un arco iris, el cual aparece cuando la luz se separa al pasar por gotas de lluvia.

En un espectro, los colores de la luz visible se presentan en el orden de sus longitudes de onda. La **longitud de onda** es la distancia entre la cresta de una onda y la cresta de la onda siguiente. La luz roja tiene la mayor longitud de onda y la luz violeta tiene la menor.

Como puedes ver en la ilustración de arriba, la luz visible es sólo una diminuta parte de un espectro más grande llamado espectro electromagnético. El espectro electromagnético incluye todos los tipos de radiación electromagnética. Observa que la longitud de onda de la radiación infrarroja es mayor que la longitud de onda de la luz visible pero menor a la longitud de onda de los microondas o de las ondas de radio. La longitud de onda de la radiación ultravioleta es menor que la longitud de onda de la luz visible pero no tan corta como la longitud de onda de los rayos X o de los rayos gamma.

 LEER ¿Comprendiste? ¿En qué se diferencia la luz visible de otros tipos de radiación electromagnética?

Los astrónomos usan telescopios para reunir información sobre el espacio.

Un **telescopio** es un instrumento que recoge radiación electromagnética. Si alguna vez has mirado por un telescopio, probablemente era uno que recoge luz visible. Estos telescopios proporcionan imágenes que son mucho más claras que lo que se ve a simple vista. Las imágenes de otros tipos de telescopios muestran radiación que tus ojos no pueden detectar. Cada tipo de radiación proporciona información diferente sobre los objetos en el espacio.

Los astrónomos generalmente graban electrónicamente las imágenes que proporcionan los telescopios, lo cual les permite usar computadoras para analizar las imágenes. Los diferentes colores o matices en una imagen revelan patrones de radiación. Por ejemplo, en la imagen de la derecha en la página 16, los colores amarillo y rojo indican dónde la galaxia emite grandes cantidades de rayos X.

La mayoría de los telescopios recogen radiación con una lente de vidrio o una superficie reflejante, como un espejo. Las lentes y las superficies reflejantes más grandes producen imágenes más brillantes y más detalladas. Puedes ampliar una imagen proveniente de un telescopio a cualquier tamaño. Sin embargo, el ampliar una imagen no enseñará más detalles de un objeto. Si la imagen es borrosa en tamaño pequeño, no importa cuánto se amplíe, permanecerá borrosa.

Telescopios de luz visible, infrarroja y ultravioleta

Hay dos tipos de telescopios de luz visible: los telescopios de reflexión y los telescopios de refracción. También se pueden construir telescopios de reflexión para recoger radiación infrarroja o ultravioleta.

- **Telescopio de reflexión** Este tipo de telescopio tiene un espejo curvo que recoge la luz. La imagen se enfoca frente al espejo. Muchos telescopios de reflexión tienen otro espejo que refleja la imagen hacia un equipo de grabación o hacia una lente llamada ocular.

- **Telescopio de refracción** Este tipo de telescopio tiene una lente objetivo, o una pieza de vidrio curvo, en un extremo de un tubo largo. La lente recoge la luz y la enfoca para formar una imagen cerca del otro extremo del tubo. Un ocular amplifica esta imagen.

Telescopio de reflexión

pieza ocular

espejo principal

espejo secundario

Telescopio de refracción

lente objetivo

ocular

La mayor parte de los telescopios poderosos de luz visible se construyen en las cimas de montañas en áreas rurales. Las áreas rurales ofrecen mejor vista del cielo nocturno que las ciudades porque la gran cantidad de luces en las ciudades obstruyen la visibilidad de los objetos tenues del espacio. Al colocar los telescopios en las cimas de las montañas, los astrónomos reducen los problemas causados por la atmósfera de la Tierra. La atmósfera interfiere con la luz proveniente del espacio. De hecho, son los movimientos del aire los que hacen que las estrellas centelleen. En altitudes altas hay menos aire sobre el suelo que pueda interferir con la luz.

Radiotelescopio

Las señales de estos radiotelescopios en Nuevo México se pueden combinar para producir imágenes más claras.

Radiotelescopios

Los radiotelescopios muestran dónde en el espacio los objetos están emitiendo ondas de radio. Un radiotelescopio tiene una superficie curva de metal, llamada disco, que recoge las ondas de radio y las enfoca sobre una antena. El disco funciona de la misma manera que el espejo principal de un telescopio de reflexión. Algunos radiotelescopios tienen discos hechos de malla metálica en vez de metal sólido.

Debido a que las ondas de radio son tan largas, un solo radiotelescopio tiene que ser muy grande para poder producir imágenes útiles. Para mejorar la calidad de las imágenes, los astrónomos a menudo apuntan un grupo de radiotelescopios hacia el mismo objeto. Luego combinan las señales de los telescopios para convertirlas en una imagen. Grupos de radiotelescopios, como el Gran Arreglo de Antenas en Nuevo México, pueden mostrar más detalle que incluso el disco individual más grande.

A diferencia de los telescopios de luz visible, a los radiotelescopios no les afectan las nubes o el mal tiempo. Incluso funcionan bien a la luz del día. Además, los radiotelescopios se pueden situar a altitudes bajas porque la mayoría de las ondas de radio pasan libremente por la atmósfera de la Tierra.

LEER
¿Comprendiste? ¿Cuál es la función del disco de un radiotelescopio?

RESOURCE CENTER
CLASSZONE.COM

Descubre más acerca de los telescopios.

Telescopios en el espacio

El Telescopio Espacial Hubble y otros telescopios en el espacio han proporcionado muchas imágenes fascinantes. El telescopio Hubble es un telescopio de reflexión. Se puso en órbita alrededor de la Tierra en 1990. Los astrónomos lo operan desde la Tierra aunque lo han visitado astronautas para hacer reparaciones y mejoras. El telescopio envía imágenes y mediciones a la Tierra electrónicamente.

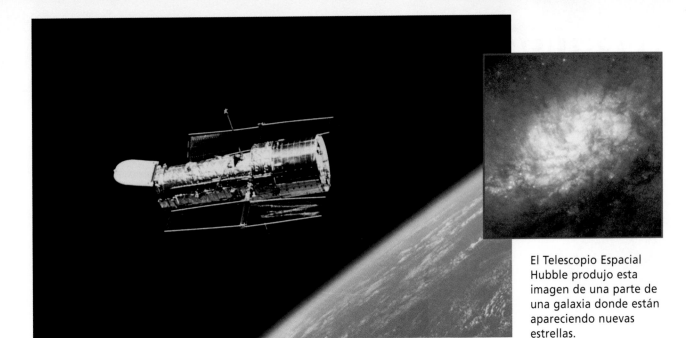

El Telescopio Espacial Hubble produjo esta imagen de una parte de una galaxia donde están apareciendo nuevas estrellas.

Debido a que el telescopio Hubble se encuentra en el espacio, la atmósfera de la Tierra no interfiere con la luz de los objetos a los cuales se apunta el telescopio. Esta falta de interferencia le permite obtener imágenes más claras que los telescopios en tierra con espejos mucho más grandes. Además de recoger luz visible, el telescopio Hubble produce imágenes de radiación ultravioleta e infrarroja.

El Telescopio Espacial Hubble es parte de un grupo de telescopios que orbitan la Tierra. Los telescopios permiten a los astrónomos obtener información a partir de la gama completa de radiación electromagnética. El Observatorio Compton de rayos gamma fue puesto en órbita en 1991. El Observatorio Chandra de rayos X fue lanzado ocho años más tarde. Estos telescopios se colocaron en el espacio porque la atmósfera de la Tierra bloquea la mayoría de los rayos X y los rayos gamma.

 LEER ¿Comprendiste? ¿Por qué produce el telescopio Hubble imágenes más claras que un telescopio del mismo tamaño en la Tierra?

1.2 REPASO

CONCEPTOS CLAVE

1. ¿En qué se diferencian las ondas de luz visible, de radio y de otros tipos de radiación electromagnética?

2. ¿Cuál es la función de los espejos en los telescopios de reflexión?

3. ¿Por qué se construyen algunos telescopios en las montañas o se los lanzan en órbita alrededor de la Tierra?

RAZONAMIENTO CRÍTICO

4. **Comparar y contrastar** ¿Cuáles son las semejanzas y las diferencias entre los telescopios de reflexión y los telescopios de refracción?

5. **Analizar** ¿Por qué sería dificil construir radiotelescopios si no funcionaran bien a bajas altitudes?

RETO

6. **Analizar** ¿Por qué usan los astrónomos diferentes tipos de telescopios para obtener imágenes del mismo objeto en el espacio?

Observar espectros

DESCRIPCIÓN Y PROPÓSITO La luz visible está compuesta de diferentes colores que se pueden separar en una banda de arco iris llamada espectro. Los astrónomos obtienen información sobre las características de las estrellas separando su luz en espectros. Un espectroscopio es un instrumento que produce espectros. En la mayoría de los espectroscopios se usan rejillas de difracción para separar la luz en diferentes colores. Los colores con las mayores longitudes de onda son los que se presentan más lejos de la rendija de un espectroscopio. Los colores con las longitudes de ondas más cortas son los que se presentan más cerca de la rendija. En esta investigación

- construirás un espectroscopio y observarás los espectros de tres diferentes fuentes de luz
- identificarás maneras en las cuales difieren los espectros de las fuentes de luz

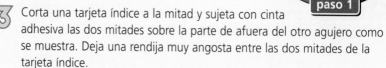

▶ Procedimiento

MATERIALES
- caja de zapatos con tapa
- regla
- tijeras
- rejilla de difracción
- cinta adhesiva
- tarjeta índice
- lápices o marcadores de diversos colores
- luz incandescente
- luz fluorescente

Para el Reto:
- papel celofán en varios colores

1 Haz un agujero que mida 3 cm por 1.5 cm en cada extremo de una caja de zapatos. Asegúrate que los agujeros estén alineados.

2 En el lado interior de la caja, sujeta con cinta adhesiva un pedazo de rejilla de difracción sobre uno de los agujeros. Toma la rejilla de difracción por sus bordes para no marcarla con huellas digitales.

paso 1

3 Corta una tarjeta índice a la mitad y sujeta con cinta adhesiva las dos mitades sobre la parte de afuera del otro agujero como se muestra. Deja una rendija muy angosta entre las dos mitades de la tarjeta índice.

4 Coloca la tapa sobre la caja de zapatos. Luego apaga las luces del salón de clase.

5 Mira por el agujero cubierto con la rejilla de difracción, apuntando la rendija del espectroscopio hacia el cielo por una ventana. **Precaución:** *Nunca mires directamente hacia el Sol.* Observa el espectro que ves a la izquierda de la rendija.

paso 5

6 Repite el paso 5 apuntando el espectroscopio hacia una luz incandescente y luego hacia una luz fluorescente.

▶ Observar y analizar
Por escrito

1. **ANOTAR OBSERVACIONES** Para cada fuente de luz, dibuja en tu tabla de datos el espectro que ves a la izquierda de la rendija. Describe los colores y los patrones en el espectro y escribe la fuente de luz.

2. **IDENTIFICAR LÍMITES** ¿Qué problemas, si los hubo, tuviste al observar el espectro? ¿Por qué fue importante apagar las luces para esta actividad?

▶ Sacar conclusiones
Por escrito

1. **COMPARAR Y CONTRASTAR** ¿Cómo difirieron los espectros uno del otro? ¿Observaste algunas bandas de colores que eran más brillantes o más angostas que los otros colores del mismo espectro? ¿Observaste algunas líneas o espacios que separaban los colores?

2. **ANALIZAR** Entre más corta la longitud de onda de un color, más cerca parece el color a la rendija en el espectroscopio. Según tus observaciones, ¿qué color tiene la longitud de onda más corta? ¿Qué color tiene la mayor longitud de onda?

3. **INFERIR** ¿Cómo podrían verse diferentes los espectros si la rendija en el extremo del espectroscopio fuera una línea curva en vez de una línea recta?

▶ INVESTIGAR más

RETO Cubre la rendija de tu espectroscopio con un pedazo de papel celofán de color. Apuntando tu espectroscopio hacia una luz fluorescente u otra fuente de luz, observa y dibuja el espectro resultante. Luego repítelo con papel celofán de otros colores. Haz una lista de los colores que cada pedazo de celofán transmitió. ¿Te sorprendieron estos resultados? ¿Si fue así, por qué?

Observar espectros

Observar y analizar

Tabla 1. Espectros de diferentes fuentes de luz

Fuente de luz	Dibujo	Descripción

Sacar conclusiones

CONCEPTO CLAVE

1.3 Las naves espaciales nos ayudan a explorar más allá de la Tierra.

◀ **ANTES, aprendiste**

- Los movimientos de los planetas y otros objetos cercanos son visibles desde la Tierra
- La luz y otros tipos de radiación portan información acerca del universo

▶ **AHORA, aprenderás**

- Cómo exploran los astronautas el espacio cercano a la Tierra
- Cómo se usan diferentes tipos de naves espaciales para explorar

VOCABULARIO

satélite pág. 23
estación espacial pág. 24
módulo de aterrizaje
   pág. 28
sonda espacial pág. 29

EXPLORA Ver objetos espaciales

¿Cómo se ven los objetos a diferentes distancias?

PROCEDIMIENTO

1. Arruga una hoja de papel para formar una bola y colócala sobre tu escritorio.

2. Dibuja la pelota al mismo tiempo que también la dibuja otro estudiante. Uno de ustedes debe dibujarla desde una distancia de 1 m. El otro debe dibujarla desde una distancia de 5 m.

MATERIALES
- papel
- lápices

¿QUÉ PIENSAS?
- ¿Cómo se comparan los detalles en los dos dibujos?
- ¿Qué detalles de un planeta podrían ser más fáciles de ver si estuvieras en órbita alrededor del planeta?

Los astronautas exploran el espacio cercano a la Tierra.

RESOURCE CENTER
CLASSZONE.COM

Aprende más acerca de la exploración espacial.

Los viajes espaciales requieren de una planificación muy cuidadosa. Los astronautas llevan consigo todo lo necesario para sobrevivir, incluidos aire, agua y alimento. Las naves espaciales necesitan poderosos cohetes y enormes tanques de combustible para levantar todo el peso hacia arriba contra la gravedad de la Tierra. El equipo debe ser bien diseñado y mantenido, pues cualquier avería puede ser mortal.

Ya en el espacio, los astronautas deben acostumbrarse a un medio ambiente especial. Las personas y los objetos en una nave espacial en órbita parecen flotar libremente a menos que estén sujetados. Esta condición de ingravidez ocurre porque están cayendo en el espacio a la misma velocidad que la nave espacial. Además, para salir de su cabina hermética, los astronautas tienen que usar trajes protectores especiales. A pesar de estas condiciones, los astronautas han podido realizar experimentos y hacer importantes observaciones acerca del espacio cercano a la Tierra.

Misiones a la Luna

Durante casi una década, una gran parte de la exploración espacial se enfocó en una carrera a la Luna. Esta carrera era impulsada por la rivalidad entre los Estados Unidos y la Unión Soviética, la cual incluía Rusia. En 1957 la Unión Soviética lanzó el primer satélite artificial que orbitó la Tierra. Un **satélite** es un objeto que orbita un objeto con mayor masa. La Unión Soviética también envió el primer ser humano al espacio en 1961. A pesar de que los Estados Unidos se quedó atrás en estos primeros esfuerzos, logró enviar los primeros humanos a la Luna.

Preparación Se tuvieron que tomar muchos pasos antes de que los astronautas de los Estados Unidos pudieran visitar la Luna. La Administración Nacional de Aeronáutica y el Espacio (NASA por sus siglas en inglés) envió naves espaciales sin tripulación a la Luna para averiguar si era posible aterrizar en su superficie. La NASA tambien envió astronautas al espacio para practicar procedimientos importantes.

Aterrizaje El programa de la NASA para alcanzar la Luna se llamaba Apolo. Durante las primeras misiones Apolo, los astronautas probaron naves espaciales y las volaron en órbita alrededor de la Luna. El 20 de julio de 1969, los miembros de la tripulación del *Apolo 11* se convirtieron en los primeros humanos en caminar sobre la superficie de la Luna. La NASA realizó cinco aterrizajes más en la Luna entre 1969 y 1972. Durante este período, la Unión Soviética envió naves espaciales sin tripulación para obtener muestras de la superficie de la Luna.

Resultados científicos El programa Apolo ayudó a los científicos a aprender acerca de la superficie y el interior de la Luna. Mucha de la información provino de los 380 kilogramos (con un peso de 840 lb) de rocas y suelo que los astronautas trajeron de regreso a la Tierra. Estas muestras todavía se están estudiando.

Se usaron poderosos cohetes propulsores para lanzar la nave espacial Apolo. Empezando con el *Apolo 15,* los astronautas se movieron en vehículos de exploración lunar para explorar áreas más grandes que la superficie de la Luna.

Orbitar la Tierra

VOCABULARIO
Agrega a tu cuaderno un diagrama de palabra imán para *estación espacial*.

Una **estación espacial** es un satélite en el cual la gente puede vivir y trabajar por períodos largos. Los Estados Unidos y la Unión Soviética lanzaron las primeras estaciones espaciales a principios de la década de los años 70. Después de la desintegración de la Unión Soviética en 1991, la agencia espacial rusa y la NASA empezaron a actuar como socios en vez de rivales. Astronautas de Rusia y de los EE.UU. realizaron misiones conjuntas a bordo del *Mir*, la estación espacial rusa.

Las misiones *Mir* ayudaron a prepararse para la Estación Espacial Internacional (ISS por sus siglas en inglés). Los Estados Unidos, Rusia y otras 15 naciones están trabajando juntas para construir la ISS. Cuando esté terminada, cubrirá un área como del tamaño de dos campos de fútbol. La ISS es demasiado grande para ser lanzada al espacio en una sola pieza. En lugar de eso, se están lanzando secciones de la estación espacial por separado y se están ensamblando en órbita, a lo largo de un período de varios años.

La construción de la ISS comenzó en 1998. La primera tripulación de tres miembros llegó a la estación en el 2000. Además de construir la estación, los miembros de la tripulación hacen observaciones de la Tierra y realizan experimentos. Algunos experimentos son mucho más efectivos cuando se realizan en el espacio, donde la gravedad los afecta de manera diferente. Por ejemplo, los científicos pueden cultivar tejidos celulares más fácilmente en el espacio que en la Tierra. Es posible que investigaciones sobre tejidos celulares cultivados en el espacio aumenten nuestro entendimiento del cáncer y de otras enfermedades.

Estación Espacial Internacional

Cada sección de la estación espacial tiene una función específica.

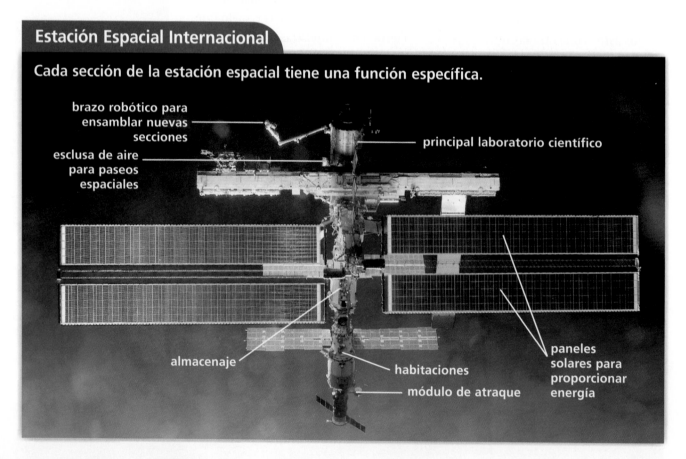

- brazo robótico para ensamblar nuevas secciones
- esclusa de aire para paseos espaciales
- principal laboratorio científico
- almacenaje
- habitaciones
- módulo de atraque
- paneles solares para proporcionar energía

Las investigaciones y los avances tecnológicos de la estación espacial son el trabajo preliminar para nueva exploración espacial. Los miembros de la tripulación del ISS estudian cómo afecta al cuerpo el vivir en el espacio por largos períodos de tiempo. Esta investigación puede proporcionar información útil para futuros esfuerzos para enviar astronautas a otros planetas.

La mayoría de las tripulaciones han volado al ISS a bordo de transbordadores espaciales. A diferencia de las primeras naves espaciales, un transbordador espacial se puede usar una y otra vez. Al final de una misión, reingresa a la atmósfera de la Tierra y planea a una pista de aterrizaje. En el espacio grande de carga de un transbordador espacial se puede llevar satélites, equipo y laboratorios.

La NASA ha lanzado transbordadores espaciales más de 100 veces desde 1981. Los transbordadores espaciales son mucho más sofisticados que las naves espaciales Apolo que llevaron a los astronautas a la Luna. Sin embargo, los viajes espaciales siguen siendo una actividad peligrosa.

Se necesitan dos cohetes propulsores y un tanque externo de combustible para poner a un transbordador espacial en órbita.

LEER
¿Comprendiste? ¿Por qué algunos investigadores prefieren realizar experimentos a bordo de una estación espacial en vez de realizarlos en la Tierra?

INVESTIGA Planear lanzamientos

¿Cómo afecta la rotación de la Tierra a los lanzamientos de las naves espaciales?

PROCEDIMIENTO

1. Haz 14 compactas bolas de papel y colócalas en una cubeta pequeña.

2. Párate a 1.5 m de una cubeta grande colocada sobre un escritorio. Trata de lanzar 7 pelotas a la cubeta.

3. Trata de lanzar las 7 bolas restantes a la cubeta al mismo tiempo que giras lentamente.

¿QUÉ PIENSAS?

- ¿Cuál fue más difícil, lanzar las bolas de papel a la cubeta cuando estabas girando o cuando estabas parado sin girar? ¿Fue mucho más difícil?

- ¿Por qué hace más complicado el lanzamiento de cohetes al espacio la rotación de la Tierra?

RETO ¿Cómo diseñarías un experimento que muestra las variables de un lanzamiento desde la Tierra hacia otro cuerpo que gira en el espacio, como la Luna?

HABILIDADES
Identificar variables

MATERIALES
- papel
- cubeta pequeña
- cubeta grande

TIEMPO
10 minutos

Las naves espaciales llevan instrumentos a otros mundos.

En la actualidad no podemos enviar humanos a otros planetas. Un obstáculo es que un viaje así tomaría años. Una nave espacial necesitaría llevar suficiente aire, agua y otras provisiones necesarias para sobrevivir en el largo viaje. Otro obstáculo son las condiciones severas en otros planetas, como calor y frío extremos. Algunos planetas ni siquiera tienen superficies para aterrizar.

Debido a estos obstáculos, la mayoría de las investigaciones en el espacio se realizan con el uso de naves espaciales sin tripulaciones a bordo. Estas misiones no representan un riesgo a la vida humana y son menos costosas que las misiones realizadas por astronautas. Las naves espaciales llevan instrumentos que evalúan las composiciones y las características de los planetas. Se envían datos e imágenes de regreso a la Tierra en forma de señales de radio. Computadoras a bordo y señales de radio desde la Tierra guían las naves espaciales.

Naves espaciales han visitado todos los planetas importantes en nuestro sistema solar, excepto Plutón. La NASA también ha enviado naves espaciales a otros cuerpos en el espacio, como cometas y lunas. Los científicos y los ingenieros han diseñado diferentes tipos de naves espaciales para cumplir estas misiones.

LEER
¿Comprendiste? ¿Qué preguntas tienes todavía acerca de la exploración espacial?

Sobrevuelos

La primera fase en la exploración espacial es enviar una nave espacial que pasa al lado de uno o más planetas u otros cuerpos en el espacio sin orbitarlos. Estas misiones se llaman sobrevuelos. Después de que una nave espacial de sobrevuelo deja la órbita de la Tierra, los controladores en la Tierra pueden usar los pequeños cohetes de la nave espacial para ajustar su dirección. Las misiones de sobrevuelo pueden durar décadas. Sin embargo, debido a que una nave espacial pasa al lado de los planetas rápidamente, sólo puede reunir datos e imágenes de un planeta en particular durante un breve período de tiempo.

Conforme una nave espacial de sobrevuelo pasa un planeta, se puede usar la gravedad del planeta para cambiar la velocidad o la dirección de la nave espacial. Durante el sobrevuelo del planeta, la nave espacial puede ganar suficiente energía para ser impulsada a otro planeta más rápidamente. Este método permitió al *Voyager 2* pasar al lado de Saturno, Urano y Neptuno, a pesar de que dejó la Tierra solamente con suficiente energía para alcanzar Júpiter.

Se necesitan muchos cálculos matemáticos complejos para que una misión de sobrevuelo sea exitosa. Los expertos tienen que tomar en cuenta la rotación de la Tierra y las posiciones de los planetas que la nave espacial pasará. El período de tiempo en el cual se puede lanzar una nave espacial se llama ventana de lanzamiento.

Trayectoria de un sobrevuelo

Una nave espacial de sobrevuelo reúne datos al pasar al lado de varios planetas.

Júpiter   Sol
                    Tierra
Saturno
    Urano
        Neptuno

Voyager 2

Orbitadores

La segunda etapa en la exploración espacial es el estudiar un planeta durante un largo período de tiempo. Las naves espaciales diseñadas para realizar esta tarea se llaman orbitadores. Al acercarse un orbitador a su planeta objetivo, se encienden los cohetes propulsores para disminuir la velocidad de la nave espacial. La nave espacial entonces entra en órbita alrededor del planeta.

En una misión de orbitador, la nave espacial orbita un planeta por varios meses o inclusive hasta varios años. Debido a que un orbitador permanece cerca de un planeta por períodos de tiempo mucho más largos que una nave espacial de sobrevuelo, puede ver la mayoría o toda la superficie del planeta. Un orbitador también puede registrar cambios que ocurren con el tiempo, como cambios en las condiciones meteorológicas y actividad volcánica.

Los orbitadores permiten a los astrónomos crear mapas detallados de los planetas. La mayoría de los orbitadores tienen cámaras para tomar fotografías de las superficies de los planetas. Los orbitadores también pueden portar otros instrumentos, como un aparato para determinar las altitudes de los accidentes geográficos o uno para medir las temperaturas de diferentes regiones.

Algunos orbitadores están diseñados para explorar lunas u otros cuerpos en el espacio en vez de planetas. También es posible mandar una nave espacial a orbitar un planeta y más tarde moverla para que orbite una de las lunas del planeta.

▲ **LEER**
¿Comprendiste? ¿Cuál es la diferencia principal entre una nave espacial de sobrevuelo y un orbitador?

ACUÉRDATE

Recuerda que los objetos orbitan, o se mueven alrededor de otros objetos en el espacio, debido a la influencia de la gravedad.

Cómo proporciona datos un orbitador

Un orbitador envía datos a la Tierra en forma de ondas de radio.

Tierra

1 Instrumentos en el orbitador trazan un mapa de la superficie del planeta y reúnen datos.

2 El orbitador envía imágenes y datos a la Tierra en forma de ondas de radio.

3 Los científicos usan computadoras para analizar las imágenes y los datos.

Ground Data Systems

Módulos de aterrizaje y sondas espaciales

La tercera etapa en la exploración espacial es colocar instrumentos en un planeta o enviar instrumentos a través de su atmósfera. Estas misiones nos pueden proporcionar más información acerca de las características y las propiedades de un planeta y pistas sobre cómo era el planeta en el pasado.

Un **módulo de aterrizaje** es una nave diseñada para aterrizar sobre la superficie de un planeta. Después de que el módulo aterriza, los controladores en la Tierra pueden mandarle órdenes para que reúna datos. Se han colocado módulos de aterrizaje exitosamente en la Luna, en Venus y en Marte. Algunos han operado por meses o inclusive años.

Las imágenes tomadas por un módulo de aterrizaje son más detalladas que las tomadas por un orbitador. Además de proporcionar vistas de cerca de la superficie de un planeta, el módulo puede medir propiedades de la atmósfera y de la superficie. El módulo puede tener un brazo mecánico para recoger muestras de suelo y de rocas. También puede contener un pequeño vehículo llamado explorador, el cual puede explorar más allá de la zona de aterrizaje.

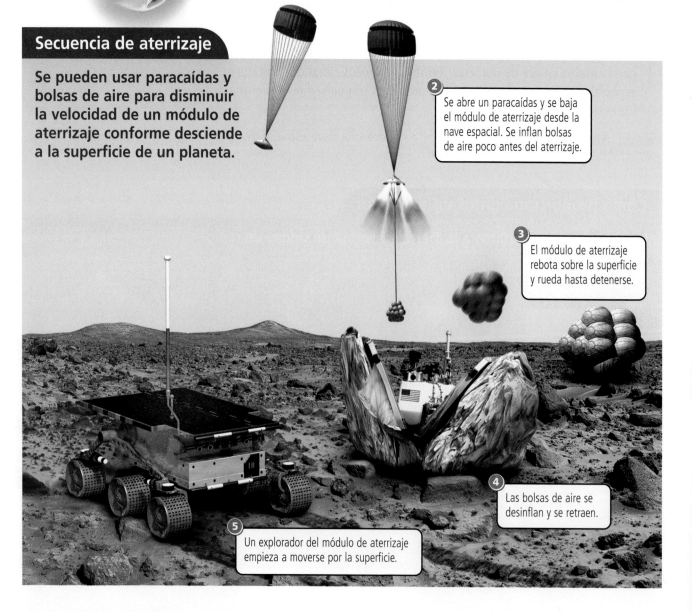

1 Se reduce la velocidad de la nave espacial conforme se mueve por la atmósfera.

Secuencia de aterrizaje

Se pueden usar paracaídas y bolsas de aire para disminuir la velocidad de un módulo de aterrizaje conforme desciende a la superficie de un planeta.

2 Se abre un paracaídas y se baja el módulo de aterrizaje desde la nave espacial. Se inflan bolsas de aire poco antes del aterrizaje.

3 El módulo de aterrizaje rebota sobre la superficie y rueda hasta detenerse.

4 Las bolsas de aire se desinflan y se retraen.

5 Un explorador del módulo de aterrizaje empieza a moverse por la superficie.

Una de las misiones espaciales más exitosas fue la del *Mars Pathfinder* que aterrizó sobre Marte en 1997. El *Mars Pathfinder* y su explorador enviaron de regreso miles de fotografías. Estas imágenes proporcionaron evidencia de que en alguna ocasión fluyó agua sobre la superficie de Marte. Desafortunadamente, otro módulo de aterrizaje enviado dos años más tarde no funcionó después de llegar a Marte.

Algunas naves espaciales están diseñadas para funcionar sólo por un corto período de tiempo antes de ser destruidas por las condiciones en el planeta. El término **sonda espacial** a menudo se usa para describir una nave espacial que se deja caer en la atmósfera de un planeta. Conforme viaja la sonda espacial por la atmósfera, sus instrumentos identifican gases y miden propiedades como presión y temperatura. Las sondas espaciales son especialmente importantes para explorar las atmósferas profundas de planetas gigantes, como Júpiter.

 LEER ¿Comprendiste? ¿Cuál es la diferencia entre una sonda espacial y un módulo de aterrizaje?

Combinar misiones

Un módulo de aterrizaje o una sonda espacial pueden trabajar en combinación con un orbitador. Por ejemplo, en 1995 el orbitador *Galileo* liberó una sonda espacial a la atmósfera de Júpiter al momento que empezó a orbitar el planeta. La sonda espacial envió datos al orbitador durante casi una hora antes de ser destruida. El orbitador envió los datos a la Tierra. Galileo continuó orbitando Júpiter durante ocho años.

Puede que las futuras misiones espaciales involucren combinaciones de naves espaciales aun más complejas. Los planificadores esperan enviar grupos de módulos de aterrizaje a recoger muestras de suelo y de roca de la superficie de Marte. Un cohete llevará estas muestras a un orbitador. El orbitador entonces traerá las muestras a la Tierra para que sean estudiadas.

1.3 REPASO

CONCEPTOS CLAVE

1. ¿Por qué son importantes las estaciones espaciales para la investigación científica?

2. ¿Cómo se envía información entre la Tierra y una nave espacial?

3. ¿Cuáles son las tres etapas principales en la exploración de un planeta?

RAZONAMIENTO CRÍTICO

4. **Analizar** ¿Por qué se realiza la mayoría de la exploración espacial con naves espaciales que no llevan astronautas a bordo?

5. **Inferir** ¿Por qué es importante trazar el mapa de la superficie de un planeta antes de planear una misión de aterrizaje?

🔺 RETO

6. **Predecir** Las primeras exploraciones espaciales fueron influenciadas por eventos políticos, como la rivalidad entre los Estados Unidos y la Unión Soviética. ¿Qué circunstancias en la Tierra podrían interferir con futuras misiones espaciales?

MATH TUTORIAL
CLASSZONE.COM

Haz clic en **Math Tutorial** para obtener más ayuda con potencias y exponentes.

Distancias en el espacio

Los astrónomos a menudo manejan números muy grandes. Por ejemplo, el planeta Venus está a aproximadamente 100 millones de kilómetros del Sol. En números, 100 millones es 100,000,000. Para usar menos ceros y hacer al número más fácil de escribir y leerse, podrías escribir 100 millones como 10^8, el cual es el mismo valor en forma de exponente.

Ejemplo

PROBLEMA Escribe 1000 km usando un exponente.

Para encontrar el exponente de un número, puedes escribir el número como un producto. Por ejemplo,

$$1000 \text{ km} = 10 \times 10 \times 10 \text{ km}$$

Este producto tiene 3 factores de 10. Cuando se multiplican números enteros diferentes a cero, cada número es un factor del producto. Para escribir un producto que tiene un factor repetido, puedes usar un exponente. El exponente es el número de veces que se repite el factor. Con factores de 10, también puedes determinar el exponente contando los ceros en el número dado.

Hay **3 ceros** en 1000.	El factor 10 se repite **3 veces**.
1000 =	**10 × 10 × 10**

RESPUESTA La forma de exponente de 1000 km es 10^3 km.

Escribe cada distancia usando un exponente.

1. 10,000 km

2. 1,000,000 km

3. 100,000,000,000 km

4. 10,000,000,000,000 km

5. 100,000,000,000,000,000 km

6. 10 km

RETO La galaxia que se muestra en esta página tiene alrededor de 10^{18} kilómetros de ancho. Escribe el valor 10^{18} sin usar un exponente.

La galaxia M83, la cual es casi del mismo tamaño que la Vía Láctea, tiene un diámetro de alrededor de 10^{18} kilómetros.

CONCEPTO CLAVE

La exploración espacial beneficia a la sociedad.

◀ ANTES, aprendiste

- La luz y otras radiaciones portan información acerca del espacio
- Los astronautas exploran el espacio cercano a la Tierra

▶ AHORA, aprenderás

- Cómo nos ha ayudado la exploración espacial a aprender más acerca de la Tierra
- Cómo se usa la tecnología espacial en la Tierra

VOCABULARIO

cráter de impacto pág. 32

PIENSA EN

¿Cómo se ve la Tierra desde el espacio?

Esta fotografía de la Tierra sobre la Luna fue tomada por la tripulación del *Apolo 8.* Las misiones Apolo proporcionaron las primeras imágenes de nuestro planeta como un todo. ¿Qué piensas que podemos aprender acerca de la Tierra a partir de las fotografías tomadas desde el espacio?

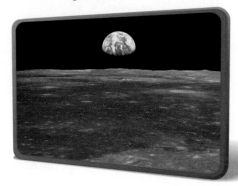

La exploración espacial nos ha proporcionado nuevos puntos de vista.

RED DE IDEAS
Toma apuntes de la información importante que la exploración espacial ha proporcionado acerca de la Tierra.

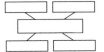

La exploración espacial nos enriquece de muchas maneras. A lo largo de la historia, el estudio de las estrellas y los planetas ha inspirado nuevas ideas. Al enfrentar los retos de la exploración espacial, creamos tecnología valiosa. La exploración espacial también es una aventura emocionante.

La ciencia del espacio ha avanzado el conocimiento en otros campos científicos, como la física. Por ejemplo, las observaciones de la Luna y otros cuerpos en el espacio ayudaron a los científicos a entender cómo funciona la gravedad. Los científicos entendieron que la misma fuerza que causa que un objeto caiga al suelo, causa que la Luna orbite la Tierra.

Finalmente, el estudio de otros mundos puede enseñarnos acerca del nuestro. La Tierra ha cambiado considerablemente desde su formación. Al comparar la Tierra con diferentes mundos, los científicos pueden aprender más acerca de la historia de las características de la superficie y la atmósfera de la Tierra.

 LEER ¿Comprendiste? Identifica algunos de los beneficios de la exploración espacial.

Formación de un cráter

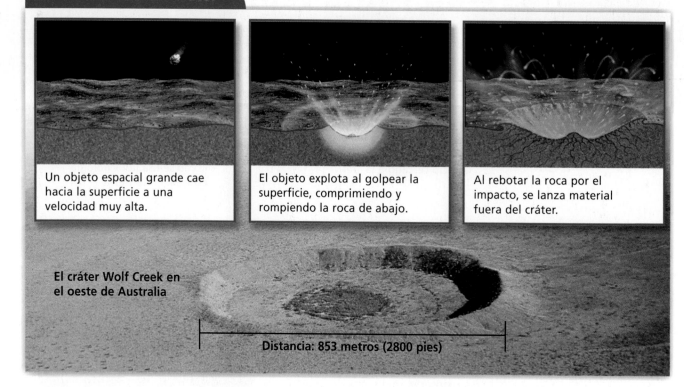

Un objeto espacial grande cae hacia la superficie a una velocidad muy alta.

El objeto explota al golpear la superficie, comprimiendo y rompiendo la roca de abajo.

Al rebotar la roca por el impacto, se lanza material fuera del cráter.

El cráter Wolf Creek en el oeste de Australia

Distancia: 853 metros (2800 pies)

Características de la superficie

La exploración de otros mundos nos ha ayudado a aprender acerca de los impactos de objetos espaciales. Cuando un objeto golpea la superficie de un objeto más grande en el espacio, explota y produce un hoyo redondo llamado **cráter de impacto.** La ilustración de arriba muestra cómo se forma un cráter de impacto.

La Tierra tiene poca evidencia de impactos porque su superficie está constantemente siendo erosionada por el viento y el agua y alterada por fuerzas bajo la superficie. Sin embargo, los cráteres de impacto permanecen sobre la Luna, Mercurio y otros muchos cuerpos que no tienen ni viento ni agua líquida.

Atmósfera

También aprendemos acerca de la atmósfera de la Tierra por medio de la exploración espacial. La temperatura de la Tierra permite al agua líquida permanecer sobre la superficie. Marte y Venus, los planetas más cercanos a la Tierra, no tienen agua líquida sobre sus superficies. Al comparar la Tierra con estos planetas, podemos ver cómo ha afectado el agua líquida al desarrollo de la atmósfera de la Tierra.

Otra área de estudio es acerca de la energía que la Tierra recibe del Sol. Muchos científicos piensan que pequeños cambios visibles en la superficie del Sol pueden afectar a las condiciones meteorológicas en la Tierra. Estos cambios pueden haber causado períodos de enfriamiento en la atmósfera de la Tierra.

LEER
¿Comprendiste? ¿Qué han aprendido los científicos acerca del pasado de la Tierra al estudiar los cuerpos en el espacio?

INVESTIGA Meteorización

¿Cómo afectan las condiciones meteorológicas a la evidencia de impactos en la Tierra?

PROCEDIMIENTO

1. Llena con arena hasta la mitad la tapa de una caja de zapatos y iguala la superficie con una regla.

2. Crea tres cráteres dejando caer una pelota de golf en la arena desde una altura de 70 cm. Retira la pelota cuidadosamente. Deja la tapa dentro del salón de clase.

3. Repite los pasos 1 y 2 afuera, dejando la tapa en un área donde estará expuesta a las condiciones meteorológicas.

4. Revisa las dos tapas después de 24 horas. Observa los cambios en cada una.

¿QUÉ PIENSAS?

- ¿En qué se diferencia la apariencia de los cráteres en la arena que dejaste afuera con la de los cráteres en la arena que permaneció adentro?

- Si observaste unas diferencias, ¿qué aspecto de las condiciones meteorológicas las causó?

RETO ¿Qué procesos naturales además de las condiciones meteorológicas pueden afectar a la evidencia de impactos de objetos espaciales en la Tierra?

HABILIDADES
Predecir

MATERIALES
- 2 tapas de cajas de zapatos
- arena
- regla
- pelota de golf

TIEMPO
30 minutos

La tecnología espacial tiene usos prácticos.

La exploración espacial ha hecho más que aumentar nuestro conocimiento. También nos ha proporcionado tecnología que hace más fácil la vida sobre la Tierra. Cada día probablemente te beneficias de algún material o producto que ha sido desarrollado para el programa espacial.

Vistas de la Tierra desde los satélites

Uno de los beneficios más importantes de la exploración espacial ha sido el desarrollo de la tecnología satelital. Los satélites reúnen datos de todas las regiones de nuestro planeta. Los datos se envían a receptores en la Tierra y se convierten a imágenes. Los científicos han aprendido del programa espacial cómo ampliar esas imágenes para obtener más información.

Los satélites meteorológicos muestran las condiciones en toda la atmósfera de la Tierra. Las imágenes y los datos de los satélites meteorológicos han mejorado los pronósticos meteorológicos enormemente. Los científicos ahora pueden proporcionar alertas de tormentas peligrosas mucho tiempo antes de que azoten las áreas pobladas.

Otros satélites reúnen imágenes de la superficie de la Tierra para mostrar cómo está siendo alterada por eventos naturales y por la actividad humana. Los datos de los satélites también se usan para la preservación de la vida silvestre, la conservación de recursos naturales y el trazado de mapas.

Tecnologías derivadas

¿Alguna vez has pensado en una nueva manera de usar algo que fue diseñado para otro propósito? La NASA a menudo crea tecnologías avanzadas para satisfacer las demandas especiales de los viajes espaciales. Se pueden encontrar muchas tecnologías derivadas del programa espacial en hogares, oficinas, colegios y hospitales.

Todo lo que hay en una nave espacial debe ser lo más pequeño y ligero posible porque entre más pesada sea la nave espacial, más difícil es su lanzamiento. Las técnicas de diseño desarrolladas para satisfacer esta necesidad han servido para mejorar aparatos usados en la Tierra, como herramientas de diagnóstico de enfermedades y aparatos para ayudar a la gente a superar discapacidades.

Los materiales y las partes de una nave espacial tienen que soportar condiciones severas, como calor y frío

Los diseñadores de la NASA ayudaron a desarrollar un sistema que permite a este niño comunicarse usando movimientos de los ojos.

extremos. Muchas casas y edificios nuevos contienen materiales resistentes al fuego desarrollados para el programa espacial. Los bomberos usan trajes protectores hechos de un material usado originalmente en trajes espaciales. La NASA también ha ayudado a diseñar aparatos para que los bomberos no sufran daños respiratorios por inhalar el humo.

Los humanos necesitan un medio ambiente seguro en las naves y estaciones espaciales. La NASA ha desarrollado sistemas para purificar el aire, el agua y los alimentos. Estos sistemas ahora ayudan a proteger a la gente en la Tierra así como en el espacio.

1.4 REPASO

CONCEPTOS CLAVE

1. ¿Cómo nos ha ayudado la exploración espacial a aprender acerca de los impactos sobre la Tierra de objetos espaciales?

2. ¿Cómo proporcionan los satélites imágenes de la superficie y de la atmósfera de la Tierra?

3. Da dos ejemplos de tecnologías que usamos en la Tierra que son resultados de la exploración espacial.

RAZONAMIENTO CRÍTICO

4. **Inferir** Los huracanes se forman en medio del océano. ¿Por qué serían útiles los satélites para detectar la trayectoria de los huracanes?

5. **Aplicar** ¿Cuáles son las tecnologías derivadas de la exploración espacial que serían útiles en una escuela?

🔺 RETO

6. **Predecir** Una nave espacial tarda más que un año en alcanzar Marte y regresar a la Tierra. Si los astronautas algún día viajan a Marte, necesitarán una nave espacial que pueda reciclar aire y agua. ¿Cómo se podría adaptar esta tecnología para usarse en la Tierra?

CONECTAR LAS CIENCIAS

Cómo afecta la gravedad de la Tierra a las plantas.

Uno de los temas más importantes en la biología es el entender cómo crecen las plantas. Aplicando los resultados de investigaciones sobre este tema, los agricultores estadounidenses ahora cultivan el doble del alimento que cultivaban hace 50 años.

Un aspecto del crecimiento de las plantas es la dirección en la cual crecen. Después de que una planta brota de una semilla, unas de sus células forman un tallo que crece hacia arriba. Otras células crecen hacia abajo, convirtiéndose en raíces. ¿Cómo sucede esto? Los biólogos creen que las plantas generalmente responden a señales del Sol y de la fuerza de la gravedad.

La gravedad y el crecimiento de las plantas

Para probar la importancia de la luz solar, los biólogos pueden cultivar plantas en la oscuridad en la Tierra. Probar el impacto de la gravedad, sin embargo, es más difícil. En 1997, un transbordador espacial llevó plantas de musgo al espacio. Las plantas crecieron por dos semanas en microgravedad, un medio ambiente en el cual los objetos casi no tienen peso. Cuando el transbordador regresó las plantas a la Tierra, los biólogos estudiaron cómo habían crecido.

Predicción

Los biólogos habían predecido que el musgo crecería al azar. Esperaban que sin señales de la luz solar o de la fuerza de la gravedad, creciera sin un patrón específico.

Resultados

Los biólogos se sorprendieron por lo que vieron. El musgo no había crecido al azar sino que las plantas se habían extendido en un patrón evidente. Cada planta había formado una espiral en el sentido de las agujas del reloj.

Relevancia

El experimento del musgo puede ser importante para la exploración espacial futura. ¿Pueden proporcionar las plantas el alimento y el oxígeno que necesitarán los astronautas en viajes largos a otros planetas? Los experimentos con musgo son unos de los primeros pasos para averiguarlo.

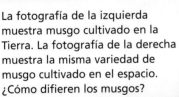

La fotografía de la izquierda muestra musgo cultivado en la Tierra. La fotografía de la derecha muestra la misma variedad de musgo cultivado en el espacio. ¿Cómo difieren los musgos?

EXPLORA

1. **DAR EJEMPLOS** Haz una lista de otras formaciones de espirales que ocurren en la naturaleza. Habla de la razón por qué la forma de espiral sea común.

2. **RETO** Usa la biblioteca o recursos de Internet para aprender acerca de otros experimentos que prueban los efectos de la microgravedad sobre plantas y semillas.

Repaso del capítulo

la GRAN idea

Se desarrolla y se usa la tecnología para explorar y estudiar el espacio.

CONTENT REVIEW
CLASSZONE.COM

RESUMEN DE LOS CONCEPTOS CLAVE

1.1 Algunos objetos del espacio son visibles por el ojo humano.

- La gravedad causa que los objetos en el espacio se organizan en grupos de diferentes maneras.
- Las estrellas forman patrones en el cielo.
- El cielo parece rotar conforme la Tierra gira.

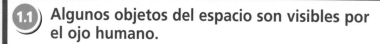

VOCABULARIO
órbita pág. 10
sistema solar pág. 10
galaxia pág. 10
universo pág. 10
constelación pág. 12

1.2 Los telescopios nos permiten estudiar el espacio desde la Tierra.

Cada tipo de radiación electromagnética proporciona información diferente acerca de los objetos en el espacio. Los astrónomos usan diferentes tipos de telescopios para recoger luz visible y otros tipos de radiación.

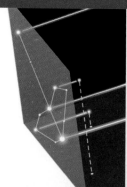

VOCABULARIO
radiación electromagnética pág. 15
espectro pág. 16
longitud de onda pág. 16
telescopio pág. 17

1.3 Las naves espaciales nos ayudan a explorar más allá de la Tierra.

Los astronautas pueden explorar el espacio cercano a la Tierra. Las naves espaciales sin tripulación llevan instrumentos a otros mundos. Una misión de sobrevuelo generalmente proporciona información acerca de varios cuerpos en el espacio. Los orbitadores, los módulos de aterrizaje y las sondas espaciales reúnen información de un solo planeta o cuerpo.

VOCABULARIO
satélite pág. 23
estación espacial pág. 24
módulo de aterrizaje pág. 28
sonda espacial pág. 29

1.4 La exploración espacial beneficia a la sociedad.

La exploración espacial nos ha enseñado acerca del desarrollo de la Tierra. También nos ha proporcionado tecnología que tiene usos importantes en la Tierra.

VOCABULARIO
cráter de impacto pág. 32

Repasar el vocabulario

Escribe una definición de cada palabra. Usa el significado de la parte subrayada de la palabra para ayudarte.

Palabra	Significado de la raíz	Definición
EJEMPLO satélite	persona de menor rango	un objeto que orbita un objeto más grande
1. órbita	círculo	
2. sistema solar	Sol	
3. universo	uno	
4. constelación	estrella	
5. radiación electromagnética	emitir rayos	
6. espectro	mirar a	
7. sonda espacial	sondeo	
8. cráter de impacto	tazón	

Repasar los conceptos clave

Elección múltiple Escoge la letra de la mejor respuesta.

9. Las estrellas de una galaxia se mantienen unidas debido a
   a. la luz
   b. la radiación
   c. la gravedad
   d. los satélites

10. Los astrónomos usan constelaciones para
    a. localizar objetos en el cielo
    b. calcular las distancias a objetos
    c. calcular las masas de objetos
    d. clasificar espectros

11. Las estrellas salen y se ponen en el cielo nocturno porque
    a. la Tierra orbita el Sol
    b. la Tierra gira
    c. el Polo Norte apunta hacia Polaris
    d. las estrellas están en movimiento en el espacio

12. En el espectro electromagnético, los diferentes tipos de radiación están organizados de acuerdo a sus
    a. colores
    b. distancias
    c. longitudes de onda
    d. tamaños

13. Los astrónomos a menudo colocan telescopios sobre montañas para
    a. reducir la interferencia de la atmósfera de la Tierra
    b. ahorrar dinero al comprar terreno
    c. mantener secretos sus descubrimientos
    d. acercarse a los objetos espaciales

14. Un telescopio de reflexión recoge luz con
    a. una lente
    b. un ocular
    c. un refractor
    d. un espejo

15. ¿Cuál era el objetivo del programa Apolo?
    a. ver la Tierra desde el espacio
    b. explorar el Sol
    c. explorar la Luna
    d. explorar otros planetas

16. ¿Qué tipo de misión produce mapas detallados de un planeta?
    a. de sobrevuelo
    b. de orbitador
    c. de módulo de aterrizaje
    d. de sonda espacial

17. ¿Qué causa que se forme un cráter de impacto en la superficie de un planeta?
    a. La gravedad jala suelo y rocas hacia abajo.
    b. El aire y el agua erosionan la superficie.
    c. Fuerzas bajo la superficie empujan hacia arriba.
    d. Un objeto espacial golpea la superficie.

Respuesta breve Escribe una respuesta breve a cada pregunta.

18. ¿Por qué es más fácil ver los movimientos de los planetas que los movimientos de las estrellas?

19. ¿Cómo obtienen los astrónomos la mayor parte de su información acerca del espacio?

20. ¿Cómo afecta el tamaño del lente o espejo principal al rendimiento de un telescopio?

21. ¿Por qué se han desarrollado materiales livianos para los viajes espaciales?

Razonamiento crítico

Copia el diagrama de Venn de abajo y úsalo para ayudarte a contestar las siguientes dos preguntas.

Telescopio de reflexión   Radiotelescopio

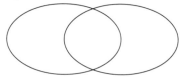

22. COMPARAR Y CONTRASTAR Llena el diagrama de Venn para mostrar las semejanzas y las diferencias entre un telescopio de reflexión y un radiotelescopio.

23. APLICAR Supón que vives en una región que tiene tormentas frecuentes. ¿Qué sería más adecuado para este lugar, un telescopio de reflexión o un radiotelescopio? Explica.

24. COMPARAR Y CONTRASTAR ¿Cuáles son las semejanzas y las diferencias entre la luz visible y las ondas de radio?

25. HACER HIPÓTESIS Muchas de las constelaciones bautizadas por los pueblos antiguos ahora son difíciles de ver desde áreas pobladas. ¿Por qué puede que haya sido más fácil verlas hace cientos o miles de años?

26. ANALIZAR ¿Cuáles pueden ser las ventajas de grabar electrónicamente una imagen de telescopio en vez de ver el objeto directamente por el ocular del telescopio?

27. SINTETIZAR Supón que fuera posible enviar astronautas a explorar un planeta cercano. ¿Qué cuestiones tendrían que considerarse antes de decidir si sería de enviar una nave espacial con astronautas o una nave espacial sin tripulación?

28. COMPARAR Y CONTRASTAR Compara y contrasta el desarrollo de la Estación Espacial Internacional con las misiones de Apolo a la Luna.

29. ANALIZAR ¿Por qué sería recomendable buscar ayuda de los diseñadores de la tecnología espacial si estuvieras diseñando un dispositivo médico para ser implantado en el cuerpo de un paciente?

30. EVALUAR ¿Crees que los Estados Unidos debe continuar manteniendo su propio programa espacial o debe combinar su programa espacial con los programas de otras naciones? Explica.

31. ORDENAR Los astrónomos han aprendido que algunas estrellas además del Sol tienen planetas orbitándolas. Imagina que estás planeando un programa para explorar uno de estos sistemas planetarios. Haz una copia de la tabla de abajo. Usa la tabla para identificar las etapas en la exploración del sistema y describir que ocurriría durante cada etapa.

Etapa de exploración	Descripción

la GRAN idea

32. DAR EJEMPLOS Mira la fotografía de las páginas 6 y 7 otra vez. ¿Cómo cambiarías o agregarías detalles a tu respuesta a la pregunta de la fotografía ahora que has terminado el capítulo?

33. EVALUAR En los Estados Unidos se gastan miles de millones de dólares cada año en exploración espacial. ¿Crees que este gasto está justificado? ¿Por qué sí o por qué no?

Proyecto para la unidad

Si estás haciendo un proyecto para la unidad, haz una carpeta para tu proyecto. Incluye en la carpeta una lista de los recursos que necesitarás, la fecha de entrega del proyecto y un plan para estar pendiente de tu progreso. Empieza a reunir datos.

Analizar un mapa de estrellas

Usa el mapa de estrellas para contestar las siguientes cinco preguntas.

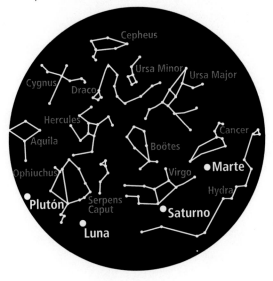

1. Las constelaciones están representadas en el mapa como puntos que están

a. rodeados de planetas

b. unidos en un patrón en espiral

c. conectados por líneas

d. dispersos en un patrón al azar

2. ¿Cómo se compararía con el mapa de arriba un mapa que muestra la misma porción del cielo, pero dos horas más tarde?

a. Casi todos los objetos espaciales habrían cambiado de posición de manera apreciable.

b. Ninguno de los objetos espaciales habría cambiado de posición.

c. Solamente la Luna habría cambiado de posición.

d. Solamente los planetas habrían cambiado de posición.

3. ¿Por qué sería el mapa después de dos horas diferente a este mapa?

a. La Luna está girando sobre su eje.

b. La Tierra está girando sobre su eje.

c. El sistema solar es parte de la Vía Láctea.

d. Los planetas se mueven en relación a las estrellas.

4. Un mapa que muestra la misma porción de cielo exactamente un año más tarde se vería muy parecido a este mapa. ¿Qué probablemente sería diferente?

a. las formas de las constelaciones

b. los nombres de las constelaciones

c. las posiciones de la Luna y de los planetas

d. la radiación de las estrellas

5. ¿Qué afirmación describe mejor la ubicación de las estrellas mostradas en el mapa?

a. Están fuera del sistema solar pero dentro de la galaxia Vía Láctea.

b. Están dentro del sistema solar.

c. Están fuera de la galaxia Vía Láctea pero dentro del universo.

d. Están fuera del universo.

Respuesta desarrollada

Contesta la dos preguntas de abajo en detalle. Incluye algunos de los términos mostrados en el recuadro de palabras. Subraya cada término que uses en tu respuesta.

radiación electromagnética	sistema solar
Vía Láctea	ondas de radio
universo	luz visible

6. ¿Cuál es la relación entre la Tierra, nuestro sistema solar, la Vía Lactea y el universo?

7. ¿Qué tienen en común los telescopios de luz visible y los radiotelescopios? ¿En qué se diferencian?

La Tierra, la Luna y el Sol

la GRAN idea

La Tierra y la Luna se mueven de maneras predecibles al orbitar el Sol.

¿Qué verías si miraras la Luna con un telescopio?

Conceptos clave

SECCIÓN

La Tierra rota en torno a un eje inclinado y orbita el Sol.
Aprende qué causa el día y la noche y por qué hay estaciones.

SECCIÓN

La Luna es el satélite natural de la Tierra.
Aprende acerca de la estructura y el movimiento de la Luna de la Tierra.

SECCIÓN

Las posiciones del Sol y de la Luna afectan a la Tierra.
Aprende acerca de las fases de la Luna, los eclipses y las mareas.

Internet: Primer vistazo

CLASSZONE.COM

Recursos en Internet para el capítulo 2: **Content Review,** dos **Visualizations,** dos **Resource Centers, Math Tutorial, Test Practice**

EXPLORA la GRAN idea

¿Cómo se mueven las sombras?

Coloca un pequeño papel engomado en una ventana a través de la cual brille luz solar. A distintas horas del día, dibuja la ubicación de la sombra del papel en la habitación.

Observar y pensar ¿Se mueve la sombra en la dirección de las agujas del reloj o en contra de las agujas del reloj? ¿Hay algún cambio en la distancia de la sombra a la ventana?

¿Qué hace a la Luna brillante?

En un día en el que veas la Luna en el cielo, compárala con un objeto redondo. Sostén el objeto de manera que se alinee con la Luna. Asegúrate de que tu mano no tape la luz solar. Nota la parte del objeto que es brillante.

Observar y pensar
¿Cómo se compara la luz solar sobre el objeto con la luz sobre la Luna?

Actividad en Internet: Las estaciones

Visita **ClassZone.com** para explorar las estaciones. Descubre cómo afecta la luz solar a la temperatura en diferentes lugares en diferentes épocas del año.

Observar y pensar ¿La fotografía muestra la Tierra en junio o en diciembre?

The Moon **Code: MDL058**

CAPÍTULO 2

Prepárate para aprender

REPASO DE LOS CONCEPTOS

- El cielo parece rotar conforme la Tierra gira.
- Los movimientos de los objetos espaciales cercanos son visibles desde la Tierra.
- La luz y otras radiaciones portan información sobre el espacio.

REPASO DEL VOCABULARIO

órbita pág. 10

radiación electromagnética pág. 15

satélite pág. 23

Consulta las definiciones del Glosario.

fuerza, gravedad, masa

 CONTENT REVIEW
CLASSZONE.COM

Repasa los conceptos y el vocabulario.

▶ TOMAR APUNTES

APUNTES COMBINADOS

Para tomar apuntes acerca de un concepto nuevo, primero haz un esquema informal de la información. Luego haz un dibujo del concepto y rotúlalo para que lo puedas estudiar después.

ESTRATEGIA PARA EL VOCABULARIO

Escribe cada nuevo término de vocabulario en el centro de un diagrama de **marco**. Decide con qué información enmarcarlo. Usa ejemplos, descripciones, dibujos u oraciones en las cuales el término se use en contexto. Puedes cambiar el marco para acomodar cada término.

Consulta el Manual para tomar apuntes, R45 a R51.

CUADERNO DE CIENCIAS

APUNTES

La Tierra gira.
- Gira sobre un eje imaginario.
  - Los polos son los extremos del eje.
  - El ecuador está en la mitad.
- La rotación dura 24 horas.
- El Sol brilla sólo de un lado.
  - Es de día en el lado iluminado.
  - Es de noche en el lado oscuro.

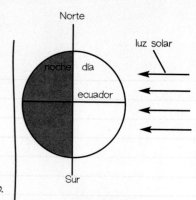

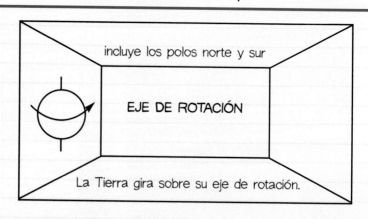

incluye los polos norte y sur

EJE DE ROTACIÓN

La Tierra gira sobre su eje de rotación.

CONCEPTO CLAVE

La Tierra rota en torno a un eje inclinado y orbita el Sol.

 ANTES, aprendiste

- Las estrellas parecen salir, cruzar el cielo y ponerse porque la Tierra gira
- El Sol es muy grande y está lejos de la Tierra
- La Tierra orbita el Sol

▶ **AHORA, aprenderás**

- Por qué tiene la Tierra día y noche
- Cómo producen estaciones los ángulos cambiantes de la luz solar

VOCABULARIO

eje de rotación pág. 44
revolución pág. 45
estación pág. 46
equinoccio pág. 46
solsticio pág. 46

EXPLORA Zonas de tiempo

¿Qué hora es en Islandia en este momento?

PROCEDIMIENTO

MATERIALES
mapa de zonas de tiempo

① Encuentra tu posición y la de Islandia en el mapa. Identifica la zona de tiempo de cada una.

② Cuenta el número de horas entre tu posición y la de Islandia. Suma o resta ese número de horas de la hora en tu reloj.

¿QUÉ PIENSAS?
- ¿Es más temprano o más tarde en Islandia? ¿Por cuántas horas?
- ¿Por qué ponen diferentes horas en los relojes?

La rotación de la Tierra causa el día y la noche.

Cuando los astronautas exploraron la Luna, sintieron la gravedad de la Luna jalándolos hacia abajo. Su "abajo" habitual, es decir la Tierra, se encontraba arriba, en el cielo de la Luna.

Al leer este libro, es fácil saber hacia dónde es abajo. ¿Pero es abajo en la misma dirección para una persona que está del otro lado de la Tierra? Si ambos señalaran hacia abajo, cada quien estaría señalando en la dirección de la otra persona. La gravedad de la Tierra atrae los objetos hacia el centro de la Tierra. No importa en qué parte de la Tierra te encuentres, la dirección de abajo será hacia el centro de la Tierra. No hay una parte inferior y una parte superior. Arriba es hacia el espacio y abajo es hacia el centro del planeta.

Conforme la Tierra gira, tú también lo haces. Permaneces en la misma posición con respecto a lo que está debajo de tus pies, pero la vista sobre tu cabeza cambia.

 LEER
¿Comprendiste? ¿En qué dirección jala la gravedad a los objetos que están cerca de la Tierra?

El globo terráqueo y el mapa plano muestran el avance de la luz de día en la Tierra de dos maneras. En este lugar está amaneciendo.

mediodía

medianoche

la noche se mueve hacia el oeste

Las direcciones Norte, Sur, Este y Oeste están basados en la manera en la que el planeta rota, o gira. La Tierra rota alrededor de una línea imaginaria llamada **eje de rotación** que atraviesa su centro. Los extremos del eje son los polos norte y sur. Cualquier lugar en la superficie se mueve de oeste a este conforme la Tierra gira. Si extiendes tu pulgar derecho y te imaginas que su punta es el Polo Norte, entonces tus dedos se doblan en la dirección en la cual la Tierra gira.

En cualquier momento dado, aproximadamente la mitad de la Tierra recibe luz solar y la otra mitad está oscura. Sin embargo, la Tierra gira sobre su eje en 24 horas, por lo que los lugares pasan por la luz y la oscuridad en ese tiempo. Cuando un lugar está en la luz solar, es de día ahí. Cuando un lugar se encuentra en el medio del lado iluminado, es mediodía. Cuando un lugar está en la oscuridad, es de noche ahí, y cuando el lugar está en el medio del lado sin luz, es medianoche.

LEER ¿Comprendiste? Si es mediodía en un lugar, ¿qué hora es en el lugar que se encuentra precisamente en el lado opuesto de la Tierra?

INVESTIGA Rotación

¿Qué causa la noche y el día?

En este modelo la lámpara representa el Sol y tu cabeza representa la Tierra. El Polo Norte está en la parte superior de tu cabeza. Necesitarás imaginarte lugares en tu cabeza como si tu cabeza fuera un globo terráqueo.

PROCEDIMIENTO

1. Mira hacia la lámpara y coloca tus manos al lado de tu cara como se muestra en la fotografía. Tus manos marcan el horizonte. Para una persona que se encuentra en tu nariz, el Sol estaría en lo alto del cielo. Sería mediodía.

2. Mira en dirección opuesta a la lámpara. Determina qué hora sería en tu nariz.

3. Gira hacia tu izquierda hasta que veas la lámpara junto a tu mano izquierda.

4. Continúa girando hacia la izquierda, pasando por el mediodía, hasta que dejes de ver la lámpara.

¿QUÉ PIENSAS?

• ¿Qué horas eran en tu nariz en los pasos 2, 3 y 4?

• ¿Qué hora es en tu oreja derecha cuando miras hacia la lámpara?

RETO ¿Cómo puede una nube ser brillante aun cuando hay oscuridad en el suelo?

HABILIDADES
Hacer modelos

MATERIALES
lámpara

TIEMPO
15 minutos

El eje inclinado de la Tierra y su órbita causan las estaciones.

Tal como la gravedad causa que los objetos cercanos a la Tierra sean atraídos hacia su centro, también causa que la Tierra y otros objetos cerca del Sol sean atraídos hacia el centro del Sol. Por suerte, la Tierra no se mueve directamente hacia el Sol sino lateralmente, casi en ángulo recto a la dirección del Sol. Sin la atracción gravitacional del Sol, la Tierra seguiría moviéndose en línea recta hacia el espacio. Sin embargo, la atracción del Sol cambia la trayectoria de la Tierra de una línea recta a una órbita redonda de unos 300 millones de kilómetros (200,000,000 mi) de diámetro.

Así como un día es el tiempo que tarda la Tierra en rotar una vez sobre su eje, un año es el tiempo que tarda la Tierra en orbitar el Sol una vez. En astronomía, una **revolución** es el movimiento de un objeto alrededor de otro. La palabra *revolución* también puede significar el tiempo que le toma a un objeto dar la vuelta una vez.

La rotación y la órbita de la Tierra no se alinean perfectamente. Si lo hicieran, el ecuador de la Tierra estaría en el mismo plano que la órbita de la Tierra, como un aro diminuto y un aro enorme recostados sobre la superficie de la misma mesa. En cambio, la Tierra gira a un ángulo, o inclinación, de aproximadamente 23° respecto a esta alineación.

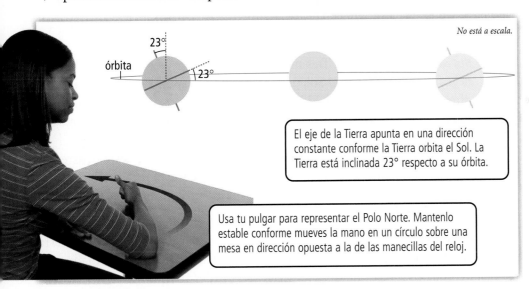

No está a escala.

órbita

23°

23°

El eje de la Tierra apunta en una dirección constante conforme la Tierra orbita el Sol. La Tierra está inclinada 23° respecto a su órbita.

Usa tu pulgar para representar el Polo Norte. Mantenlo estable conforme mueves la mano en un círculo sobre una mesa en dirección opuesta a la de las manecillas del reloj.

Conforme la Tierra se mueve, su eje siempre apunta en la misma dirección hacia el espacio. Podrías hacer un modelo de la órbita de la Tierra moviendo tu puño derecho en un círculo sobre un escritorio. Necesitarías apuntar tu pulgar hacia tu hombro izquierdo y mantenerlo apuntando en esa dirección mientras mueves tu mano alrededor del escritorio.

La órbita de la Tierra no es un círculo perfecto. En enero, la Tierra está 5 millones de kilómetros más cerca del Sol que lo que está en julio. Te sorprenderá saber que esta distancia produce sólo una diminuta diferencia en las temperaturas en la Tierra. Sin embargo, la combinación del movimiento de la Tierra alrededor del Sol con la inclinación del eje de la Tierra causa importantes cambios de temperatura. Pasa a la siguiente página para averiguar cómo.

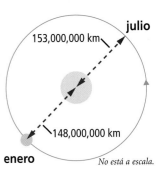

julio

153,000,000 km

148,000,000 km

enero

No está a escala.

La órbita de la Tierra es casi un círculo. La distancia de la Tierra al Sol varía solamente alrededor de 5,000,000 km, como 3%, en el transcurso de un año.

VOCABULARIO
Recuerda poner cada
término nuevo en un
diagrama de marco.

Patrones estacionales

La mayoría de los lugares en la Tierra experimentan **estaciones,** patrones de cambios de temperatura y otras tendencias meteorológicas en el transcurso de un año. Cerca del ecuador, las temperaturas son casi iguales todo el año. Cerca de los polos, hay cambios de temperatura muy grandes del invierno al verano. Los cambios de temperatura ocurren porque la cantidad de luz solar en cada lugar cambia durante el año. Los cambios en la cantidad de luz solar se deben a la inclinación del eje de la Tierra.

Observa el diagrama de la página 47 para ver cómo afecta la dirección constante del eje inclinado de la Tierra al patrón de luz solar sobre la Tierra en diferentes épocas del año. Conforme la Tierra viaja alrededor del Sol, el área de luz solar en cada hemisferio cambia. En un **equinoccio,** la luz solar brilla igual en los hemisferios norte y sur. La mitad de cada hemisferio tiene luz y la mitad está en oscuridad. Conforme la Tierra se mueve por su órbita, la luz se mueve más hacia un hemisferio que hacia el otro. En un **solsticio,** el área de luz solar está al máximo en un hemisferio y al mínimo en el otro hemisferio. Los equinoccios y los solsticios suceden en o cerca del día 21 de ciertos meses del año.

1 **Equinoccio de septiembre** Cuando la Tierra está en esta posición, la luz solar brilla igual en los dos hemisferios. Puedes ver en el diagrama que el Polo Norte está en el borde entre la luz y la oscuridad. El equinoccio de septiembre marca el principio del otoño en el Hemisferio Norte y de la primavera en el Hemisferio Sur.

2 **Solsticio de diciembre** Tres meses después, la Tierra ha viajado un cuarto del camino alrededor del Sol, pero su eje todavía apunta en la misma dirección hacia el espacio. El Polo Norte parece inclinarse en dirección opuesta a la del Sol. El solsticio ocurre cuando el polo se inclina y se aleja del Sol lo más lejos que lo hará en todo el año. Puedes ver que el Polo Norte está en oscuridad completa. Al mismo tiempo, lo opuesto ocurre en el Hemisferio Sur. El Polo Sur parece inclinarse hacia el Sol y recibe luz solar. Es el solsticio de verano del Hemisferio Sur y el solsticio de invierno del Hemisferio Norte.

3 **Equinoccio de marzo** Después de otra cuarta parte de su órbita, la Tierra alcanza otro equinoccio. La mitad de cada hemisferio está iluminada y la luz solar está centrada sobre el ecuador. Puedes ver que los polos están otra vez en el borde entre el día y la noche.

4 **Solsticio de junio** Esta posición es opuesta al solsticio de diciembre. El eje de la Tierra todavía apunta en la misma dirección, pero ahora el Polo Norte parece inclinarse hacia el Sol y su luz solar. El solsticio de junio marca el comienzo del verano en el Hemisferio Norte. En contraste, en el Hemisferio Sur es el solsticio de invierno.

LEER Un consejo

Las posiciones y la iluminación pueden ser difíciles de imaginar. Por eso, puedes usar un modelo así como el diagrama de la siguiente página para ayudarte a comprender.

LEER
¿Comprendiste? ¿En qué mes comienza el invierno en el Hemisferio Sur?

Estaciones

La órbita y el eje inclinado y estable de la Tierra producen las estaciones.

① Equinoccio de septiembre La mitad de la luz solar está en cada hemisferio. La luz solar más fuerte está en el ecuador.

④ Solsticio de junio Más de la mitad del Hemisferio Norte recibe luz solar. La luz solar más fuerte está al norte del ecuador, por lo que el Hemisferio Norte se vuelve más caliente.

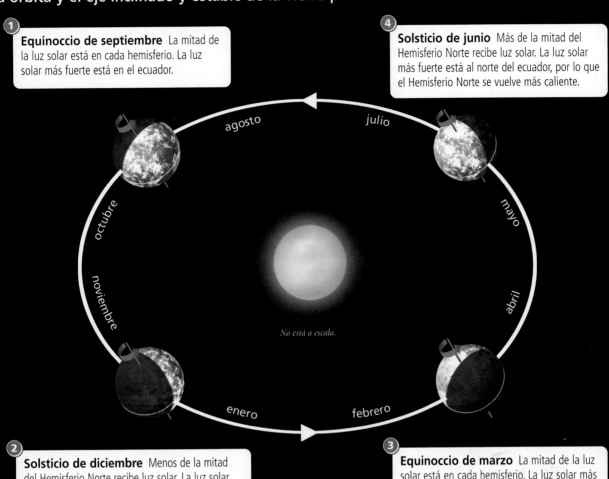

No está a escala.

② Solsticio de diciembre Menos de la mitad del Hemisferio Norte recibe luz solar. La luz solar más fuerte está al sur del ecuador, por lo que el Hemisferio Sur se vuelve más caliente.

③ Equinoccio de marzo La mitad de la luz solar está en cada hemisferio. La luz solar más fuerte está en el ecuador.

Vista desde el Sol

Si pudieras estar en el Sol y mirar la Tierra, verías diferentes partes de la Tierra en diferentes épocas del año.

① Equinoccio de septiembre

② Solsticio de diciembre

③ Equinoccio de marzo

④ Solsticio de junio

Los equinoccios y los solsticios marcan los principios de las estaciones en los dos hemisferios. Las estaciones más cálidas ocurren cuando una mayor porción del hemisferio recibe luz solar.

LEER DATOS VISUALES Mira los polos para ver cómo se iluminan los hemisferios. ¿Cuándo se halla completamente iluminado el polo sur?

Ángulos de la luz solar

🌐 **RESOURCE CENTER**
CLASSZONE.COM

Aprende más sobre las estaciones.

Has visto que las estaciones cambian conforme la luz solar se mueve entre los hemisferios en el transcurso del año. En el suelo, notas los efectos de las estaciones porque el ángulo de la luz solar y la duración del día cambian durante el año. Los efectos son mayores en los lugares que están lejos del ecuador. Quizá hayas notado que la luz solar apenas parece calentarte justo antes del atardecer, cuando el Sol está bajo en el cielo. Al mediodía, la luz solar se siente mucho más caliente. El ángulo de la luz afecta a la temperatura.

Cuando el Sol está en lo alto del cielo, la luz solar incide sobre el suelo casi en ángulo recto. La energía de la luz solar está concentrada. Las sombras son cortas. Puede que te quemes rápidamente cuando el Sol está en lo alto. Cuando el Sol está bajo en el cielo, la luz solar incide sobre el suelo en ángulo inclinado. La luz se reparte sobre una gran área, por lo que es menos concentrada y produce sombras largas. La luz inclinada calienta el suelo en menor grado.

Cerca del ecuador, el Sol a mediodía está casi directamente encima todos los días, por lo que el suelo se calienta intensamente todo el año. En las latitudes medias, el Sol a mediodía está en lo alto del cielo sólo durante parte del año. En el invierno el Sol a mediodía está bajo en el cielo y calienta el suelo con menos intensidad.

△ **LEER**
¿Comprendiste? ¿Cómo afectan los ángulos de la luz solar a las temperaturas en el transcurso del año?

La altura del Sol y las sombras

Solsticio de invierno, 12 P.M.

Las sombras de invierno son largas porque la luz solar está esparcida. El Sol se ve más bajo en el cielo, incluso a mediodía.

posición en la Tierra

Equinoccio de primavera, 12 P.M.

Las sombras de primavera y de otoño son de longitud media y el Sol a mediodía se ve más alto en el cielo.

Solsticio de verano, 12 P.M.

Las sombras de verano son cortas porque la luz se concentra en un área pequeña. El Sol a mediodía se ve en lo alto del cielo.

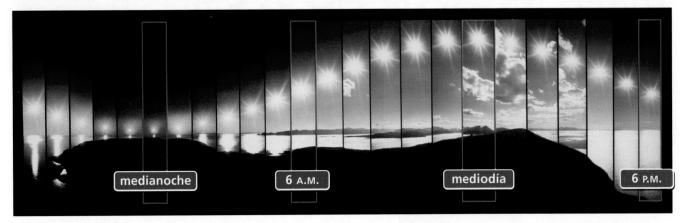

medianoche | 6 A.M. | mediodía | 6 P.M.

Duración de los días

Las temperaturas de la estaciones dependen también de la cantidad de luz de día. En Chicago, por ejemplo, el sol de verano calienta el suelo alrededor de 15 horas al día, pero en el invierno puede haber sólo 9 horas de luz solar cada día. Entre más te alejas del ecuador, los cambios en la duración del día se vuelven más extremos. Al acercarte a uno de los polos, la luz solar de verano puede durar 20 horas o más.

Muy cerca de los polos, el Sol no se pone por seis meses. Se puede ver brillando cerca del horizonte a medianoche. Los turistas a menudo viajan al extremo norte sólo para ver el sol de medianoche. En lugares cercanos a un polo, el Sol se pone en un equinoccio y no vuelve a salir por seis meses. Los astrónomos van al Polo Sur en marzo para aprovechar la larga noche de invierno, la cual les permite estudiar objetos en el cielo sin la interrupción de la luz del día.

Muy cerca del ecuador, los períodos de luz y oscuridad son casi iguales durante todo el año; cada uno dura alrededor de 12 horas. Los visitantes que están acostumbrados a condiciones cálidas durante los largos días de verano pueden sorprenderse cuando un día soleado y caliente termina de pronto a las 6 p.m. En los lugares lejanos al ecuador, la luz del día dura 12 horas solamente alrededor de la fecha de un equinoccio.

Cerca del polo en el verano, el Sol permanece sobre el horizonte, por lo que no hay noche. Esta serie de fotografías fue tomada en el transcurso de un día.

LEER Un consejo

Equinoccio significa "noche igual", la noche tiene la misma duración que el día.

2.1 REPASO

CONCEPTOS CLAVE

1. ¿Qué causa el día y la noche?

2. ¿Qué le sucede al eje de rotación de la Tierra conforme la Tierra orbita el Sol?

3. ¿Cómo cambian las áreas de luz solar en los dos hemisferios durante el año?

RAZONAMIENTO CRÍTICO

4. **Aplicar** ¿Te acercarías o te alejarías del ecuador si quisieras disfrutar períodos más largos de luz de día durante el verano? ¿Por qué?

5. **Comparar y contrastar** ¿Cómo difieren las temperaturas promedio y los cambios estacionales en el ecuador de aquéllos en los polos?

○ RETO

6. **Inferir** Si el eje de la Tierra se inclinara tanto que el Polo Norte a veces apuntara directamente hacia el Sol, ¿cómo se verían afectadas las horas del día en tu localidad?

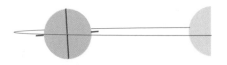

Hacer un modelo de las estaciones

DESCRIPCIÓN Y PROPÓSITO ¿Por qué son las condiciones meteorológicas en Norteamérica mucho más frías en enero que en julio? Te sorprenderá saber que no tiene nada que ver con la distancia de la Tierra al Sol. De hecho, la Tierra está más cerca del Sol en enero. En este laboratorio harás un modelo de lo que causa las estaciones al

- orientar una fuente de luz hacia una superficie en diferentes ángulos
- determinar cómo cambian los ángulos de la luz solar en un lugar conforme la Tierra orbita el Sol

▶ Problema

¿Cómo afecta el ángulo de la luz a la cantidad de energía solar que un lugar recibe en diferentes épocas del año?

▶ Hacer hipótesis

Después de realizar el paso 3, escribe una hipótesis que explique cómo afectan los ángulos de la luz solar a la cantidad de energía solar que recibe tu localidad en diferentes épocas del año. Tu hipótesis debe tomar la forma de un enunciado "Si..., entonces..., porque...".

▶ Procedimiento

PARTE A

MATERIALES
- papel cuadriculado
- linterna
- regla de un metro
- transportador
- globo terráqueo
- pila de libros
- papel engomado

1. Escribe una *X* cerca del centro del papel cuadriculado. Alumbra el papel con la linterna desde una distancia de 30 cm directamente sobre la X, a un ángulo de 90° de la superficie. Observa el tamaño de la mancha de luz.

2. Alumbra la X con la linterna a diferentes ángulos. Mantén la linterna a la misma distancia. Escribe qué sucede con el tamaño de la mancha de luz al cambiar los ángulos.

3. Repite el paso 2, pero observa sólo un cuadro cerca de la X. Escribe lo que le sucede al brillo de la luz al cambiar el ángulo. El brillo muestra cuánta energía de la linterna recibe el área.

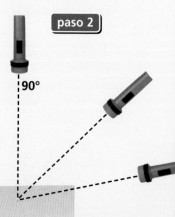

paso 2

4. Piensa en las temperaturas en diferentes épocas del año en tu localidad, luego escribe tu hipótesis.

PARTE B

5 Coloca el globo terráqueo, los libros y la linterna como se muestra en la fotografía. Apunta el Polo Norte del globo terráqueo hacia la derecha. Esta posición representa el solsticio A.

solsticio A

6 Encuentra tu localidad en el globo terráqueo. Coloca un papel engomado doblado sobre tu localidad en el globo terráqueo como se muestra en la fotografía. Haz rotar el globo sobre su eje hasta que el papel apunte hacia la linterna.

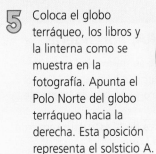

luz

pasos 6 y 7

7 El rayo de luz de la linterna representa la luz solar de mediodía en tu localidad. Usa el transportador para calcular el ángulo al cual la luz incide sobre la superficie.

8 Mueve el globo terráqueo al lado izquierdo de la mesa y la linterna y los libros al lado derecho de la mesa. Apunta el Polo Norte hacia la derecha. Esta posición representa el solsticio B.

solsticio B

9 Repite el paso 7 para el solsticio B.

Observar y analizar

Por escrito

1. **ANOTAR** Dibuja el montaje de tus materiales en cada parte de la investigación. Organiza tus apuntes.

2. **ANALIZAR** Describe cómo afectó el ángulo de la linterna en el paso 2 al área de la mancha de luz. ¿Qué ángulo concentró la luz en la menor área?

3. **EVALUAR** ¿A qué ángulo recibió la mayor energía un cuadro del papel cuadriculado?

4. **COMPARAR** Compara los ángulos de la luz en los pasos 7 y 9. ¿En qué posición estuvo el ángulo de luz más cercano a los 90°?

▶ Sacar conclusiones

Por escrito

1. **EVALUAR** ¿En qué se diferenció el ángulo de la luz solar en tu localidad en las dos épocas del año? ¿En qué posición está más concentrada la luz solar en tu localidad?

2. **APLICAR** La cantidad de luz solar en tu localidad afecta a la temperatura. ¿Qué solsticio, A o B, representa el solsticio de verano en tu localidad?

3. **INTERPRETAR** ¿Tus observaciones apoyan a tu hipótesis? Explica por qué sí o por qué no.

▶ INVESTIGAR más

RETO ¿Qué sucede en el otro hemisferio en las dos épocas del año? Usa tu modelo para averiguarlo.

Hacer un modelo de las estaciones

Problema ¿Cómo afecta el ángulo de la luz a la cantidad de energía solar que una localidad recibe en diferentes épocas del año?

Hacer hipótesis

Observar y analizar

Tabla 1. Solsticios A y B

	Solsticio A	Solsticio B
Dibujo		
Angulo de la luz (°)		
Observaciones		

Sacar conclusiones

CONCEPTO CLAVE
La Luna es el satélite natural de la Tierra.

◀ **ANTES, aprendiste**

- La Tierra gira al orbitar el Sol
- El lado de la Tierra en que es de día es la parte con luz solar
- La Luna es el cuerpo más cercano a la Tierra

▶ **AHORA, aprenderás**

- Cómo se mueve la Luna
- Cuáles son los rasgos de color oscuro y los de color claro de la Luna
- Acerca de la estructura interna de la Luna

VOCABULARIO

mare pág. 53

EXPLORA Movimiento de la Luna

¿Cuánto gira la Luna?

PROCEDIMIENTO

1. Dibuja un círculo para representar la órbita de la Luna con la Tierra en el centro. La brújula representa la Luna.

2. Mueve la brújula alrededor del círculo. Mantén siempre el lado de la brújula marcada con una E hacia la Tierra.

3. Observa las posiciones de la E y de la aguja de la brújula en varios puntos del círculo.

¿QUÉ PIENSAS?
¿Qué te dice el modelo acerca del movimiento de la Luna?

MATERIALES
- papel
- brújula

La Luna gira al orbitar la Tierra.

Cuando observas el disco lunar, puede que notes áreas más oscuras y áreas más claras. Tal vez te las has imaginado como características de una cara u otro patrón. La gente alrededor del mundo ha contado historias sobre animales, personas y objetos que se han imaginado al observar las áreas claras y oscuras de la Luna. Como leerás en este capítulo, estas áreas también les cuentan una historia a los científicos.

La atracción gravitacional mantiene a la Luna, el satélite natural de la Tierra, en órbita alrededor de la Tierra. Aunque la Luna es el vecino más cercano de la Tierra en el espacio, está muy lejos en comparación a los tamaños de la Tierra y de la Luna.

El diámetro de la Luna es aproximadamente 1/4 del diámetro de la Tierra y la Luna está a una distancia de aproximadamente 30 diámetros de la Tierra.

Tierra   Luna

La distancia entre la Tierra y la Luna es aproximadamente 380,000 kilómetros (240,000 mi), como cien veces la distancia entre Nueva York y Los Ángeles. Si un avión de pasajeros pudiera viajar en el espacio, le tomaría alrededor de 20 días cubrir una distancia tan inmensa. Los astronautas, cuyas naves espaciales viajaban mucho más rápido que los aviones de pasajeros, necesitaron alrededor de 3 días para llegar a la Luna.

Siempre observas el mismo patrón de rasgos claros y oscuros en la Luna. Sólo se puede ver éste lado de la Luna desde la Tierra. La razón es que la Luna, como muchas otras lunas en el sistema solar, siempre muestra el mismo lado al planeta. Esto significa que la Luna gira una vez sobre su propio eje cada vez que orbita la Tierra.

¿Por qué se ve sólo un lado de la Luna?

Los cráteres de la Luna muestran su historia.

La mitad de la superficie de la Luna que se muestra constantemente a la Tierra se llama lado cercano. La mitad que no se muestra a la Tierra se llama lado lejano. Una gran parte de la superficie de la Luna es de color claro. Dentro de las áreas claras hay muchos rasgos pequeños y redondos. También hay rasgos de color oscuro, algunos de los cuales cubren grandes áreas. Estos rasgos de color oscuro cubren una gran parte del lado cercano de la Luna. En contraste, el lado lejano es en su mayor parte de color claro con sólo unos cuantos rasgos oscuros.

Al igual que en la Tierra, los rasgos de la Luna reciben nombres para que sea fácil hablar sobre ellos. Los nombres de los rasgos superficiales más grandes de la Luna están en latín porque los científicos de siglos anteriores de muchos países diferentes usaban el latín para comunicarse entre sí. Los primeros astrónomos pensaban que las áreas oscuras podrían ser cuerpos de agua, así que usaron la palabra en latín para "mar". Hoy en día, a un área oscura de la Luna todavía se le llama **mare.** La forma en plural es maria.

Las maria, sin embargo, no son cuerpos de agua. Todos los rasgos que se pueden ver en la Luna son diferentes tipos de roca sólida o quebrada. La Luna no tiene aire, ni océanos, ni nubes, ni vida.

Luna

El lado de la Luna que se muestra constantemente a la Tierra tiene áreas grandes y oscuras llamadas maria.

Masa 1% de la masa de la Tierra

Diámetro 27% del diámetro de la Tierra

Distancia promedio desde la Tierra 380,000 km

Orbita en 27.3 días de la Tierra

Gira en 27.3 días de la Tierra

LEER Un consejo

Lunar significa "relacionado con la Luna". La palabra proviene de *luna*, la palabra en latín para la Luna.

Cráteres y maria

Las áreas de color claro de la Luna son más altas, están a mayores altitudes que las maria, por lo que se llaman tierras altas lunares. El suelo de las tierras altas lunares es rocoso y algunos lugares están cubiertos de un polvo fino proveniente de rocas quebradas.

Las tierras altas tienen muchos rasgos redondos, llamados cráteres de impacto, los cuales se formaron cuando objetos pequeños provenientes del espacio golpearon la superficie de la Luna. Hace mucho tiempo, estas colisiones sucedían con mayor frecuencia que hoy en día. Muchos cráteres de impacto marcaron las superficies de la Luna, de la Tierra y de otros cuerpos espaciales. En la Tierra, sin embargo, la mayoría de los cráteres han sido desgastados por el agua y el viento. En la Luna, seca y sin aire, los cráteres de impacto de hace mucho tiempo todavía son visibles.

Hace mucho tiempo, unos de los cráteres más grandes se llenaron de roca fundida, o lava, proveniente de abajo de la superficie de la Luna. La lava llenó las áreas más bajas y después se enfrió, formando las grandes llanuras llamadas maria. Impactos más pequeños siguen ocurriendo, por lo que las llanuras oscuras de las maria sí contienen algunos cráteres. La mayoría de las maria grandes están en el lado cercano de la Luna. Sin embargo, la cuenca más ancha y profunda de la Luna está en el lado lejano, cerca del polo sur de la Luna.

LEER
¿Comprendiste? ¿Cómo se formaron las maria? Enumera los pasos.

Mapa lunar

Las tierras altas de color claro y las maria oscuras forman un patrón familiar en el lado cercano de la Luna y un patrón muy diferente en el lado lejano.

Lado cercano

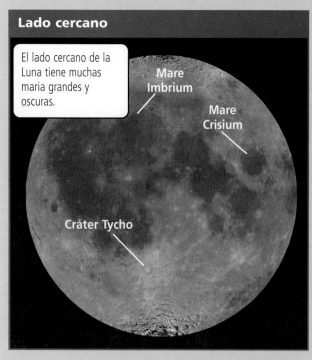

El lado cercano de la Luna tiene muchas maria grandes y oscuras.

Mare Imbrium

Mare Crisium

Cráter Tycho

Lado lejano

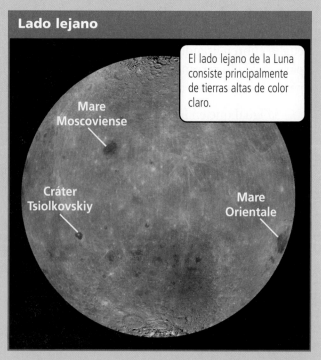

El lado lejano de la Luna consiste principalmente de tierras altas de color claro.

Mare Moscoviense

Cráter Tsiolkovskiy

Mare Orientale

¿Cómo se formaron los rasgos de la Luna?

En este modelo usarás una servilleta de papel para representar la superficie de la Luna y gelatina para representar la roca fundida proveniente del interior de la Luna.

PROCEDIMIENTO

1. Agrega aproximadamente 1 cm de gelatina líquida parcialmente enfriada al vaso.

2. Sostén la toalla de papel, juntando sus esquinas. Introduce la toalla de papel al vaso hasta que el centro de la toalla de papel toque el fondo del vaso. Abre la toalla un poco.

3. Coloca el vaso en el tazón con hielo y espera un rato para que la gelatina se solidifique.

¿QUÉ PIENSAS?

- ¿A qué parte de la toalla de papel afectó la gelatina?

- ¿Cuándo observas el interior del vaso desde arriba, qué te indican las áreas lisas acerca de las alturas?

RETO Los primeros astrónomos pensaban que podría haber océanos en la Luna. ¿En qué se parece la lava de tu modelo a un océano?

HABILIDADES
Inferir

MATERIALES
- gelatina líquida
- vaso de plástico transparente
- toalla de papel
- tazón con hielo

TIEMPO
20 minutos

Las rocas lunares tienen diferentes edades. Algunas de las rocas de la superficie de la Luna tienen aproximadamente 4.5 mil millones de años; son tan viejas como la misma Luna. Estas rocas tan viejas se encuentran en las tierras altas lunares. Las rocas en las maria son más jóvenes porque se formaron a partir de lava que se solidificó después, hace de 3.8 a 3.1 mil millones de años. Estos dos principales tipos de roca y sus pedazos rotos cubren la mayoría de la superficie de la Luna. Los astronautas exploraron la Luna y trajeron muestras de la mayor variedad de materiales que pudieron.

Los impactos de objetos espaciales dejan cráteres y también rompen el material de la superficie en pedazos pequeños. Este rompimiento de material se llama meteorización, aunque no sea causado por el viento y el agua. El material meteorizado de la Luna forma un suelo seco y sin vida. El suelo lunar tiene más de 15 metros (50 pies) de profundidad en algunos lugares. Los impactos también pueden lanzar suelo lunar a diferentes lugares, pueden compactarlo para formar rocas nuevas o derretirlo y convertirlo en un tipo de roca cristalina.

Las rocas oscuras que se formaron a partir de la lava se llaman basalto. El basalto lunar es parecido a las rocas que se encuentran en las profundidades del océano de la Tierra. El basalto de las maria cubre grandes áreas pero a menudo tiene sólo unos cuantos cientos de metros de profundidad. Sin embargo, el basalto puede tener varios kilómetros de profundidad en el centro de una mare, una profundidad similar a la de los océanos de la Tierra.

Los astronautas recogieron y se trajeron a la Tierra casi 400 kg (pesando más de 800 lb) de rocas y suelo lunar.

roca de tierras altas

basalto

La Luna tiene capas.

Los científicos en la Tierra han analizado el suelo y las rocas lunares para determinar sus edades y sus materiales. Estos resultados les contaron a los científicos una historia acerca de cómo cambió la Luna con el tiempo. Durante una etapa temprana de la historia de la Luna, los impactos ocurrían a menudo y dejaron cráteres de muchos tamaños diferentes. Esa etapa terminó hace aproximadamente 3.8 mil millones de años y desde entonces los impactos han ocurrido con mucha menor frecuencia. Las rocas y el suelo de las tierras altas provienen de la superficie e impactos originales. Poco tiempo después de que disminuyeron los impactos, la lava inundó las áreas bajas y formó las maria. Luego la inundación se detuvo. Durante los últimos 3 mil millones de años, la Luna ha adquirido nuevos cráteres de impacto de vez en cuando pero ha permanecido casi sin cambios.

Estructura

Los científicos han usado información de las rocas lunares y otras mediciones para determinar qué hay dentro de la Luna. Debajo de su delgada capa de roca triturada, la Luna tiene tres capas: una corteza, un manto y un núcleo. Así como en la Tierra, la corteza es la capa más exterior. Su grosor es de alrededor de 70 kilómetros (aproximadamente 40 mi) en promedio y contiene el tipo de roca menos densa.

El interior de la Luna se parece en varios aspectos al interior de la Tierra.

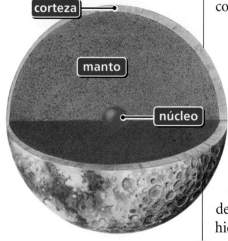

corteza
manto
núcleo

Debajo de la corteza se encuentra un grueso manto que constituye la mayor parte del volumen de la Luna. El manto está compuesto de tipos de rocas densas que incluyen los elementos hierro y magnesio. El basalto de la superficie lunar contiene estos mismos elementos, por lo que los científicos infieren que el material del basalto provino del manto.

En el centro de la Luna hay un pequeño núcleo, de aproximadamente 700 kilómetros (400 mi) de diámetro. Aunque es denso, constituye sólo una pequeña proporción de la masa de la Luna. Los científicos tienen menos información sobre el núcleo que sobre el manto porque el material del núcleo no llegó a la superficie de la Luna. El núcleo parece consistir de hierro y otros metales.

LEER ¿Comprendiste? ¿Cuáles son tus propias preguntas sobre la Luna?

Formación

Los científicos desarrollan modelos para ayudar a entender sus observaciones, como las semejanzas y las diferencias observadas entre la Tierra y la Luna. Los dos objetos tienen estructuras similares y están compuestos de materiales similares. Sin embargo, los materiales se encuentran en diferentes proporciones. La Luna tiene más materiales como los de la corteza y el manto de la Tierra y menos materiales como los del núcleo de la Tierra.

Los científicos han usado estos hechos para desarrollar modelos de cómo se formó la Luna. Un modelo ampliamente aceptado del origen de la Luna involucra una gigantesca colisión. En este modelo, una versión temprana de la Tierra fue golpeada por un cuerpo espacial más pequeño. Gran parte del

Formación de la Luna

Colisión	Re-formación	La Tierra y la Luna
Una versión temprana de la Tierra es golpeada por un cuerpo espacial un poco más pequeño.	Los pedazos se atraen y se orbitan. La mayor parte del material forma una nueva versión de la Tierra.	La Luna se forma de material que orbita la nueva versión de la Tierra.

material de ambos cuerpos, especialmente los núcleos, se combinaron para formar una nueva versión de la Tierra. La energía de la colisión también arrojó material lejos de la Tierra. Pequeños pedazos de material de las cortezas y mantos de ambos cuerpos comenzaron a orbitar la nueva Tierra. Gran parte de este material en órbita se unió y formó la Luna. Las simulaciones computarizadas de estos eventos muestran que es posible que la Luna se haya formado rápidamente, tal vez en sólo un año.

La evidencia de fósiles y rocas en la Tierra muestra que, ya sea que la Luna se haya formado a partir de una gigantesca colisión o de otra manera, alguna vez estuvo mucho más cerca de la Tierra de lo que está hoy. La Luna se ha estado alejando lentamente de la Tierra. Ahora se aleja de la Tierra 3.8 cm (1.5 pulg) cada año. Sin embargo, este cambio es tan lento que no notarás la diferencia en toda tu vida.

2.2 REPASO

CONCEPTOS CLAVE

1. ¿Cuántas veces rota la Luna sobre su eje durante un viaje alrededor de la Tierra?

2. ¿Cómo se llaman las manchas oscuras y las áreas claras de la Luna?

3. Describe las capas de la Luna.

RAZONAMIENTO CRÍTICO

4. **Comparar y contrastar** ¿En qué se diferencian las áreas oscuras de la Luna de las áreas de color claro?

5. **Sacar conclusiones** ¿Cómo han ayudado a los científicos las rocas lunares que los astronautas trajeron a la Tierra a entender la historia de la Luna?

⚙ RETO

6. **Analizar** Los científicos usan métodos indirectos para aprender acerca de los núcleos de la Tierra y de la Luna. Imagina que tienes varias bolas de poliestireno, algunas con bolas de acero escondidas en su interior. ¿Cómo podrías saber si una bola de poliestireno contiene una bola de acero sin abrirla?

Las MATEMÁTICAS en las ciencias

Hacer una gráfica de la luz solar

MATH TUTORIAL
CLASSZONE.COM

Haz clic en **Math Tutorial** para obtener más ayuda para hacer gráficas lineales.

Las posiciones de la Luna y del Sol en el cielo dependen de tu posición en la Tierra y de cuándo observas. En el verano, al mediodía el Sol está a un mayor ángulo sobre el horizonte, más cerca de los 90°, que en el invierno. En el verano, el Sol sale más temprano y se pone más tarde que en el invierno. Los días más largos y los ángulos más inclinados de la luz solar se combinan para hacer los días de verano más cálidos que los días de invierno. Haz una gráfica de los datos de Washington, D.C. (latitud 39° N) para observar los patrones cambiantes de la luz solar.

Washington, D.C.

Mes	Luz solar cada día (h)	Ángulo del Sol mediodia (°)
ene.	9.9	31.4
feb.	11.0	40.8
mar.	12.2	51.6
abr.	13.5	63.2
mayo	14.5	71.4
jun.	14.9	74.6
jul.	14.5	71.4
ago.	13.5	63.0
sep.	12.2	51.6
oct.	11.0	40.2
nov.	9.9	31.1
dic.	9.5	27.7

Ésta es una serie de imágenes del Sol tomadas exactamente a la misma hora una vez cada varios días durante casi todo un año. La parte inferior de la fotografía es de sólo uno de los días e incluye un calendario circular de piedra.

Ejemplo

Puedes hacer una gráfica lineal doble para observar los patrones en los datos. Usa un lápiz de color para rotular el segundo eje de las *y*.

Patrones estacionales en Washington, D.C.

(1) Haz una copia de los tres ejes de la gráfica en papel cuadriculado.

(2) Usa el eje de las *y* de la izquierda para marcar los datos de las horas de luz del día. Dibuja segmentos de línea para conectar los puntos.

(3) Usa el eje de las *y* de la derecha y un lápiz de color para marcar los datos del ángulo del Sol. Conecta los puntos.

Contesta las siguientes preguntas.

1. ¿Durante qué período de tiempo se vuelven los días más cortos?

2. ¿Aproximadamente cuántos grados más alto en el cielo está el Sol al mediodía en junio que en diciembre? ¿Cuántas horas más de luz solar tienen los días de junio que los de diciembre?

3. ¿Cambia más rápido el ángulo del Sol entre junio y julio o entre septiembre y octubre? ¿Cómo puedes saberlo a partir de la gráfica?

RETO Haz una copia de los ejes otra vez, luego haz una gráfica de los datos que tu maestro te dé para un lugar cerca del Polo Norte. Usa tus gráficas para comparar las dos latitudes.

CONCEPTO CLAVE

2.3 Las posiciones del Sol y de la Luna afectan a la Tierra.

◄ **ANTES, aprendiste**

- La Luna orbita la Tierra
- La luz solar brilla sobre la Tierra y sobre la Luna

▶ **AHORA, aprenderás**

- Por qué tiene fases la Luna
- Qué causa los eclipses
- Por qué tienen mareas los océanos de la Tierra

VOCABULARIO

eclipse pág. 63
umbra pág. 63
penumbra pág. 63

PIENSA EN

¿Has visto la Luna durante el día?

Mucha gente piensa que la Luna sólo se ve de noche. Esta idea no es sorprendente porque la Luna es el objeto más brillante en el cielo nocturno.

Durante el día, el brillo de la Luna es sólo como el de una pequeña y delgada nube. Es fácil no darse cuenta de ella, aun en un cielo azul despejado. A veces puedes ver la Luna durante el día, a veces en la noche, a menudo en el día y en la noche y a veces no se ve. ¿Por qué desaparece a veces la Luna de nuestra vista?

APUNTES COMBINADOS
Usa el encabezamiento azul para empezar una nueva serie de apuntes.

Las fases son diferentes vistas de la mitad iluminada de la Luna.

Lo que ves como la luz de Luna en realidad es la luz del Sol reflejada por la superficie de la Luna. En cualquier momento dado, la luz solar brilla sobre la mitad de la superficie de la Luna. Las áreas a las cuales no llega la luz solar se ven oscuras, así como se ve oscura desde el espacio la parte de la Tierra en donde es de noche. Conforme la Luna gira sobre su eje, las áreas de su superficie entran y salen de la luz solar.

Cuando miras la Luna, ves una figura brillante que es la parte iluminada de la cara cercana de la Luna. La parte no iluminada es difícil de ver. Las fases lunares son patrones de porciones iluminadas y no iluminadas de la Luna que ves desde la Tierra. La Luna tarda como un mes en orbitar la Tierra y pasar por todas las fases.

LEER ¿Comprendiste? ¿Por qué a veces ves solamente parte del lado cercano de la Luna?

VISUALIZATION
CLASSZONE.COM

Explora las fases lunares.

La posición de la Luna en su órbita mensual determina cómo se ve desde la Tierra. El diagrama de la página 61 muestra cómo afectan las posiciones de la Luna, del Sol y de la Tierra a las figuras que ves en el cielo.

Luna creciente

LEER Un consejo

Usa las líneas punteadas rojas en cada posición del diagrama en la página 61 para determinar qué parte de la Luna se ve desde la Tierra.

Primera semana El ciclo comienza con una luna nueva. Desde la Tierra, la Luna y el Sol están en la misma dirección. Si miras hacia una luna nueva, estás mirando hacia el Sol. Tu cara y el lado lejano de la Luna están bajo la luz solar. El lado cercano de la Luna está oscuro, por lo que no lo ves. Durante una luna nueva, parece que no hay Luna.

Conforme la Luna se mueve a lo largo de su órbita, la luz solar empieza a incidir sobre el lado cercano. Se ve una figura delgada de media luna. Durante la primera semana, la Luna sigue moviéndose más a lo largo de su órbita, por lo que se ilumina una mayor parte del lado cercano. Ves medias lunas más gruesas conforme la Luna crece.

Segunda semana Cuando la luz solar ilumina la mitad del lado cercano de la Luna, la Luna ha completado un cuarto de su ciclo. La fase se llama cuarto creciente; podrías describir su forma como un medio círculo. Puedes ver en el diagrama que la Luna está a 90 grados, en ángulo recto, del Sol. Si miras hacia la luna de cuarto creciente cuando está en lo alto del cielo, la luz solar brillará sobre el lado derecho de tu cabeza y sobre el lado derecho de la Luna.

LEER Un consejo

Cuarto y *gibosa* describe la porción de la luna que está iluminada, mientras *creciente* y *menguante* describe la manera en que está cambiando la forma de la Luna, si está creciendo o disminuyendo.

Ves una mayor parte de la Luna conforme se mueve por su órbita durante la segunda semana. La fase se llama gibosa cuando más de la mitad del lado cercano está iluminado, pero no está iluminado en su totalidad. La Luna todavía está creciendo, por lo que las fases en la segunda semana se llaman lunas gibosas crecientes.

LEER ¿Comprendiste? ¿Por qué parece que la Luna tiene a veces una forma de media luna?

Luna menguante

Tercera semana A la mitad de su ciclo, todo el lado cercano de la Luna está bajo la luz solar; se ve una luna llena. Puedes pensar en él como el segundo cuarto. Vistos desde la Tierra, la Luna y el Sol están en direcciones opuestas. Si miras hacia una luna llena al atardecer, la luz solar detrás de ti ilumina la parte de atrás de tu cabeza y el lado cercano de la Luna.

Conforme la Luna continua viajando por su órbita durante la tercera semana, una parte cada vez menor del lado cercano está bajo la luz solar. La Luna parece encogerse, o menguar, por lo que estas fases se llaman lunas gibosas menguantes.

Cuarta semana Cuando el lado cercano se encuentra otra vez con sólo la mitad bajo la luz solar, la Luna ha cumplido tres cuartas partes de su ciclo. La fase se llama cuarto menguante. La Luna está otra vez a 90 grados del Sol. Si miras hacia la luna de cuarto menguante cuando está en lo alto del cielo, la luz solar brillará sobre el lado izquierdo de tu cabeza y sobre el lado izquierdo de la Luna.

Fases lunares

La apariencia de la Luna depende de las posiciones del Sol, de la Luna y de la Tierra.

Si pudieras observar la Luna desde un punto arriba de su polo, siempre verías la mitad de la Luna bajo la luz solar y la mitad en oscuridad.

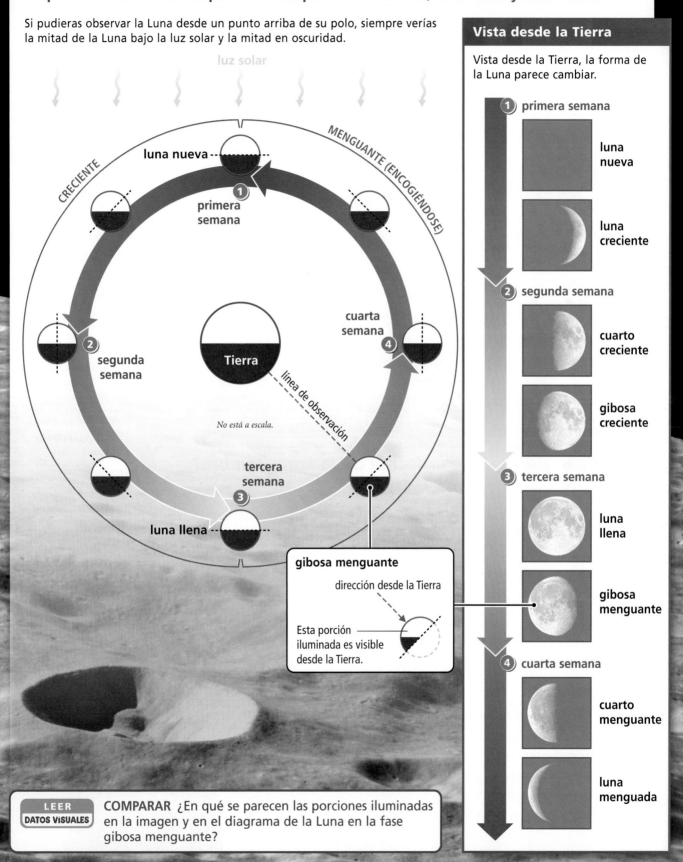

luz solar

CRECIENTE

MENGUANTE (ENCOGIÉNDOSE)

luna nueva

primera semana

①

segunda semana

②

Tierra

No está a escala.

línea de observación

cuarta semana

④

tercera semana

③

luna llena

gibosa menguante

dirección desde la Tierra

Esta porción iluminada es visible desde la Tierra.

Vista desde la Tierra

Vista desde la Tierra, la forma de la Luna parece cambiar.

① primera semana
- luna nueva
- luna creciente

② segunda semana
- cuarto creciente
- gibosa creciente

③ tercera semana
- luna llena
- gibosa menguante

④ cuarta semana
- cuarto menguante
- luna menguada

LEER DATOS VISUALES

COMPARAR ¿En qué se parecen las porciones iluminadas en la imagen y en el diagrama de la Luna en la fase gibosa menguante?

Conforme la Luna continúa moviéndose alrededor de la Tierra durante la cuarta semana, una parte cada vez menor del lado cercano se encuentra bajo la luz solar. La luna menguada se vuelve cada vez más y más delgada. Al final de la cuarta semana, el lado cercano está otra vez oscuro y la luna nueva comienza un nuevo ciclo.

Las fases lunares: creciente, menguante y gibosa

Piensa otra vez en las fases lunares crecientes. La Luna crece de luna nueva a luna creciente a gibosa creciente durante la primera mitad de su ciclo. Luego mengua de luna llena a gibosa menguante a luna menguada durante la segunda mitad de su ciclo.

La porción de la Luna que ves desde la Tierra depende del ángulo entre la Luna y el Sol. Cuando este ángulo es pequeño, ves sólo una pequeña porción de la Luna. Las fases de luna creciente y luna menguada ocurren cuando la Luna se presenta en el cielo cerca del Sol. Como resultado, se ven más a menudo durante el día o cerca del amanecer o del atardecer. Cuando el ángulo entre el Sol y la Luna es grande, ves una gran porción de la Luna. Las lunas gibosa y llena se presentan en el cielo lejos del Sol. Puede que las veas durante el día, pero es más probable que las veas en la noche.

 LEER ¿Comprendiste? ¿Qué forma parece que tiene la Luna cuando está a un ángulo pequeño con respecto al Sol?

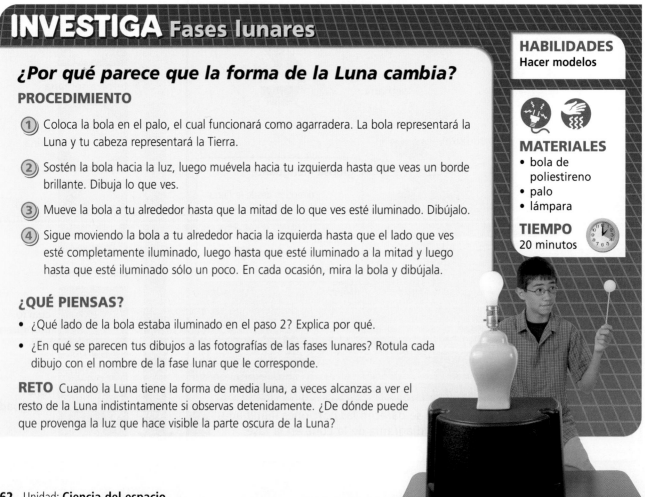

INVESTIGA Fases lunares

HABILIDADES
Hacer modelos

¿Por qué parece que la forma de la Luna cambia?

PROCEDIMIENTO

1. Coloca la bola en el palo, el cual funcionará como agarradera. La bola representará la Luna y tu cabeza representará la Tierra.

2. Sostén la bola hacia la luz, luego muévela hacia tu izquierda hasta que veas un borde brillante. Dibuja lo que ves.

3. Mueve la bola a tu alrededor hasta que la mitad de lo que ves esté iluminado. Dibújalo.

4. Sigue moviendo la bola a tu alrededor hacia la izquierda hasta que el lado que ves esté completamente iluminado, luego hasta que esté iluminado a la mitad y luego hasta que esté iluminado sólo un poco. En cada ocasión, mira la bola y dibújala.

MATERIALES
- bola de poliestireno
- palo
- lámpara

TIEMPO
20 minutos

¿QUÉ PIENSAS?

- ¿Qué lado de la bola estaba iluminado en el paso 2? Explica por qué.

- ¿En qué se parecen tus dibujos a las fotografías de las fases lunares? Rotula cada dibujo con el nombre de la fase lunar que le corresponde.

RETO Cuando la Luna tiene la forma de media luna, a veces alcanzas a ver el resto de la Luna indistintamente si observas detenidamente. ¿De dónde puede que provenga la luz que hace visible la parte oscura de la Luna?

Las sombras en el espacio causan eclipses.

Luz solar pasa la Tierra y la Luna, iluminando un lado de cada cuerpo. Más allá de cada cuerpo hay un largo y delgado cono de oscuridad al cual no llega la luz solar; es una sombra en el espacio. Los dos cuerpos están lejos uno del otro, por lo que generalmente uno no pasa por la sombra del otro conforme la Luna orbita la Tierra. Sin embargo, si la Luna, el Sol y la Tierra se alinean de manera exacta, una sombra cruza la Tierra o la Luna. Un **eclipse** ocurre cuando una sombra oscurece el Sol o la Luna. En un eclipse lunar, la Luna se oscurece. En un eclipse solar, el Sol parece oscurecerse.

VOCABULARIO
Recuerda anotar los términos del vocabulario.

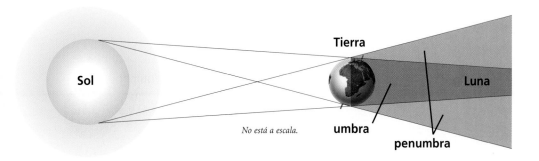

Sol

Tierra

Luna

No está a escala.

umbra

penumbra

Eclipses lunares

La Luna se oscurece durante un eclipse lunar porque se mueve a través de la sombra de la Tierra. La sombra de la Tierra tiene dos partes, como puedes ver en el diagrama de arriba. La **umbra** es la parte más oscura. A su alrededor se extiende un cono de sombra más clara llamado **penumbra.**

Justo antes de un eclipse lunar, la luz solar que pasa la Tierra produce una luna llena. Luego la Luna entra a la penumbra de la Tierra y se vuelve un poco menos brillante. Conforme la Luna entra a la umbra, la sombra oscura de la Tierra parece deslizarse sobre la Luna y cubrirla. La Luna entera puede estar en oscuridad porque la Luna es lo suficientemente pequeña para caber completamente en la umbra de la Tierra. Después de una hora o más, la Luna regresa lentamente a la luz solar que pasa al lado de la Tierra.

Un eclipse lunar total ocurre cuando la Luna entra por completo a la umbra de la Tierra. Si parte de la Luna, o la Luna entera, no entra a la umbra, parte de la Luna permanece en la luz y el eclipse se llama eclipse lunar parcial.

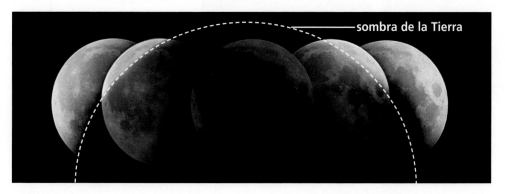

sombra de la Tierra

Un lado de la Luna empieza a oscurecerse al entrar a la umbra de la Tierra. Aun cuando la Luna se encuentra completamente dentro de la umbra de la Tierra, un poco de luz solar roja, doblada por la atmósfera de la Tierra, puede llegar a la Luna.

Eclipses solares

En un eclipse solar, el Sol parece oscurecerse porque la sombra de la Luna cae sobre parte de la Tierra. Imagina que estás en la trayectoria de un eclipse solar. Al principio, ves un día normal. No puedes ver la Luna oscura moviéndose hacia el Sol. Entonces, parte del Sol parece desaparecer conforme la Luna se coloca enfrente de él. Estás en la penumbra de la Luna. Después de varias horas de cada vez mayor oscuridad, la Luna cubre el disco solar por completo. El cielo se vuelve tan oscuro como en la noche, y puede que veas constelaciones. En lugar del Sol hay un disco oscuro, la luna nueva, rodeado de un pálido resplandor. Estás en la umbra de la Luna, en la parte más oscura de la sombra, experimentando un eclipse total de Sol. Después de quizás un minuto, la superficie brillante del Sol empieza a aparecer otra vez.

No está a escala.

Un eclipse solar ocurre cuando la Luna pasa directamente entre la Tierra y el Sol. Como puedes ver en el diagrama de arriba, el lado de la Luna que da a la Tierra está oscuro, por lo que los eclipses solares solamente ocurren durante las lunas nuevas.

Si pudieras observar un eclipse solar desde el espacio, se parecería más a un eclipse lunar. Verías la penumbra de la Luna, con la umbra oscura en el centro, moverse sobre el lado de la Tierra en que es de día. Sin embargo, la Luna es más pequeña que la Tierra, por lo que proyecta una sombra más pequeña. Como puedes ver en el diagrama de arriba, la umbra de la Luna cubre sólo una fracción de la superficie de la Tierra en un momento dado.

Eclipse del 21 de junio del 2001

eclipse total

En esta fotografía a intervalos de tiempo, el disco solar se ve más oscuro al pasar la Luna frente a él. Cuando la Luna se encuentra exactamente enfrente del Sol, el cielo se vuelve tan oscuro como en la noche.

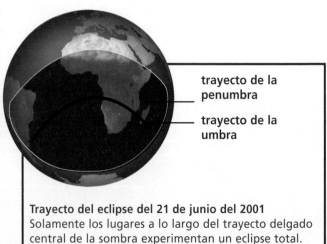

trayecto de la penumbra

trayecto de la umbra

Trayecto del eclipse del 21 de junio del 2001
Solamente los lugares a lo largo del trayecto delgado central de la sombra experimentan un eclipse total. Otros lugares experimentan un eclipse parcial.

Solamente los lugares en el trayecto de la sombra de la Luna experimentan un eclipse solar. Algunas personas viajan miles de millas para estar en el delgado trayecto de la umbra de la Luna para poder experimentar un eclipse solar total. Los lugares cercanos al trayecto de la umbra tienen un eclipse que es menor al total. Si sólo la penumbra se mueve sobre tu localidad, experimentas un eclipse solar parcial. La Luna cubre sólo parte del Sol.

La luz brillante del disco solar puede dañar tus ojos si lo miras directamente. No es seguro ver hacia el Sol inclusive cuando la Luna cubre casi todo el disco solar. Si tienes la oportunidad de experimentar un eclipse solar, usa un método seguro para ver el Sol.

LEER ¿Comprendiste? ¿Dónde está la Luna durante un eclipse solar? Encuentra una manera de recordar las diferencias entre los dos tipos de eclipses.

La gravedad de la Luna causa las mareas en la Tierra.

Si has pasado tiempo cerca de un océano, tal vez has experimentado el patrón normal de mareas. Al principio, puede que veas arena seca en declive hacia el océano. Luego, las olas suben cada vez más sobre la arena. El nivel promedio del agua sube lentamente por aproximadamente 6 horas. El nivel más alto se llama marea alta. Después, el nivel del agua baja por aproximadamente 6 horas. El nivel más bajo se llama marea baja. El nivel del agua entonces vuelve a subir y a bajar. El patrón completo, dos mareas altas y dos mareas bajas, dura un poco más de 24 horas.

En áreas con mareas, el agua generalmente alcanza su nivel más bajo dos veces al día y su nivel más alto dos veces al día.

LEER ¿Comprendiste? ¿Cuántas mareas altas esperas que haya cada día?

Las mareas ocurren porque la gravedad de la Luna cambia la forma de los océanos de la Tierra. La Luna atrae diferentes partes de la Tierra con diferentes cantidades de fuerza. Atrae más fuertemente del lado de la Tierra cercano a ella, un poco menos fuertemente en el centro de la Tierra y con aun menos fuerza en el lado más lejano de la Tierra. Si la Tierra fuera flexible, adquiriría la forma de una pelota de fútbol americano. La corteza terrestre es lo suficientemente dura para evitar ser deformada por la atracción, pero los océanos de la Tierra sí cambian de forma.

Causa de las mareas

La gravedad de la Luna cambia la forma de los océanos de la Tierra.

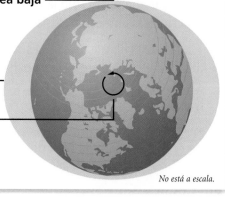

marea baja

marea alta

rotación de la Tierra

Luna

No está a escala.

RESOURCE CENTER
CLASSZONE.COM
Aprende más sobre las mareas.

El diagrama de arriba muestra lo que sucedería si la Tierra estuviera cubierta de una gruesa capa de agua. La atracción de la Luna produce una protuberancia de agua del océano hacia el lado de la Tierra más cercano a la Luna. Se produce otra protuberancia de agua en el lado de la Tierra más lejano a la Luna porque la Luna jala el centro de la Tierra hacia sí, separando el centro del lado lejano. La capa de agua es más delgada en el centro, entre las protuberancias.

Un lugar pasa por diferentes grosores de agua conforme la Tierra gira sobre su eje. Como resultado, el nivel de agua sube y baja. El nivel más alto se produce donde el agua está más gruesa; ésta es la marea alta. Una cuarta parte de la rotación más tarde, es decir 6 horas, el lugar se ha movido a la capa de agua más delgada, o la marea baja. Otra marea alta y otra marea baja completan el ciclo. Debido a que la Luna orbita al mismo tiempo que la Tierra gira, el ciclo dura un poco más que las 24 horas de un día.

LEER
¿Comprendiste?   ¿Por qué dura alrededor de 24 horas un ciclo de mareas?

2.3 REPASO

CONCEPTOS CLAVE

1. ¿En qué parte de su órbita alrededor de la Tierra se encuentra la Luna cuando está llena?

2. ¿En qué parte de su órbita está la Luna cuando ocurre un eclipse solar?

3. Si hay marea alta donde te encuentras, ¿hay marea alta o baja en el lado opuesto de la Tierra?

RAZONAMIENTO CRÍTICO

4. **Aplicar** Si estuvieras en el lado cercano de la Luna durante una luna nueva y mirando hacia la Tierra, ¿qué porción del lado de la Tierra estaría iluminado?

5. **Predecir** ¿Cómo se vería afectado el patrón de mareas si la Tierra no girara?

◭ RETO

6. **Predecir** ¿Veríamos fases lunares si la Luna no rotara al orbitar la Tierra?

Las CIENCIAS en el trabajo

ARQUEÓLOGO

La astronomía en la arqueología

Para poder entender cómo vivía y pensaba la gente hace mucho tiempo, los arqueólogos estudian las construcciones y otros vestigios físicos de las culturas antiguas. Los arqueólogos a menudo piensan en las necesidades que la gente tenía para averiguar cómo usaban las cosas que construyeron. Por ejemplo, la gente necesitaba conocer la época del año para decidir cuándo sembrar sus cultivos, cambiarse de lugar para el invierno o planificar ciertas ceremonias.

Los arqueólogos pueden usar sus conocimientos acerca de los objetos en el cielo para hacer hipótesis sobre el propósito de una estructura antigua. También pueden usar sus conocimientos y modelos astronómicos para probar sus hipótesis. Por ejemplo, los arqueólogos descubrieron unas estructuras en Chimney Rock que se construyeron en tiempos de eventos especiales en el cielo.

Computadora de Antikythera

Se encontró un artefacto con engranajes y cuadrantes en un antiguo barco hundido griego. Al examinar el artefacto, un científico notó términos, patrones y números de astronomía. Estas observaciones lo llevaron a formular la hipótesis de que los antiguos griegos usaban el instrumento para calcular las posiciones del Sol, de la Luna y de otros cuerpos espaciales. Imágenes del interior del instrumento hechas con rayos gamma después corroboraron esta hipótesis.

Chimney Rock

Chimney Rock, en Colorado, tiene en su cima dos pilares naturales de roca. La Luna parece salir entre los pilares bajo circunstancias especiales que suceden aproximadamente cada 18 años. Cerca de los pilares hay ruinas de edificios del pueblo Anasazi. Para construir los edificios y vivir ahí, los constructores tuvieron que acarrear los materiales y el agua distancias mucho mayores que lo acostumbrado. Algunos arqueólogos suponen que los Anasazi construyeron en este lugar para observar o celebrar eventos especiales en el cielo.

Stonehenge

Stonehenge es un arreglo de piedras en la Gran Bretaña. Las primeras piedras fueron colocadas ahí alrededor del año 3100 a.C. La manera en la que el Sol y la Luna se alinean con las piedras ha llevado a algunos arqueólogos a pensar que fueron diseñadas para ayudar a la gente a predecir los solsticios y los eclipses. Los solsticios indican a la gente la época del año, por lo que Stonehenge a veces ha sido llamado un calendario.

trayecto de la salida del Sol en el solsticio

Stonehenge visto desde arriba

EXPLORA

1. **COMPARAR** ¿Cómo se relaciona cada ejemplo arqueológico a la astronomía?

2. **RETO** Haz una lista de cinco anuncios publicitarios impresos o de televisión que destaquen el Sol u otros objetos del cielo. Trae copias de los anuncios si puedes. ¿Por qué habrán escogido los publicistas estos objetos?

Se encontraron ruinas de construcciones en un monte alto y estrecho de Chimney Rock.

la GRAN idea

La Tierra y la Luna se mueven de maneras predecibles al orbitar el Sol.

CONTENT REVIEW
CLASSZONE.COM

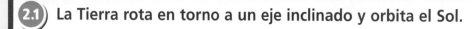
RESUMEN DE LOS CONCEPTOS CLAVE

2.1 La Tierra rota en torno a un eje inclinado y orbita el Sol.

La rotación de la Tierra en la luz solar causa el día y la noche.

Los cambios en el ángulo de la luz solar sobre la Tierra causan las estaciones.

VOCABULARIO
eje de rotación pág. 44
revolución pág. 45
estación pág. 46
equinoccio pág. 46
solsticio pág. 46

2.2 La Luna es el satélite natural de la Tierra.

Maria de color oscuro formadas por cráteres llenos de lava.

Las tierras altas de color claro son viejas y tienen cráteres.

El lado cercano de la Luna siempre se muestra hacia la Tierra.

corteza
manto
núcleo

VOCABULARIO
mare pág. 53

2.3 Las posiciones del Sol y de la Luna afectan a la Tierra.

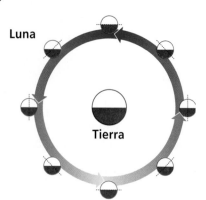

Luna
Tierra

Las fases lunares son diferentes vistas de la mitad iluminada de la Luna.

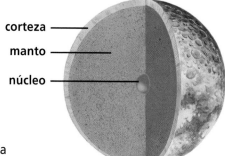

penumbra
umbra

Las sombras causan los eclipses.

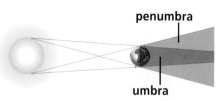

La gravedad de la Luna causa las mareas conforme la Tierra gira.

VOCABULARIO
eclipse pág. 63
umbra pág. 63
penumbra pág. 63

Usa palabras y diagramas para mostrar la relación entre los términos en cada uno de los siguientes pares. Subraya los dos términos en cada respuesta.

1. revolución, rotación

2. revolución, estación

3. solsticio, equinoccio

4. mare, cráter de impacto

5. eclipse, umbra

6. umbra, penumbra

Repasar los conceptos clave

Elección múltiple *Escoge la letra de la mejor respuesta.*

7. ¿Cuánto tiempo tarda la Tierra en girar una vez sobre su eje de rotación?
   a. una hora   c. un mes
   b. un día   d. un año

8. ¿Cuánto tiempo tarda la Tierra en orbitar el Sol?
   a. una hora   c. un mes
   b. un día   d. un año

9. ¿Cuánto tiempo tarda la Luna en girar una vez alrededor de la Tierra?
   a. una hora   c. un mes
   b. un día   d. un año

10. ¿Por qué hace más calor en el verano que en el invierno?
    a. La Tierra se acerca y se aleja del Sol.
    b. La luz solar incide sobre el suelo en ángulos más altos.
    c. La Tierra gira más rápido en algunas estaciones.
    d. La Tierra gira alrededor del Sol más veces en algunas estaciones.

11. Las maria oscuras en la Luna se formaron a partir de
    a. mares secos
    b. roca finamente quebrada
    c. sombras grandes
    d. cráteres llenos de lava

12. Las tierras altas lunares tienen más cráteres de impacto que las maria, así que los científicos saben que las tierras altas
    a. son más viejas que las maria
    b. son más recientes que las maria
    c. son más planas que las maria
    d. son más oscuras que las maria

13. ¿Por qué se ve solamente un lado de la Luna desde la Tierra?
    a. La Luna no gira sobre su eje al orbitar la Tierra.
    b. La Luna gira una vez en la misma cantidad de tiempo en la que orbita.
    c. La mitad de la Luna nunca es iluminada por el Sol.
    d. La mitad de la Luna no refleja la luz.

14. ¿Por qué parece que la Luna cambia de forma de una semana a otra?
    a. Las nubes tapan parte de la Luna.
    b. La Luna se mueve por la sombra de la Tierra.
    c. La Luna es iluminada de diferentes maneras.
    d. Se muestran diferentes cantidades del lado oscuro de la Luna a la Tierra.

15. ¿Qué palabras describen las diferentes formas que la Luna parece tener?
    a. menguante y creciente
    b. menguante y cuarto
    c. menguante y gibosa
    d. cuarto y gibosa

16. Durante un eclipse lunar total, la Luna está
    a. en la umbra de la Tierra
    b. en la penumbra de la Tierra
    c. entre la Tierra y el Sol
    d. proyectando una sombra sobre la Tierra

Respuesta breve *Escribe una respuesta breve para cada pregunta.*

17. ¿Qué movimiento produce dos mareas altas en un día? Explica tu respuesta.

18. ¿En qué se parecen la estructura de la Luna y la estructura de la Tierra?

Razonamiento crítico

Usa el mapa lunar de abajo para contestar las siguientes cuatro preguntas.

Lado cercano

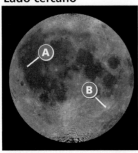

Lado lejano

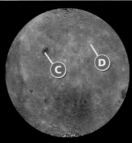

19. APLICAR ¿Qué puntos están a mayores elevaciones? Explica cómo lo sabes.

20. COMPARAR Durante una luna de cuarto creciente, ¿estarán iluminados el punto A, el punto B, ambos o ninguno? **Pista:** Usa el diagrama de la página 61.

21. INFERIR ¿Qué puntos estarán en la oscuridad durante un eclipse lunar total?

22. INFERIR Durante un eclipse solar total, la Luna es nueva. ¿Qué puntos estarán en la oscuridad?

23. CONECTAR Usa tus conocimientos sobre los movimientos de la Tierra y de la Luna para determinar cuánto tiempo tarda la Luna en viajar una vez alrededor del Sol.

24. ANALIZAR ¿Cuáles son las dos partes de la Luna que tienen elementos químicos importantes en común? Selecciona de los siguientes: núcleo, manto, corteza, maria, tierras altas.

25. APLICAR ¿Qué hora es para alguien en el lado opuesto de la Tierra si es mediodía para ti?

26. CLASIFICAR ¿En qué parte o partes de la Tierra son las temperaturas de invierno y de verano lo más diferentes entre sí?

27. APLICAR Si es el solsticio de invierno en Nueva York, ¿qué solsticio o equinoccio es en Sydney, Australia, en el Hemisferio Sur?

28. PREDECIR ¿Serían diferentes las estaciones si la Tierra permaneciera exactamente a la misma distancia del Sol durante todo el año? Explica lo que piensas que sucedería.

29. PREDECIR ¿Serían diferentes las estaciones si el eje de la Tierra no estuviera inclinado con respecto a su órbita? Explica lo que piensas que sucedería.

30. DAR EJEMPLOS ¿Cómo afectan las posiciones del Sol y de la Luna a lo que la gente hace? Da tres ejemplos de las maneras en las que los trabajos u otras actividades de la gente se ven afectadas por las posiciones del Sol, de la Luna o de ambos.

31. PREDECIR ¿Cuál es la forma de la Luna que es más probable que veas durante el día? **Pista:** Compara las direcciones del Sol y de la Luna desde la Tierra en el diagrama de la página 61.

32. CLASIFICAR ¿Qué tipos de información han usado los científicos para hacer inferencias acerca de la historia de la Luna?

— Polo Sur

33. ANALIZAR La fotografía de arriba muestra el lado de la Tierra con luz solar en un momento determinado. Se indica la posición del Polo Sur. ¿Se tomó la fotografía en marzo, en junio, en septiembre o en diciembre?

la GRAN idea

34. APLICAR Mira de nuevo la fotografía en las páginas 40 y 41. ¿Cómo cambiarías tu respuesta a la pregunta en la fotografía ahora que has terminado el capítulo?

35. SINTETIZAR ¿Cómo se vería el suelo a tu alrededor si fueras un astronauta en el medio del lado cercano de la Luna durante una luna nueva? ¿Cómo se vería la Tierra, en lo alto del cielo? Describe qué está bajo la luz solar y qué está en oscuridad.

Proyecto para la unidad

Si necesitas hacer un experimento para tu proyecto para la unidad, reúne los materiales. Asegúrate de contar con suficiente tiempo para observar los resultados antes de la fecha de entrega.

Práctica para
el examen estandarizado

Las prácticas para el
examen estatal están en

TEST PRACTICE
CLASSZONE.COM

Analizar un diagrama

Los dibujos muestran las fases de la Luna a intervalos de una semana. El diagrama muestra la órbita de la Luna alrededor de la Tierra. Usa el diagrama y los dibujos para contestar las preguntas de abajo.

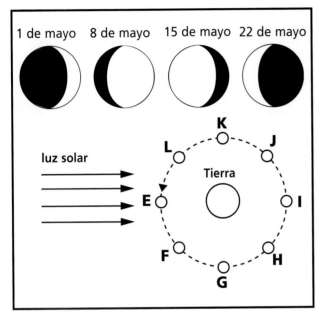

1. ¿En qué letra del diagrama ocurrirá una luna llena?

   a. E   **c.** I

   b. G   **d.** J

2. ¿Qué letra del diagrama muestra la posición de la Luna en el 8 de mayo?

   a. E   **c.** G

   b. F   **d.** H

3. ¿Aproximadamente cuándo hubo luna llena?

   a. 4 de mayo   **c.** 18 de mayo

   b. 11 de mayo   **d.** 29 de mayo

4. ¿En qué letra del diagrama pudiera ocurrir un eclipse solar?

   a. E   **c.** I

   b. H   **d.** L

5. ¿Qué cantidad de la parte iluminada de la Luna se veía desde la Tierra en el 8 de mayo?

   a. No se veía nada de la parte iluminada.

   b. Se veía alrededor de un cuarto de la parte iluminada.

   c. Se veía alrededor de tres cuartos de la parte iluminada.

   d. Se veía toda la parte iluminada.

6. ¿Cuáles de estos dibujos muestran la sombra de la Tierra sobre la Luna?

   a. los del 1 de mayo y el 22 de mayo

   b. los del 8 de mayo y el 15 de mayo

   c. los 4

   d. ninguno de ellos

7. ¿Qué factor es el que más directamente determina la frecuencia con la cual aparece una luna llena?

   a. el tamaño de la Luna

   b. el tamaño de la Tierra

   c. la rapidez con la que la Luna orbita la Tierra

   d. la rapidez con la que la Luna gira sobre su eje

Respuesta desarrollada

Contesta las dos siguientes preguntas en detalle. Dibuja un diagrama el cual te ayudará a contestar estas preguntas.

8. La Luna estuvo en algún momento mucho más cerca de la Tierra. ¿Qué efecto piensas que tuvo esta distancia sobre los eclipses?

9. ¿Qué piensas que les sucedería a las mareas en la Tierra si la Tierra dejara de rotar? ¿Por qué?

LA HISTORIA DE LA ASTRONOMÍA

Allá por el año 140 d.C., un astrónomo llamado Ptolomeo escribió sus ideas sobre el movimiento de los cuerpos en el espacio. Él compartía la visión de muchos astrónomos griegos de que el Sol, la Luna y los planetas giraban alrededor de la Tierra en círculos perfectos. Los griegos habían observado que a veces los planetas parecían invertir la dirección de su movimiento a través del cielo. Ptolomeo explicó que los movimientos invertidos eran órbitas pequeñas dentro de órbitas más grandes. Durante 1400 años, los europeos aceptaron este modelo centrado en la Tierra. Sin embargo, a mediados del siglo XVI, los astrónomos empezaron a cuestionar y luego rechazar las ideas de Ptolomeo.

La línea de tiempo muestra algunos de los acontecimientos de la historia de la astronomía. Los científicos han desarrollado herramientas y procedimientos especiales para estudiar los objetos del cielo. Los recuadros situados bajo la línea de tiempo muestran cómo la tecnología ha llevado a nuevos conocimientos sobre el espacio y cómo se han aplicado esos conocimientos.

1543

El Sol como punto central

El astrónomo polaco Nicolaus Copernicus propone que los planetas giran alrededor del Sol y no de la Tierra. Su modelo centrado en el Sol deja estupefactos a muchas personas ya que está reñido con la creencia tradicional de que la Tierra es el centro del universo.

ACONTECIMIENTOS

1500	1520	1540	1560

APLICACIONES Y TECNOLOGÍA

APLICACIÓN

Navegar con ayuda de la luz solar y estelar

Durante miles de años, los navegantes estudiaron el cielo para orientarse en alta mar. Debido a que el Sol y las estrellas se mueven de formas previsibles, los navegantes los usaban para desplazarse a través del agua. Durante el siglo XV, empezaron a utilizar un dispositivo llamado astrolabio náutico para observar las posiciones del Sol y de las estrellas. Los dispositivos posteriores les permitieron realizar mediciones más precisas.

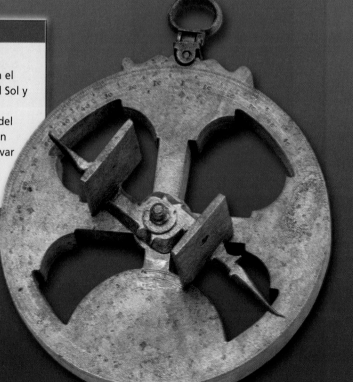

Este astrolabio náutico fue fabricado en el siglo XVII.

1609

Un científico concreta las trayectorias de los planetas

El astrónomo alemán Johannes Kepler llega a la conclusión de que las órbitas de los planetas no son círculos sino elipses, o círculos aplanados. Kepler formula su conclusión tras estudiar las atentas observaciones sobre el movimiento de los planetas de Tycho Brahe, de quien había sido ayudante.

1863

Las estrellas y la Tierra tienen elementos en común

El astrónomo inglés William Huggins comunica que las estrellas están compuestas de hidrógeno y de otros elementos presentes en la Tierra. Por lo general, los astrónomos habían creído que las estrellas estaban compuestas de una sustancia única. Huggins identificó los elementos de las estrellas mediante el estudio de sus espectros.

1687

Se revelan las leyes de la gravedad

El científico inglés Isaac Newton explica que la gravedad hace que los planetas giren alrededor del Sol. Sus tres leyes del movimiento explican cómo interactúan los objetos tanto en la Tierra como en el espacio.

| 1600 | 1620 | 1640 | 1660 | 1680 | 1860 |

TECNOLOGÍA

Ver el espacio

El telescopio probablemente se inventara a principios del siglo XVII, cuando un fabricante de anteojos colocó unas lentes en ambos extremos de un tubo. Poco después, el científico italiano Galileo Galilei copió el invento y lo usó para observar objetos del espacio. El telescopio de Galileo le permitía estudiar formas del relieve nunca antes vistas, como las montañas de la Luna. La mayoría de los astrónomos actuales usan telescopios que recogen la luz visible mediante espejos y no mediante lentes. También existen telescopios especiales que recogen otros tipos de radiación electromagnética.

1912

Los ciclos de las estrellas son la clave para determinar las distancias

Ciertos tipos de estrellas, llamadas variables cefeidas, presentan un ciclo regular de brillo y oscurecimiento. La astrónoma Henrietta Leavitt descubre que las estrellas más brillantes tienen ciclos más largos. Este descubrimiento permitirá calcular la distancia que hay hasta esas estrellas.

1929

Lo grande se agranda más

Edwin Hubble ya había utilizado las variables cefeidas para demostrar que algunos objetos del cielo son en realidad galaxias lejanas. Ahora descubre que por lo general las galaxias se van separando, a ritmos que aumentan al incrementar la distancia. Muchos astrónomos sacan la conclusión de que el universo está en expansión.

1916

El tiempo, el espacio y la masa están relacionados

La teoría general de la relatividad amplía la teoría de la gravitación de Newton. Albert Einstein muestra que la masa afecta al tiempo y al espacio. Según esta teoría, la gravedad afectará a la luz que recibamos de los objetos del espacio.

| 1880 | 1900 | 1920 | 1940 | 1960 |

TECNOLOGÍA

Las partículas que chocan entre sí ofrecen detalles sobre los inicios del universo

Los científicos piensan que toda la materia y energía se encontraba en un estado extremadamente caliente y denso y después estalló rápidamente en un acontecimiento llamado big bang. Algunos científicos intentan recrear algunas de las condiciones existentes durante la primera milmillonésima de segundo después del big bang. Para ello, utilizan dispositivos llamados aceleradores de partículas para hacer mover diminutas partículas casi a la velocidad de la luz. Las partículas, al chocar entre sí, producen diferentes tipos de partículas y radiación. Los científicos aplican lo que aprenden sobre las partículas y la radiación para desarrollar modelos de las condiciones existentes en los inicios del universo.

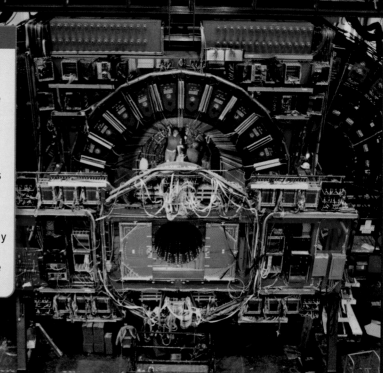

1998

Lo rápido se está acelerando

Dos grupos de astrónomos que estudiaban las supernovas, o estrellas que estallan, llegan a la misma asombrosa conclusión. No sólo está en expansión el universo sino que el ritmo de expansión está aumentando. En el diagrama de abajo, el ritmo de expansión se indica por la distancia existente entre los anillos y entre las galaxias.

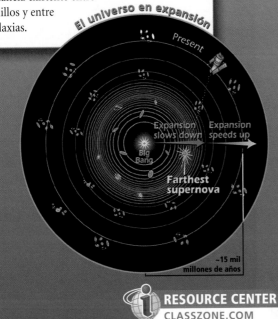

El universo en expansión

Present

Expansion slows down   Expansion speeds up

Big Bang

Farthest supernova

~15 mil millones de años

RESOURCE CENTER
CLASSZONE.COM

Aprende más acerca de los actuales avances de la astronomía.

TECNOLOGÍA

Medir el big bang

En 1965, dos investigadores observaron unas ondas de radio que procedían de todas las direcciones en lugar de una sola dirección, como una señal de un objeto espacial. Infirieron que era la radiación que quedaba tras el big bang. En 1989 y nuevamente en el 2001, la NASA lanzó naves espaciales para estudiar la radiación. Los datos recogidos con estos telescopios espaciales aún se utilizan para probar diferentes modelos del big bang, incluyendo la disposición de la materia en el universo. En este mapa del cielo, el rojo y el amarillo indican las zonas de mayor calor después del big bang.

HACIA EL FUTURO

A través de la historia, se ha aprendido acerca del universo gracias a la luz visible y a otra radiación. Se han realizado nuevas y mejores mediciones a medida que se han perfeccionado las tecnologías. Los modelos mejores y más complejos proporcionan detalles que no pueden medirse directamente. En el futuro, continuarán las mejoras. Las computadoras, los telescopios espaciales y otros instrumentos permitirán a los astrónomos recoger mejores datos y hacer mejores modelos.

Parte de la materia del universo no emite ni refleja ningún tipo de radiación detectable. Se llama materia oscura. Los astrónomos infieren su existencia basándose en sus efectos sobre la materia que sí se detecta. En el futuro, los astrónomos esperan poder determinar qué es la materia oscura, en qué lugares exactos se localiza y cómo se mueve por el universo. Y de un modo similar, los astrónomos aprenderán más acerca de por qué el universo se está expandiendo más rápidamente con el tiempo y qué energía interviene en esa aceleración.

ACTIVIDADES

Revivir la historia

Algunos de los primeros astrónomos observaban la Luna para desarrollar y probar sus ideas sobre el espacio. Durante un mínimo de dos semanas, haz observaciones frecuentes sobre la Luna y pon en un cuaderno tus comentarios, dibujos e ideas. Por ejemplo, podrías observar la Luna a cierta hora cada día o cada noche o anotar la dirección en la que se pone. Es posible que el periódico dé para tu zona la hora de la puesta lunar y de la salida lunar.

Compara tus observaciones e ideas con las de otros estudiantes. También podrías informarte de lo que otras culturas pensaban de los patrones de cambio que observaban en la Luna.

Escribir sobre las ciencias

Escoge uno de estos astrónomos famosos e investiga su historia. Escribe un perfil biográfico o una entrevista imaginaria con esa persona.

Nuestro sistema solar

la GRAN idea

Los planetas y otros objetos forman un sistema alrededor del Sol.

Conceptos clave

SECCIÓN

 Los planetas orbitan el Sol a diferentes distancias.
Aprende acerca de los tamaños y las distancias de los objetos en el sistema solar y acerca de su formación.

SECCIÓN

 El sistema solar interno contiene planetas rocosos.
Aprende acerca de los procesos que moldean la Tierra y otros planetas.

SECCIÓN

 El sistema solar externo contiene cuatro planetas gigantes.
Aprende acerca de los planetas más grandes.

SECCIÓN

 Los objetos pequeños están compuestos de hielo y roca.
Aprende acerca de las lunas, los asteroides y los cometas.

Internet: Primer vistazo

CLASSZONE.COM

Recursos en Internet para el capítulo 3: **Content Review, Visualization,** dos **Resource Centers, Math Tutorial, Test Practice**

Esta imagen muestra a Júpiter con una de sus lunas grandes. ¿Cómo se comparan los tamaños de estos objetos con el de la Tierra?

¿Cuál es el tamaño de Júpiter?

Agrega 1.4 mL de agua (alrededor de 22 gotas) a una botella de 2 L vacía para representar la Tierra. Usa una botella de 2 L llena para representar Júpiter. Levanta cada una.

Observar y pensar ¿Cómo se comparan los tamaños de Júpiter y de la Tierra? Usando esta escala, necesitarías más de novecientas botellas de 2 L para representar el Sol. ¿Cómo se comparan los tamaños del Sol y de Júpiter?

¿Es redonda una órbita?

Haz un lazo de 10 cm de largo en una cuerda delgada. Coloca dos tachuelas separadas por 2 cm en el centro de una hoja de papel. Coloca el lazo alrededor de las tachuelas y usa un lápiz para dibujar un óvalo con la forma de la órbita de Plutón. Quita una tachuela. La tachuela que quedó representa el Sol.

Observar y pensar ¿Cómo describirías la forma de esta órbita? ¿En qué se diferencia de un círculo?

Actividad en Internet: El espaciamiento

Visita **ClassZone.com** para tomar un vuelo espacial virtual por el sistema solar. Examina las distancias entre los planetas mientras tu nave espacial virtual viaja a una velocidad constante.

Observar y pensar ¿Qué notas acerca de las distancias relativas de los planetas?

The Solar System **Code: MDL059**

CAPÍTULO 3

Prepárate para aprender

REPASO DE LOS CONCEPTOS

- Los planetas que vemos están mucho más cerca que las estrellas de las constelaciones.

- El Sol, los planetas y cuerpos más pequeños forman el sistema solar.

- Los científicos observan diferentes tipos de radiación electromagnética proveniente de objetos espaciales.

REPASO DEL VOCABULARIO

órbita pág. 10

sistema solar pág. 10

satélite pág. 23

cráter de impacto pág. 32

eje de rotación pág. 44

CONTENT REVIEW
CLASSZONE.COM

Repasa los conceptos y el vocabulario.

TOMAR APUNTES

IDEA PRINCIPAL Y DETALLES

Haz una tabla de dos columnas. Escribe las **ideas principales,** como las de los encabezamientos azules, en la columna de la izquierda. Escribe **detalles** acerca de cada una de esas ideas principales en la columna de la derecha.

ESTRATEGIA PARA EL VOCABULARIO

Dibuja un diagrama de **triángulo de palabras** para cada término nuevo de vocabulario. En la parte inferior escribe y define el término. En la parte del medio, usa el término de manera correcta en una oración. En la parte superior, haz un pequeño dibujo que te ayude a recordar el término.

Consulta el Manual para tomar apuntes, R45 a R51.

CUADERNO DE CIENCIAS

IDEAS PRINCIPALES	APUNTES DE DETALLES
1. Los planetas tienen diferentes tamaños y distancias.	1. Objetos en el sistema solar • Sol • planetas • lunas • cometas y asteroides
2.	2.

AU

Júpiter está aproximadamente a 5 AU del Sol.

unidad astronómica (AU): distancia promedio de la Tierra al Sol

Los planetas orbitan el Sol a diferentes distancias.

 ANTES, aprendiste

- La Tierra orbita el Sol
- La Luna es el satélite natural de la Tierra
- Las formaciones en la Luna nos cuentan acerca de la historia de la Luna

 AHORA, aprenderás

- Qué tipos de objetos hay en el sistema solar
- Acerca de los tamaños y las distancias en el sistema solar
- Cómo se formó el sistema solar

VOCABULARIO

unidad astronómica (AU) pág. 81
elipse pág. 81

EXPLORA Formación de planetas

¿Cómo se forman los planetas?

PROCEDIMIENTO

1. Llena el tazón con agua hasta la mitad.
2. Revuelve el agua rápidamente usando un movimiento circular y luego saca la cuchara.
3. Rocía trozos de cera sobre el remolino de agua.

¿QUÉ PIENSAS?

- ¿En qué dirección se movió la cera?
- ¿Qué más le sucedió a la cera?

MATERIALES
- tazón
- agua
- cuchara
- trozos de cera

Los planetas tienen diferentes tamaños y distancias.

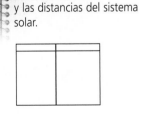

IDEA PRINCIPAL Y DETALLES
Pon en una tabla los tamaños y las distancias del sistema solar.

Puede que hayas observado algunos planetas en el cielo sin darte cuenta. Están tan lejos de la Tierra que se ven como pequeños puntos de luz en el cielo oscuro. Si al anochecer has visto algo que parece una estrella muy brillante en el cielo del oeste, probablemente has visto el planeta Venus. Incluso si vives en una ciudad, probablemente has visto Marte, Júpiter o Saturno pensando que lo que veías era una estrella. Mercurio es mucho más difícil de ver. Necesitas un telescopio para ver tres de los planetas en nuestro sistema solar: Urano, Neptuno y Plutón.

Como la Luna, se pueden ver los planetas porque reflejan la luz solar. Los planetas no emiten luz visible propia. La luz solar también es reflejada por lunas y otros objetos en el espacio, llamados cometas y asteroides. Sin embargo, estos objetos normalmente están muy lejos y no brillan lo suficiente para ser visibles sin un telescopio.

 LEER ¿Comprendiste? ¿Por qué se ven brillantes los planetas?

Objetos en el sistema solar

Los tamaños de los objetos en el sistema solar varían de muy pequeños a muy grandes.

asteroides

Sol
A esta escala, el Sol tiene aproximadamente un metro de ancho.

Marte

Saturno

Tierra

lunas de Saturno

Venus

Mercurio

lunas de Júpiter

Júpiter

Neptuno

lunas de Neptuno

Urano

lunas de Urano

```
0        20,000        40,000 kilómetros
```

Objetos menores a 100 kilómetros están representados como puntos.

cometas

Plutón

Distancias de los planetas

Sol Venus Marte   Júpiter   Saturno   Urano

Mercurio Tierra   asteroides

```
0            2            4 AU
```

Los objetos en el sistema solar tienen tamaños muy diferentes. Un asteroide puede ser tan pequeño como una montaña, tal vez 1/1000 del diámetro de la Tierra. En contraste, los planetas más grandes tienen alrededor de 10 diámetros de la Tierra de ancho. El diámetro del Sol es alrededor de 100 veces el de la Tierra. Si los planetas fueran de los tamaños mostrados en la página 80, el Sol tendría alrededor de un metro de ancho.

Distancias

Las distancias entre la mayoría de los objetos en el espacio son enormes en comparación a los diámetros de los objetos. Si la Tierra y el Sol fueran de los tamaños mostrados en la página 80, estarían a más de 100 metros uno del otro.

Los astrónomos entienden las enormes distancias al compararlas con algo más familiar. Una **unidad astronómica,** o AU por sus siglas en inglés, es la distancia promedio de la Tierra al Sol. Una AU es aproximadamente 150 millones de kilómetros (93 millones de millas). Mercurio está a menos de 0.5 AU del Sol, Júpiter está a aproximadamente 5 AU del Sol, y Plutón llega a estar a casi 50 AU del Sol en algunas ocasiones. Puedes usar el diagrama en la parte inferior de las páginas 80 y 81 para comparar estas distancias. Sin embargo, los planetas no están dispuestos en línea recta sino que se mueven alrededor del Sol.

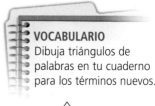

VOCABULARIO
Dibuja triángulos de palabras en tu cuaderno para los términos nuevos.

Puedes ver que los planetas están espaciados de manera irregular. Los primeros cuatro planetas están relativamente cerca uno del otro y cerca del Sol. Estos planetas definen una región llamada sistema solar interno. Alejado del Sol está el sistema solar externo, donde los planetas están mucho más separados.

LEER
¿Comprendiste? ¿Cuáles son las dos regiones del sistema solar?

Órbitas

Más del 99 por ciento de toda la masa del sistema solar está en el Sol. La atracción gravitacional de esta enorme masa causa que los planetas y la mayoría de los otros objetos en el sistema solar se muevan alrededor de, u orbiten, el Sol.

La forma de cada órbita es una **elipse,** es decir, un círculo aplanado u óvalo. Un círculo es un tipo especial de elipse, así como un cuadrado es un tipo especial de rectángulo. La mayoría de las órbitas de los planetas son casi circulares. Sólo un planeta, Plutón, tiene una órbita que se ve un poco aplanada en vez de circular.

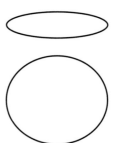

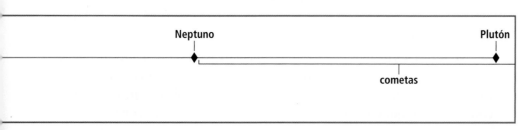

Neptuno   Plutón

cometas

¿Cómo se comparan las distancias entre los planetas?

PROCEDIMIENTO

HABILIDADES
Usar modelos

MATERIALES
- rollo de papel higiénico
- pluma de punta suave
- *Distance Table*

TIEMPO
30 minutos

1. Marca la posición del Sol en una hoja del extremo del rollo de papel. Marca una *X* y escribe la palabra *Sol* con puntos en lugar de líneas.

2. Utiliza la hoja *Distance Table* para marcar las distancias para el resto del sistema solar. Cuenta las hojas y calcula décimas de hoja según sea necesario. Enrolla el papel de nuevo o dóblalo con cuidado.

3. Ve a un lugar donde puedas desenrollar el papel. Compara las distancias de los planetas mientras caminas a lo largo del papel y de regreso.

¿QUÉ PIENSAS?

- ¿Cómo se compara la distancia entre la Tierra y Marte con la distancia entre Saturno y Urano?

- ¿Cómo usarías el espaciamiento para clasificar los planetas en grupos?

RETO Si la nave espacial *Voyager 2* tarda dos años en viajar de la Tierra a Júpiter, ¿cuánto crees que tardaría el *Voyager 2* en viajar de Júpiter a Neptuno?

El sistema solar se formó a partir de nubes arremolinadas de gas y polvo.

IDEA PRINCIPAL Y DETALLES
Recuerda tomar apuntes acerca de la manera en que se formó el sistema solar.

Los planetas orbitan el Sol de maneras similares. Sus órbitas están casi en un solo plano, como los anillos alrededor de una diana en un blanco. Todos orbitan el Sol en la misma dirección: en sentido contrario a las manecillas del reloj, visto desde un punto arriba del Polo Norte de la Tierra. La mayoría de los planetas también giran sobre sus ejes en esta dirección. Muchos otros objetos en el sistema solar también orbitan y giran en esta misma dirección. Estos movimientos parecidos han proporcionado a los científicos pistas sobre cómo se formó el sistema solar.

Según el mejor modelo científico, el sistema solar se formó a partir de una enorme nube de diferentes gases y partículas de polvo. La nube se aplanó y formó un remolino de material en forma de disco. La mayor parte de la masa cayó al centro y se convirtió en una estrella: el Sol. Al mismo tiempo, pequeñas partículas de polvo y gases congelados en el disco se unieron en grupos. Los grupos se aglutinaron y se hicieron más grandes. Los grupos grandes se convirtieron en planetas. Se movían en la misma dirección que la rotación del disco aplanando.

No todos los grupos crecieron lo suficiente para ser llamados planetas. Sin embargo, muchos de estos objetos todavía orbitan el Sol de la misma manera que lo orbitan los planetas. Algunos de los objetos cerca del Sol son como rocas o montañas en el espacio y se llaman asteroides. Otros objetos,

Formación del sistema solar

El Sol y otros objetos se formaron a partir de material en un disco aplanado.

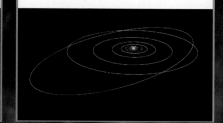

① Nebulosa

Parte de una enorme nube de material, llamada nebulosa, se desplomó para formar un disco aplanado.

② Disco

El Sol se formó en el centro del disco. Otros objetos se formaron a partir del material en el disco que giraba.

③ Sistema solar

Mucho material se disipó. El Sol, los planetas y otros objetos permanecieron.

que están más lejos del Sol, son más bien como enormes bolas de nieve o icebergs. Se llaman cometas. Algunos objetos orbitan planetas en vez de orbitar el Sol directamente, así que se consideran lunas. Vas a leer más acerca de los asteroides, los cometas y las lunas en la sección 3.4.

Puedes inferir un poco acerca del tamaño de un objeto en el espacio por su forma. Los objetos con protuberancias normalmente son mucho más pequeños que los objetos redondos. Al empezar a formarse un objeto espacial, los pedazos se unen proviniendo de muchas direcciones y producen una forma irregular. La gravedad de cada pedazo afecta a todos los demás pedazos. Los pedazos se atraen mutuamente y se unen más. Cuando un objeto tiene suficiente masa, esta atracción se vuelve suficientemente fuerte para hacer al objeto redondo. Cualquier parte que sobresale es jalada hacia el centro hasta que el objeto se convierte en una esfera.

 LEER
¿Comprendiste? ¿Por qué tienen los planetas y las lunas grandes una forma esférica?

3.1 REPASO

CONCEPTOS CLAVE

1. ¿Cuáles son los tipos de objetos espaciales en el sistema solar?

2. ¿Por qué la unidad de medición que se usa para las distancias de los planetas al Sol es diferente a la unidad usada para sus tamaños?

3. ¿Cómo se formaron los planetas y otros objetos del sistema solar a partir del material en un disco?

RAZONAMIENTO CRÍTICO

4. **Analizar** ¿Por qué orbitan todos los planetas en una misma dirección?

5. **Inferir** ¿Cuál de las dos lunas de abajo tiene mayor masa? Explica por qué lo crees.

RETO

6. **Aplicar** ¿Podrías hacer un modelo de todos los tamaños de los objetos en el sistema solar usando pelotas deportivas? Explica por qué sí o por qué no.

MATH TUTORIAL
CLASSZONE.COM

Haz clic en **Math Tutorial** para obtener más ayuda con la ecuación de porcentaje.

Esta fotografía de Buzz Aldrin en la Luna fué tomada por Neil Armstrong, quien se puede ver reflejado en el casco de Aldrin.

HABILIDAD: USAR PORCENTAJES

¿Cuánto pesarías en otros mundos?

Cuando los astronautas caminaron en la Luna, se sintieron mucho más ligeros que cuando estaban en la Tierra. La masa total de Neil Armstrong, alrededor de 160 kilogramos con su traje espacial y mochila, no cambió. Sin embargo, la Luna no lo jaló tan fuertemente como lo hacía la Tierra, por lo que pesaba menos en la Luna. En la superficie de la Luna, la atracción gravitacional es sólo el 17% de la atracción gravitacional de la Tierra. Puedes usar porcentajes para calcular el peso de Neil Armstrong en la Luna.

Ejemplo

En la Tierra, con su pesado traje espacial y su mochila, Neil Armstrong pesaba alrededor de 1600 newtons (360 lb). Para calcular su peso en la Luna, encuentra el 17% de 1600 newtons.

"De" indica que debes "multiplicar". 17% de 1600 N = 17% × 1600 N

Cambia el porcentaje a fracción decimal. = 0.17 × 1600 N

Simplifica. = 272 N

RESPUESTA Con su traje y su mochila, Neil Armstrong pesaba alrededor de 270 newtons en la Luna.

Usa los porcentajes de la tabla para contestar las siguientes preguntas.

1. Una mochila pesa 60 newtons (13 lb) en la Tierra. **(a)** ¿Cuánto pesaría en Júpiter? **(b)** ¿Cuánto pesaría en Io, la luna de Júpiter?

2. (a) ¿Cuánto pesaría en Saturno un estudiante que pesa 500 newtons (110 lb) en la Tierra? **(b)** ¿En Venus?

3. ¿En qué planeta o luna serías lo más liviano?

RETO Un lápiz pesa 0.3 newtons (1 onza) en la Tierra. ¿Cuánto pesaría en la Luna? Si un astronauta soltara el lápiz en la Luna, ¿caería el lápiz? Explica.

Porcentaje del peso en la Tierra	
Planeta o luna	**%**
Mercurio	38
Venus	91
Tierra	100
Luna (Tierra)	17
Marte	38
Júpiter	236
Io (Júpiter)	18
Europa (Júpiter)	13
Ganímedes (Júpiter)	15
Calisto (Jupiter)	13
Saturno	92
Titán (Saturno)	14
Urano	89
Neptuno	112
Tritón (Neptuno)	8.0
Plutón	6.7
Caronte (Plutón)	2.8

3.2 El sistema solar interno contiene planetas rocosos.

◀ ANTES, aprendiste

- Los planetas están más cerca uno del otro en el sistema solar interno que en el sistema solar externo
- Los planetas se formaron junto con el Sol
- La gravedad hizo a los planetas redondos

▶ AHORA, aprenderás

- Cómo cuatro procesos cambian las superficies de los planetas sólidos
- Cómo se forman las atmósferas y cómo luego afectan a los planetas
- Cómo son los planetas más cercanos al Sol

VOCABULARIO

planeta terrestre pág. 85
tectónica pág. 86
vulcanismo pág. 86

EXPLORA Superficies

¿Cómo afecta el manto de un planeta a su superficie?

PROCEDIMIENTO

MATERIALES
- 2 bloques
- toalla de papel
- periódico

1. Humedece una toalla de papel y colócala sobre dos bloques para hacer un modelo de la corteza y el manto.

2. Mueve un bloque. Prueba con diferentes cantidades y direcciones de movimiento.

¿QUÉ PIENSAS?
- ¿Qué le pasó a la toalla de papel?
- ¿Qué formaciones geológicas has visto que sean parecidas?

Los planetas terrestres tienen cortezas rocosas.

Los científicos estudian la Tierra para aprender acerca de otros planetas. También estudian otros planetas para aprender más acerca de la Tierra. Los **planetas terrestres** son Mercurio, Venus, la Tierra y Marte, los cuatro planetas más cercanos al Sol. Todos tienen cortezas rocosas y núcleos y mantos densos. Sus interiores, sus superficies y sus atmósferas se formaron de manera similar y siguen patrones similares. Se puede usar un planeta, la Tierra, como modelo para entender a los demás planetas. De hecho, el término *terrestre* viene de *terra*, el término en latín para la Tierra.

Tierra

La mayoría de la superficie rocosa de la Tierra está escondida bajo el agua. Hay más detalles acerca de la Tierra y otros planetas en el Apéndice al final de este libro.

Masa 6×10^{24} kg
Diámetro 12,800 km
Distancia promedio al Sol 1 AU

Orbita en 365 días
Rota en 24 horas

Procesos y formaciones superficiales

Todos los planetas terrestres tienen capas. Cada planeta ganó energía de las colisiones que lo formaron. Esta energía calentó y derritió los materiales del planeta. Los materiales más pesados eran metales, los cuales se hundieron al centro y formaron un núcleo. La roca liviana formó un manto alrededor del núcleo. La roca más liviana subió a la superficie y se enfrió, formando la corteza.

Posteriormente, cuatro tipos de procesos moldearon la corteza terrestre de cada planeta. Los procesos actuaron en diferentes medidas en cada planeta, dependiendo de cuánto se enfriaron la corteza y el interior del planeta.

LEER Un consejo

Compara lo que leíste acerca de cada tipo de formación con las imágenes y los diagramas de la página 87.

1 Tectónica La corteza de la Tierra está dividida en pedazos grandes llamados placas tectónicas. El caliente manto de la Tierra mueve estas placas. Se forman montañas, valles y otros accidentes geográficos cuando las placas se juntan, se separan o se mueven una al lado de otra. Las cortezas de otros planetas terrestres no están divididas en placas pero pueden ser torcidas, arrugadas o estiradas por el manto. La **tectónica** es los procesos de cambio en una corteza debidos al movimiento del material caliente que hay debajo. Al enfriarse el planeta, la corteza se endurece y puede que el manto deje de moverse, así que el proceso se detiene.

2 Vulcanismo Un segundo proceso, llamado **vulcanismo,** ocurre cuando la roca fundida se mueve del interior caliente del planeta a su superficie. La roca fundida se llama lava cuando alcanza la superficie a través de una abertura llamada volcán. En la Tierra, la lava generalmente se acumula y forma montañas. Hay volcanes en la Tierra, Venus y Marte. La lava también puede fluir sobre grandes áreas y enfriarse para formar planicies como las maria lunares. Cuando el interior de un planeta se enfría lo suficiente, ya no llega más roca fundida a la superficie.

3 Meteorización y erosión Has leído acerca de la meteorización en la Tierra y en la Luna. El clima o pequeños impactos rompen las rocas. Un grupo de procesos llamado erosión mueve el material roto. El material puede formar dunas, nuevas capas de roca u otras formaciones. En la Tierra, el agua es importante para la meteorización y la erosión. Sin embargo, suceden cosas similares aun sin agua. El viento puede llevar granos de arena que golpean las rocas y crean nuevas formaciones. Inclusive en un planeta sin aire, las rocas se rompen al calentarse a la luz del día y enfriarse durante la noche. La gravedad jala el material cuesta abajo.

RESOURCE CENTER
CLASSZONE.COM

Aprende más acerca de los cráteres de impacto en la Tierra y en otros objetos espaciales.

4 Formación de cráteres de impacto A veces, un objeto pequeño puede golpear la superficie de un planeta con tanta velocidad que causa una explosión. El cráter de impacto resultante a menudo es diez veces más grande que el objeto que lo produjo. En la Tierra, la mayoría de los cráteres han sido borrados por otros procesos. Es más fácil encontrar cráteres de impacto en otros planetas. Si un planeta, o una parte de un planeta, está completamente cubierto de cráteres de impacto, entonces otros procesos no han cambiado la superficie en miles de millones de años.

LEER ¿Comprendiste? ¿Qué procesos afectan a las superficies de los planetas terrestres?

Formaciones en los planetas rocosos

Los procesos que moldean las formaciones en la superficie de un planeta se pueden dividir en cuatro tipos. Las formaciones te pueden indicar diferentes cosas acerca del planeta.

① Tectónica

Un manto caliente puede mover y distorsionar la corteza arriba de él. Este sistema de montañas y valles en la **Tierra** se formó al estirarse la corteza.

② Vulcanismo

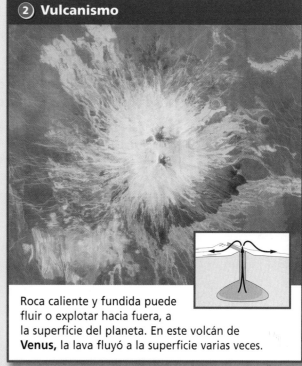

Roca caliente y fundida puede fluir o explotar hacia fuera, a la superficie del planeta. En este volcán de **Venus,** la lava fluyó a la superficie varias veces.

③ Meteorización y erosión

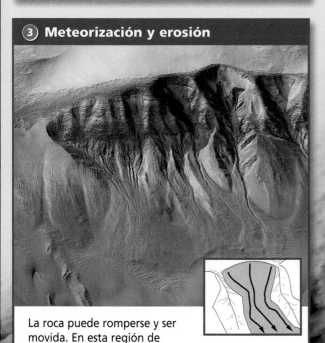

La roca puede romperse y ser movida. En esta región de **Marte,** la erosión movió material que se desprendió de un acantilado y formó nuevas pendientes y dunas.

④ Formación de cráteres de impacto

Un pequeño objeto espacial puede golpear la superficie de un planeta y dejar un cráter. Debido a que los otros procesos en **Mercurio** son débiles, se pueden ver cráteres nuevos sobre un fondo de cráteres más viejos y erosionados.

LEER
DATOS VISUALES ¿Cuáles son los dos procesos que ocurren debido a que hay material caliente debajo de la superficie?

INVESTIGA Capas

¿Cómo se forman las capas dentro de los planetas?

En este modelo, los materiales que usarás representan las diferentes rocas y metales que componen a los planetas sólidos.

PROCEDIMIENTO

1. Coloca pedazos de gelatina en un recipiente hasta que se llene como una cuarta parte.

2. Agrega una cucharada de arena y una de cera. Usa la cuchara para romper la gelatina en pedazos pequeños mientras revuelves. Saca la cuchara.

3. Coloca el recipiente en un tazón con agua caliente (alrededor de 70°C) de la llave y observa lo que sucede al derretirse la gelatina.

¿QUÉ PIENSAS?

- ¿Qué le sucedió a cada uno de los materiales cuando la gelatina se derritió?
- ¿Cómo se parecen los resultados al núcleo, al manto y a la corteza de la Tierra y de otros planetas?

RETO ¿Cómo podrías mejorar este modelo?

Atmósferas

Las atmósferas de los planetas terrestres se formaron principalmente de gases que emanaron de los volcanes. Si la gravedad de un planeta es suficientemente fuerte, jala los gases y los mantiene cerca de la superficie. Si la gravedad de un planeta es muy débil, los gases se expanden hacia el espacio exterior y se pierden.

Venus, la Tierra y Marte tenían gravedad suficientemente fuerte para retener gases pesados como el dióxido de carbono. Sin embargo, los gases livianos, como el hidrógeno y el helio, se escaparon al espacio exterior. Las atmósferas de Venus y de Marte son principalmente de dióxido de carbono.

Una atmósfera puede mover energía de lugares calientes a lugares fríos. Este movimiento de energía calorífica hace que las temperaturas sean más uniformes entre el lado diurno del planeta y el lado nocturno y entre su ecuador y sus polos. Una atmósfera también puede mantener más caliente toda la superficie del planeta al disminuir la pérdida de energía de su superficie.

Después de que se formó la Tierra, su atmósfera de dióxido de carbono mantuvo la superficie lo suficientemente caliente para permitir que el agua fuera líquida. Los océanos cubrieron la mayor parte de la superficie de la Tierra. Los océanos cambiaron los gases de la atmósfera, y los organismos vivos produjeron aun más cambios. La atmósfera de la Tierra es ahora principalmente nitrógeno con algo de oxígeno.

LEER ¿Comprendiste? ¿Por qué está rodeada la Tierra sólida de gases?

La superficie de Mercurio está cubierta de cráteres.

Al igual que la Luna, Mercurio tiene planicies lisas y muchos cráteres. Los procesos que operan en la Tierra también afectaron a Mercurio.

Tectónica Acantilados largos y altos se extienden sobre la superficie de Mercurio. Los científicos piensan que el inmenso núcleo de hierro de Mercurio se encogió cuando se enfrió hace mucho tiempo. Al encogerse el planeta, la corteza se arrugó y se formaron acantilados.

Vulcanismo Partes de la superficie estuvieron cubiertas de lava hace mucho tiempo. Se formaron planicies grandes y lisas. Las planicies son similares a las maria lunares.

Meteorización y erosión Pequeños impactos y cambios de temperatura han quebrado las rocas. La gravedad ha movido el material roto cuesta abajo.

Formación de cráteres de impacto Gran parte de la superficie está cubierta de formaciones redondas. Estos cráteres muestran que los otros procesos no han modificado mucho la superficie de Mercurio en mucho tiempo.

Mercurio tiene el ciclo de día y noche más largo de los planetas terrestres: tres meses de luz y tres meses de oscuridad. No hay atmósfera que mueva energía de las áreas calientes a las áreas frías. Durante el largo día, puede llegar a más de 420°C (alrededor de 800°F), calor suficiente para derretir el plomo. Durante la noche larga y fría, la temperatura puede bajar a menos de −170°C (alrededor de −280°F).

no hay datos

LEER
¿Comprendiste? ¿En qué se parece Mercurio a la Luna?

Mercurio

Este mapa de Mercurio se hizo a partir de muchas imágenes tomadas por una nave espacial. Las manchas en blanco muestran áreas que no fueron captadas por la nave espacial.

Masa 6% de la masa de la Tierra

Diámetro 38% del diámetro de la Tierra

Distancia promedio al Sol 0.39 AU

Orbita en 88 días de la Tierra

Rota en 59 días de la Tierra

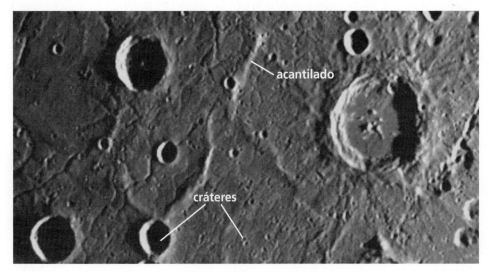

La superficie de Mercurio está cubierta de cráteres de todos los tamaños, pero también existen planicies de lava y acantilados desde hace mucho tiempo.

acantilado

cráteres

IDEA PRINCIPAL Y DETALLES
Recuerda tomar apuntes
sobre ideas importantes
cuando veas un nuevo
encabezamiento.

Los volcanes moldean la superficie de Venus.

El planeta Venus es solamente un poco más pequeño que la Tierra y orbita un poco más cerca del Sol. Como resultado, Venus a veces se conoce como el planeta hermano de la Tierra. Sin embargo, Venus es diferente a la Tierra en maneras importantes.

Venus tarda alrededor de ocho meses en girar una sola vez sobre su eje. A diferencia de casi todos los demás planetas, Venus gira y orbita en direcciones opuestas. Juntas, la rotación y la orbita producen días y noches muy largas: dos meses de luz seguidos de dos meses de oscuridad.

La atmósfera de Venus es muy densa. La presión atmosférica en Venus es 90 veces la presión en la Tierra. La atmósfera de Venus es principalmente de dióxido de carbono. Este gas reduce la pérdida de energía y hace que la superficie sea muy caliente. La temperatura en el suelo de Venus es aproximadamente 470°C (alrededor de 870°F). La atmósfera de Venus mueve la energía tan bien que las largas noches son tan calientes como los días, y los polos están igual de calientes que el ecuador. Además, en la atmósfera hay gotas de ácido sulfúrico, un químico corrosivo. Estas gotas forman densas nubes blancas que cubren el planeta por completo y esconden su superficie.

Al igual que Mercurio, los mismos cuatro tipos de procesos que modifican la superficie de la Tierra afectan a Venus. Los científicos piensan que la téctonica y el vulcanismo todavía pueden estar cambiando la superficie de Venus hoy en día.

Tectónica Al estirar, arrugar y torcer la superficie, los movimientos del manto caliente han formado patrones de grietas y acantilados.

Vulcanismo La mayor parte de la superficie de Venus se ha cubierto de lava en los últimos mil millones de años. Se encuentran volcanes y planicies de lava por toda la superficie.

Densas nubes hacen que sea imposible ver la superficie de Venus con luz visible. La imagen pequeña muestra un mapa de Venus que los científicos hicieron usando ondas de radio.

Venus

Venus es casi del tamaño de la Tierra pero tiene una atmósfera más densa y es mucho más caliente que la Tierra. La superficie es rocosa, como puedes ver en la imagen de abajo.

Masa 82% de la masa de la Tierra

Diámetro 95% del diámetro de la Tierra

Distancia promedio al Sol 0.72 AU

Orbita en 225 días de la Tierra

Rota en 243 días de la Tierra

roca meteorizada y erosionada

nave espacial

Meteorización y erosión Venus es demasiado caliente para tener agua líquida, y los vientos no parecen mover mucho material. La erosión en Venus puede ser más lenta que en la Tierra.

Formación de cráteres de impacto La superficie está marcada por cráteres redondos en algunos lugares. Los cráteres más viejos han sido borrados por otros procesos. Además, la espesa atmósfera de Venus protege la superficie de impactos pequeños.

LEER ¿Comprendiste? ¿Por qué no está Venus cubierto de cráteres?

La erosión cambia el aspecto de Marte.

Marte es relativamente pequeño. Su diámetro es la mitad del diámetro de la Tierra. El color naranja de parte de su superficie proviene de moléculas de hierro y oxígeno, es decir, óxido. Marte tiene dos lunas diminutas. Probablemente eran asteroides que fueron atraídos y entraron en órbita alrededor de Marte.

Superficie de Marte

Los mismos procesos que afectan a los otros planetas terrestres afectan a Marte.

Tectónica El movimiento del manto de Marte formó valles y áreas elevadas. Un enorme sistema de valles, llamado Valles Marineris, es tan grande que se extendería de un lado de los Estados Unidos al otro.

Vulcanismo La mayor parte del hemisferio norte tiene planicies lisas de lava enfriada. Varios volcanes son más altos que cualquier montaña de la Tierra. A lo mejor la lava se acumuló en el mismo sitio por mucho tiempo, así que los científicos infieren que la corteza de Marte se ha enfriado más que la corteza de la Tierra. En la Tierra, las placas tectónicas se mueven, de manera que se forman cadenas de pequeños volcanes en lugar de grandes volcanes individuales.

Meteorización y erosión Los rápidos vientos llevan arena que desgasta las rocas. El viento y la gravedad mueven el material roto, creando nuevas formaciones, como dunas de arena. También hay accidentes geográficos que parecen ser el resultado de gigantescas inundaciones que ocurrieron hace mucho tiempo.

Formación de cráteres de impacto La mayoría del hemisferio sur de Marte está cubierto de cráteres redondos. Muchos cráteres son muy viejos y están erosionados. Unos cuantos cráteres de impacto en los volcanes hacen pensar a los científicos que los volcanes no han arrojado lava en mucho tiempo.

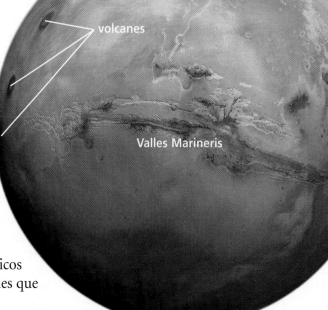

Marte

La atmósfera de Marte es delgada pero causa meteorización y erosión.

Masa 11% de la masa de la Tierra
Diámetro 53% del diámetro de la Tierra
Distancia promedio al Sol 1.5 AU
Orbita en 1.9 años de la Tierra
Rota en 25 horas

volcanes

Valles Marineris

polvo rojo llevado por el viento

colinas lejanas

roca meteorizada y erosionada

El cielo de Marte es rojo debido al polvo que el viento levanta y lleva a nuevos lugares.

Gases y agua en Marte

La atmósfera de Marte es principalmente dióxido de carbono. La presión atmosférica es solamente alrededor del 1 por ciento de la presión atmosférica de la Tierra. El gas no tiene la densidad suficiente para mantener a la superficie caliente o mover mucha energía de las áreas frías a las áreas calientes. Por lo tanto, las temperaturas pueden alcanzar casi 20°C (alrededor de 60°F) en el día y –90°C (–130°F) en la noche. Las grandes diferencias de temperatura producen vientos rápidos. Los vientos causan enormes tormentas de polvo que a veces cubren casi todo el planeta.

Al igual que la Tierra, Marte tiene capas de hielo polares que crecen en el invierno y se encogen en el verano. Sin embargo, los cambiantes capas de hielo de Marte están compuestos principalmente de dióxido de carbono congelado, es decir, hielo seco. El dióxido de carbono de la atmósfera también puede formar nubes, niebla y escarcha sobre el suelo.

Hoy en día, no hay agua líquida en la superficie de Marte. El agua se evaporaría o se congelaría rápidamente. Sin embargo, en el pasado hubo inundaciones, y todavía hay agua congelada en el suelo y en una de las capas polares. El agua es importante para la vida y también sería necesaria para hacer combustible de cohete si los humanos alguna vez hicieran viajes de ida y vuelta a Marte.

 LEER ¿Comprendiste? ¿En qué se diferencia Marte de la Tierra?

3.2 REPASO

CONCEPTOS CLAVE

1. ¿Cuáles son los cuatro tipos de procesos que moldean las superficies de los planetas? Da un ejemplo de una formación que cada proceso puede producir.

2. ¿Cómo puede una atmósfera afectar a la temperatura de la superficie de un planeta?

3. ¿Qué planeta terrestre tiene la superficie más vieja y menos cambiante?

RAZONAMIENTO CRÍTICO

4. **Comparar y contrastar** Haz una tabla con columnas para los cuatro tipos de procesos y para una atmósfera. Llena un renglón para cada planeta.

5. **Aplicar** Si un planeta tuviera una superficie llena de cráteres pero ninguna otra formación, ¿qué podrías decir acerca del interior del planeta?

RETO

6. **Inferir** Describe cómo puede un manto caliente afectar a la atmósfera de un planeta. **Pista:** ¿Cuál de los cuatro procesos participa?

HABILIDAD: FORMULAR HIPÓTESIS

¿Qué moldea la superficie de Marte?

Muchas de las formaciones de Marte, cuando se ven de cerca, se parecen mucho a formaciones que se encuentran en la Tierra. Los astrónomos usan sus conocimientos sobre los cuatro tipos de procesos que afectan a los planetas terrestres para hacer hipótesis acerca de las formaciones de Marte. Usando lo que sabes acerca de los procesos, haz tus propias hipótesis para explicar las formaciones en la imagen de la izquierda.

▶ Resultados de investigación

- Pequeños objetos golpean la superficie, produciendo cráteres.
- Los volcanes hacen erupción, creando montañas y flujos de lava.
- El manto mueve la corteza, produciendo montañas y valles.
- El viento, el agua y la gravedad mueven material sobre la superficie, erosionando algunos lugares y elevando otros.

▶ Observaciones

- Unos triángulos elevados y oscuros apuntan aproximadamente al este.
- Hay patrones de rayas claras que corren principalmente de norte a sur entre las colinas oscuras.
- Las formaciones están dentro de un inmenso cráter de impacto.

colinas oscuras

rayas claras

Esta imagen grande muestra detalles del área en el rectángulo de la pequeña imagen en blanco y negro de abajo.

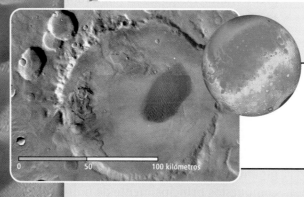

0   50   100 kilómetros

El rectángulo rojo muestra el área representada en la imagen grande de la izquierda. El óvalo rojo en la esfera muestra la posición del cráter.

▶ Formular una hipótesis

Por tu cuenta Considera uno o más de los procesos que podrían producir las colinas y las rayas que se ven en la imagen de la izquierda.

En grupo En un grupo pequeño, examina posibles hipótesis que expliquen la creación de estas formaciones. Traten de ponerse de acuerdo en tu grupo sobre cúal es la más razonable.

RETO Crea un modelo que puedas usar para probar tu hipótesis. ¿Qué usarías para representar la superficie de Marte y las fuerzas que actúan sobre ella?

0   0.5   1.0 kilómetros

El sistema solar externo contiene cuatro planetas gigantes.

◀ ANTES, aprendiste

- Los planetas se formaron junto con el Sol
- Grandes distancias separan los planetas
- La gravedad de un planeta terrestre puede ser suficientemente fuerte como para retener los gases pesados

▶ AHORA, aprenderás

- Acerca de los cuatro planetas gigantes del sistema solar
- Cómo son las atmósferas de los planetas gigantes
- Acerca de los anillos de los planetas gigantes

VOCABULARIO

gigante de gas pág. 94
anillo pág. 97

PIENSA EN

¿Cómo es Júpiter por dentro?

La mayor parte de la inmensa masa de Júpiter está escondida bajo capas de nubes. Los científicos aprenden acerca de Júpiter estudiando su gravedad, su campo magnético, sus movimientos y su radiación. Los científicos también usan datos de otros cuerpos espaciales para hacer modelos a partir de los cuales hacen predicciones. Luego observan a Júpiter para probar sus predicciones. ¿Cómo será debajo de las nubes de Júpiter?

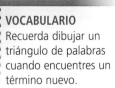

VOCABULARIO
Recuerda dibujar un triángulo de palabras cuando encuentres un término nuevo.

Los gigantes de gas tienen atmósferas muy profundas.

Ya has leído acerca de los cuatro planetas rocosos del sistema solar interno, cerca del Sol. Después de Marte se extiende el sistema solar externo, donde los cuatro planetas más grandes orbitan el Sol lentamente. Los **gigantes de gas,** es decir, Júpiter, Saturno, Urano y Neptuno, están compuestos principalmente de hidrógeno, helio y otros gases.

Cuando piensas en gases, probablemente piensas en el aire de la Tierra, el cual no es muy denso. Sin embargo, los planetas gigantes son tan grandes y poseen cantidades tan grandes de estos gases que tienen mucha masa. La inmensa fuerza gravitacional de una masa tan grande es suficiente para juntar las partículas de gas y hacer que la atmósfera sea muy densa. Dentro de los planetas gigantes, los gases se vuelven más densos que el agua. Las partes exteriores son menos densas y se parecen más a la atmósfera de la Tierra.

 LEER
¿Comprendiste? ¿Por qué son densos en su interior los gigantes de gas?

La atmósfera de un planeta gigante es muy profunda. Imagina que viajas al interior de una. Al principio, la atmósfera es muy fría y no es densa. Podrá haber una neblina de gases. Un poco más abajo hay una capa de nubes que reflejan la luz solar, igual que las nubes de la Tierra. Hay fuertes vientos y otros patrones meteorológicos. Más abajo, hace más calor y hay capas de nubes de diferentes materiales. Entre más avanzas, la atmósfera se hace gradualmente más densa hasta que puedes llamarla líquida. También se vuelve miles de grados más caliente conforme te acercas al centro del planeta. Los materiales a tu alrededor se hacen cada vez más densos hasta ser sólidos. Los científicos piensan que cada uno de los cuatro gigantes de gas tiene un núcleo sólido, más grande que la Tierra, a gran profundidad en su centro.

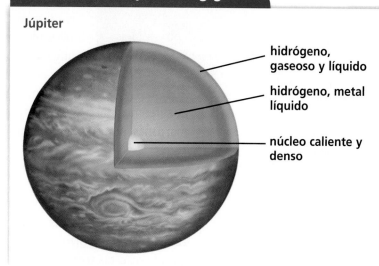

Interior de un planeta gigante

Júpiter

hidrógeno, gaseoso y líquido

hidrógeno, metal líquido

núcleo caliente y denso

Júpiter es un mundo de tormentas y nubes.

Júpiter es el planeta más grande del sistema solar. Su diámetro es más de 10 veces el de la Tierra y su volumen es más de 1200 veces más grande. Un avión a chorro que pudiera circunvolar la Tierra en 2 días tardaría 23 días en darle la vuelta a Júpiter. Si pudieras pesar los planetas en una balanza cósmica, todos los demás planetas juntos pesarían menos de la mitad de lo que pesa Júpiter.

Júpiter está más de cinco veces más lejos del Sol que la Tierra. Se mueve más lentamente por el espacio que la Tierra y en cada órbita tiene que recorrer una distancia mayor. Júpiter tarda 12 años de la Tierra en darle una vuelta al Sol.

A pesar de ser grande, Júpiter tarda menos de 10 horas en girar una vez sobre su eje. Esta rápida rotación produce fuertes vientos y un clima tormentoso. Al igual que la Tierra, Júpiter tiene bandas de vientos que soplan hacia el este y hacia el oeste, pero Júpiter tiene muchas más bandas que la Tierra.

Júpiter

Las coloridas franjas de Júpiter son producidas por nubes que se encuentran a diferentes niveles en su profunda atmósfera.

Masa 318 masas de la Tierra
Diámetro 11 diámetros de la Tierra
Distancia promedio al Sol 5.2 AU
Orbita en 12 años de la Tierra
Rota en 9.9 horas

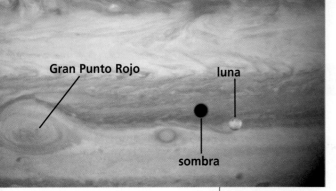

Gran Punto Rojo **luna**

sombra

Esta imagen muestra una de las lunas de Júpiter proyectando una sombra sobre Júpiter. Si estuvieras en esa sombra, experimentarías un eclipse solar.

Se forman franjas de nubes frías a lo largo de las bandas. Las nubes se ven blancas porque están compuestas de cristales que reflejan la luz solar. Los cristales en estas altas nubes blancas son de amoníaco congelado en vez de agua congelada como en la Tierra. Entre las bandas de nubes blancas de Júpiter se puede observar la siguiente capa. Las nubes inferiores son marrones o rojas y están compuestas de diferentes sustancias químicas. A veces hay huecos claros en las nubes marrones, por donde se asoma la siguiente capa de nubes azules.

LEER
¿Comprendiste? ¿Qué son las franjas blancas de Júpiter?

Se pueden formar tormentas entre las bandas de viento que soplan en direcciones opuestas. Como Júpiter no tiene tierra que disminuya la velocidad de las tormentas, éstas pueden durar mucho tiempo. La más grande de estas tormentas es el Gran Punto Rojo, la cual es dos veces el ancho de la Tierra y tiene por lo menos 100 años de edad. Sus nubes se elevan por encima de las blancas nubes de amoníaco congelado. Los científicos están tratando de averiguar qué sustancias químicas producen el color rojizo del punto.

Saturno tiene anillos grandes.

ACUÉRDATE

La densidad es la cantidad de masa en un volumen determinado. Un objeto de baja densidad puede tener una gran masa total si su volumen es grande.

El sexto planeta desde el Sol es Saturno. Saturno es sólo un poco más pequeño que Júpiter, pero su masa es menor a una tercera parte de la de Júpiter. Como hay menos masa, la fuerza gravitacional es menor, por lo que las partículas de gas están más dispersas. Como resultado, Saturno tiene una densidad mucho menor que Júpiter. Las tormentas y las franjas de nubes se forman a mayor profundidad en la atmósfera de Saturno que en la de Júpiter, por lo que los detalles son más difíciles de ver.

Saturno

Saturno tiene una densidad promedio menor a la del agua líquida en la Tierra. El diámetro del sistema de anillos de Saturno es casi tan grande como la distancia entre la Tierra y la Luna.

Masa 95 masas de la Tierra   **Orbita en** 29 años de la Tierra
Diámetro 9 diámetros de la Tierra   **Rota en** 11 horas
Distancia promedio al Sol 9.5 AU

Saturno fue el primer planeta en el que se supo que había anillos. Un **anillo** planetario es una zona ancha y plana de pequeñas partículas que orbitan el planeta. Los cuatro gigantes de gas tienen anillos alrededor de sus ecuadores. Los anillos de Saturno están compuestos de trozos de hielo de agua del tamaño de un edificio o más pequeños. Los trozos más grandes, considerados diminutas lunas, orbitan dentro de los anillos. Los anillos principales de Saturno son muy brillantes. El anillo exterior es tres veces más ancho que el planeta, pero normalmente es muy tenue para ser visto. Los anillos de Saturno tienen franjas brillantes y oscuras que cambian con el tiempo.

Puedes usar los anillos de Saturno para ver las estaciones del planeta. Al igual que el eje de rotación de la Tierra, el eje de Saturno está inclinado. El ángulo es de 27 grados. Cuando se tomó la imagen de esta página, la luz solar brillaba más en el hemisferio norte, por lo que el lado norte de los anillos estaba brillante. La sombra de los anillos se proyectaba sobre el hemisferio sur. El invierno comenzó en el hemisferio norte de Saturno en mayo del 2003 y durará más de siete años de la Tierra. Saturno está más de diez veces más lejos del Sol que la Tierra, por lo que Saturno tarda casi 30 años de la Tierra en darle una vuelta al Sol.

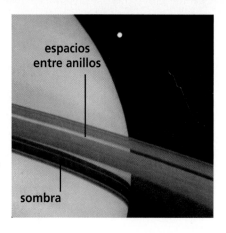

espacios entre anillos

sombra

La luz solar brilla desde la parte superior derecha de esta imagen. Los anillos proyectan sombras sobre las nubes de Saturno.

INVESTIGA Planetas gigantes

¿Por qué parece que los anillos de Saturno cambian de tamaño?

PROCEDIMIENTO

1. Encaja el palito a través del plato y recorta los bordes del plato. Haz un modelo de un planeta con anillos colocando plastilina a ambos lados del plato y dándole forma.

2. Haz un modelo de la órbita de Saturno para tu compañero. Ponte entre tu compañero y el reloj del salón de clase. Apunta un extremo del palito hacia el reloj. Sostén el modelo a la misma altura que los ojos de tu compañero. Pídele a tu compañero que observe el modelo con sólo un ojo abierto.

3. Muévete un paso en dirección contraria a las manecillas del reloj alrededor de tu compañero y apunta el palito de nuevo hacia el reloj. Asegúrate de que el modelo esté a la misma altura que los ojos de tu compañero. Puede que tu compañero necesite girar para ver el modelo.

4. Continúa dando pasos alrededor de tu compañero y apuntando el palito hacia el reloj hasta que le hayas dado la vuelta completa a tu compañero.

5. Cambia de posición con tu compañero y repitan los puntos 2, 3 y 4.

¿QUÉ PIENSAS?

- ¿Cómo cambió tu percepción de los anillos conforme el modelo del planeta cambió de posición?

- ¿Cuántas veces por órbita parecen desaparecer los anillos?

RETO ¿Cómo se comparan el eje y la órbita de Saturno a los de la Tierra?

HABILIDADES
Observar

MATERIALES
- palito de helado
- plato desechable
- tijeras
- plastilina

TIEMPO
20 minutos

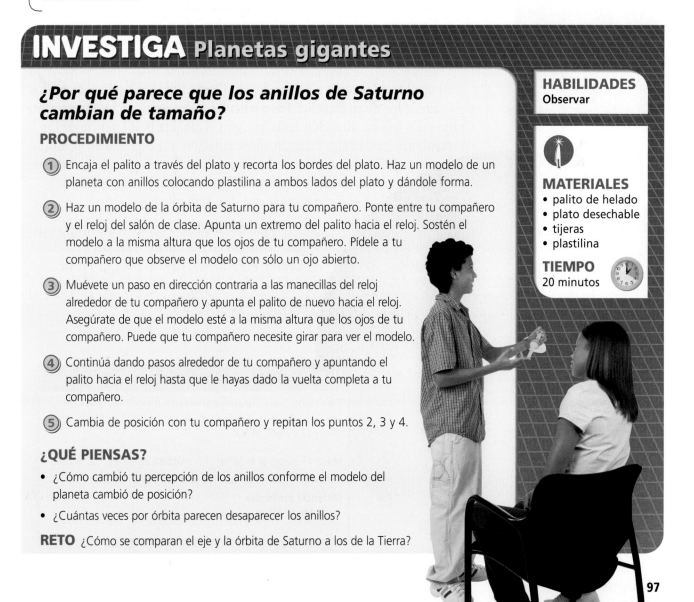

Urano y Neptuno son extremadamente fríos.

El séptimo y el octavo planeta desde el Sol son Urano y Neptuno. Estos planetas son de tamaño similar. Ambos tienen diámetros que son aproximadamente una tercera parte del diámetro de Júpiter. A diferencia de Júpiter y Saturno, hidrógeno y helio sólo forman el 15% de Urano y de Neptuno. La mayor parte de la masa de cada planeta está compuesta de gases más pesados, como metano, amoníaco y agua. Como resultado, Urano y Neptuno son más densos que Júpiter.

Urano se ve azul-verdoso y Neptuno se ve azul profundo. El color proviene del gas metano, el cual absorbe ciertos colores de la luz. Cada planeta tiene gas metano sobre una capa de nubes blancas. La luz solar pasa a través del gas, se refleja en las nubes y pasa de nuevo a través del gas al salir hacia fuera. El gas absorbe las partes rojas, naranjas y amarillas de la luz solar, por lo que el color azuloso de cada planeta proviene de la luz verde, azul y violeta restante que logra salir de la atmósfera.

Urano es un liso azul-verdoso a la luz visible. La pequeña imagen en infrarrojo muestra que el polo de cara al Sol es más caliente que el ecuador.

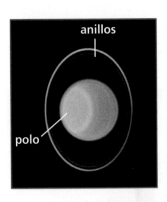

anillos

polo

Urano

Urano se encuentra aproximadamente al doble de la distancia entre Saturno y el Sol. Entre más lejos del Sol se encuentra un planeta, más lentamente se mueve por su órbita. Una mayor distancia resulta también en una órbita más grande, por lo que Urano tarda 84 años de la Tierra en viajar alrededor del Sol.

Al igual que los otros gigantes de gas, Urano tiene un sistema de anillos y lunas alrededor de su ecuador. Las partículas de los anillos y las lunas orbitan Urano en la misma dirección en la que gira el planeta. A diferencia de los otros planetas, Urano tiene un eje de rotación que está casi en el mismo plano que su órbita. Como resultado, Urano parece girar sobre un costado. Durante un solsticio, uno de los polos de Urano apunta casi directamente hacia el Sol.

Algunos científicos piensan que hubo una gran colisión en los inicios de la historia de Urano. El resultado dejó al planeta y a su sistema girando en un ángulo inusual.

Urano

Cada polo de Urano experimenta más de 40 años de luz y luego más de 40 años de oscuridad conforme el planeta orbita el Sol.

Masa 15 masas de la Tierra   **Orbita en** 84 años de la Tierra

Diámetro 4 diámetros de la Tierra   **Rota en** 17 horas

Distancia promedio al Sol 19 AU

Neptuno

La órbita de Neptuno está aproximadamente 10 AU más lejos del Sol que la de Urano, así que esperarías que fuera más frío. Sin embargo, Neptuno tiene aproximadamente la misma temperatura exterior que Urano porque su interior es más caliente.

Urano generalmente es de un solo color, pero en Neptuno a menudo aparecen zonas claras y oscuras. Se pueden formar nubes de cristales de hielo de metano a gran altura en la atmósfera de Neptuno, haciendo que se vea blanco.

Los sistemas de tormentas se pueden ver como sombras de un azul más oscuro que el resto del planeta. Una tormenta, vista durante un sobrevuelo de la nave espacial *Voyager 2* en 1989, fue llamada Gran Punto Oscuro. A diferencia de la inmensa tormenta de Júpiter, el Gran Punto Oscuro no se mantuvo a la misma latitud. Se movió hacia el ecuador de Neptuno. Es posible que los vientos allí hayan disuelto la tormenta. Las imágenes de Neptuno obtenidas unos años después con el telescopio espacial Hubble no mostraron rastro del Gran Punto Oscuro.

LEER
¿Comprendiste? ¿Qué son las manchas blancas que se observan frecuentemente en Neptuno?

Neptuno

Neptuno tiene una luna grande que orbita en dirección opuesta a la rotación de Neptuno. Los científicos piensan que haya ocurrido una gigantesca colisión en el pasado de Neptuno.

Masa 17 masas de la Tierra
Diámetro 4 diámetros de la Tierra
Distancia promedio al Sol 30 AU
Orbita en 164 años de la Tierra
Rota en 16 horas

Altas nubes proyectan sombras sobre la capa inferior.

nube

sombra

3.3 REPASO

CONCEPTOS CLAVE

1. ¿Qué planeta tiene una masa mayor a la de todos los demás planetas juntos?

2. ¿Qué ves en lugar de una superficie sólida cuando observas la imagen de un planeta gigante?

3. ¿Cuáles son los planetas que tienen anillos?

RAZONAMIENTO CRÍTICO

4. **Comparar y contrastar** ¿Por qué muestran Júpiter y Saturno mucho color blanco, mientras que los colores de Urano y de Neptuno son más azules?

5. **Analizar** La mayor parte de Saturno es mucho menos densa que casi toda la Tierra. Sin embargo, la masa de Saturno es mucho mayor que la de la Tierra. ¿Cómo es posible?

⏺ RETO

6. **Aplicar** ¿Cómo cambiaría el aspecto de Urano si tuviera áreas de cristales de hielo en la parte alta de su atmósfera?

CONCEPTO CLAVE

Los objetos pequeños están compuestos de hielo y roca.

 ANTES, aprendiste

- Se formaron objetos pequeños junto con el Sol y los planetas
- Los planetas del sistema solar interno están compuestos de roca y metal
- El sistema solar externo es frío

▶ **AHORA, aprenderás**

- Acerca de Plutón y las lunas de los planetas gigantes
- En qué se parecen y en qué se diferencian los asteroides y los cometas
- Qué sucede cuando diminutos objetos golpean la atmósfera de la Tierra

VOCABULARIO

asteroide pág. 103
cometa pág. 104
meteoro pág. 105
meteorito pág. 105

PIENSA EN

¿Los cuerpos espaciales pequeños se erosionan?

Los cuerpos espaciales muy pequeños a menudo tienen forma de papa. Algunos están cubiertos de polvo, piedras y cráteres. La radiación solar puede descomponer material directamente, o al calentar y enfriar una superficie. El material puede deslizar cuesta abajo, aun en un asteroide pequeño. ¿Qué otros procesos crees que actúan sobre cuerpos espaciales pequeños y medianos?

Plutón y la mayoría de los objetos en el sistema solar externo están compuestos de hielo y roca.

LEER Un consejo

El nombre del satélite de la Tierra es la Luna, pero la palabra *luna* también se usa para referirnos a otros satélites.

Los materiales de un cuerpo espacial dependen del lugar en el cual se formó. El disco de material que se convirtió en el sistema solar era frío en la parte externa y más caliente en el centro, donde el Sol se estaba formando. Lejos del centro, compuestos químicos como el dióxido de carbono, el amoníaco y el agua estaban congelados. Estos hielos se convirtieron en parte del material que formó los cuerpos en el sistema solar externo. Los cuerpos que se formaron cerca del centro del sistema solar están compuestos principalmente de roca y de metal. Los cuerpos que se formaron lejos del centro son principalmente de hielo con algo de roca y un poco de metal.

Algunos de los cuerpos tenían suficiente masa para volverse redondos. Algunos inclusive se derritieron y formaron núcleos, mantos y cortezas. Muchos de estos cuerpos tienen montañas y valles, volcanes e inclusive vientos y nubes. Los procesos que afectan a la Tierra también afectan a otros cuerpos espaciales.

 LEER ¿Comprendiste? ¿Qué nos indican las proporciones de hielo, roca y metal acerca de un objeto espacial?

Plutón y Caronte

Muchos cuerpos espaciales de hielo y roca orbitan el Sol a la distancia de Neptuno y más allá. Desde 1992, los científicos han estado usando equipo sofisticado para encontrar y estudiar estos cuerpos. Sin embargo, uno de los cuerpos se conoce desde 1930. Debido a que Plutón fue descubierto varias décadas antes que los otros objetos, se considera uno de los nueve planetas principales.

Plutón es el más pequeño de los nueve planetas. Es más pequeño que la Luna. La masa de Plutón es menor al 0.3 por ciento de la masa de la Tierra, por lo que su atracción gravitacional es débil. Sin embargo, Plutón es redondo y probablemente tiene núcleo, manto y corteza. Plutón tiene también una atmósfera delgada. Ninguna nave espacial ha pasado cerca de Plutón, por lo que los científicos no tienen imágenes claras de la superficie del planeta.

LEER
¿Comprendiste? ¿Por qué saben los científicos menos acerca de Plutón que acerca de los otros planetas?

La luna de Plutón, Caronte, tiene un diámetro que es la mitad del diámetro de Plutón y una masa de cerca del 15 por ciento de la de Plutón. Debido a que Plutón y Caronte se orbitan mutuamente, a veces se les llama un planeta doble. Así como la Luna siempre tiene el mismo lado mirando hacia la Tierra, Plutón y Caronte siempre mantienen los mismos lados mirándose uno al otro.

Plutón y Caronte también se mueven juntos alrededor del Sol. La trayectoria de Plutón alrededor del Sol no es tan redonda como las órbitas del resto de los planetas, por lo que su distancia al Sol cambia mucho conforme orbita. Plutón se acerca más al Sol que la distancia de Neptuno de 30 AU. En el otro lado de su órbita, Plutón está aproximadamente a 50 AU del Sol. La órbita de Plutón está en un ángulo con respecto a la de Neptuno, como se puede ver en el diagrama de abajo, por lo que las dos trayectorias no se cruzan y los planetas no chocarán.

Plutón

Este mapa de la superficie de Plutón sólo muestra las áreas brillantes y oscuras porque Plutón está muy lejos de la Tierra y ninguna nave espacial se ha acercado lo suficiente para que se vea su superficie con detalle.

Masa 0.2% de la masa de la Tierra
Diámetro 18% del diámetro de la Tierra
Distancia promedio al Sol 40 AU
Orbita en 248 años de la Tierra
Rota en 6 días de la Tierra

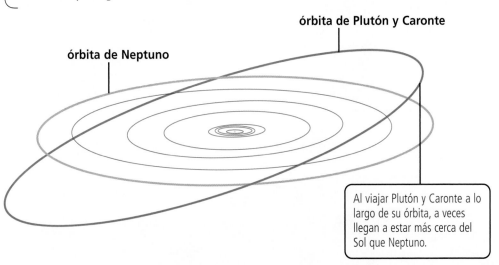

órbita de Plutón y Caronte

órbita de Neptuno

Al viajar Plutón y Caronte a lo largo de su órbita, a veces llegan a estar más cerca del Sol que Neptuno.

Lunas de los gigantes de gas

RESOURCE CENTER
CLASSZONE.COM

Aprende más acerca de las diferentes lunas de los planetas gigantes.

Cada planeta gigante tiene un sistema de lunas. Seis de las lunas son más grandes que Plutón. Sus formaciones son creadas por los mismos procesos que moldean los planetas terrestres. La luna más grande de Saturno, Titán, tiene una atmósfera densa de nitrógeno, como la de la Tierra, aunque una neblina esconde la superficie de Titán. La luna más grande de Neptuno, Tritón, tiene una atmósfera delgada y volcanes de hielo. Júpiter tiene cuatro lunas grandes: Io, Europa, Ganímedes y Calisto. Io tiene volcanes que continúan haciendo erupción, por lo que tiene pocos cráteres de impacto. Europa tiene largas cordilleras donde la corteza ha sido empujada y jalada por el material debajo de ella. Las dos lunas exteriores tienen cráteres sobre la mayor parte de sus superficies.

Las otras lunas de los gigantes de gas son más pequeñas que Plutón, con diámetros que van de 1600 kilómetros (1000 mi) a sólo unos pocos kilómetros. Las lunas más pequeñas tienen formas irregulares, y algunas pueden ser cuerpos que fueron capturados por la gravedad del planeta.

LEER
¿Comprendiste? ¿Qué procesos actúan en las lunas más grandes?

Unas lunas de los gigantes de gas

Las lunas en el sistema solar externo son moldeadas por los mismos procesos que producen formaciones en los planetas terrestres.

Titán, una luna de Saturno, tiene una atmósfera densa de nitrógeno gaseoso frío. Una neblina densa esconde su superficie.

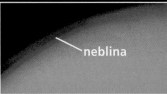
neblina

Europa, una luna de Júpiter, tiene una corteza de agua congelada moldeada por la tectónica. Material caliente del interior ha roto la corteza en muchos pedazos.

cordilleras

Tritón, una luna de Neptuno, tiene rayas oscuras que muestran dónde han hecho erupción los volcanes de hielo. Los vientos de la delgada atmósfera soplan material hacia un lado de la erupción.

volcán de hielo
raya

Io, una luna de Júpiter, tiene una superficie que constantemente es alterada por volcanes. Material nuevo cubre la superficie y luego cambia de color con el tiempo.

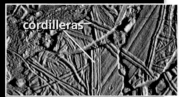
volcán (color añadido)

LEER
DATOS VISUALES ¿Qué imágenes muestran volcanes?

Asteroides y cometas orbitan el Sol.

Junto con el Sol, los planetas y las lunas, se formaron unos objetos llamados asteroides y cometas. Estos objetos aún orbitan el Sol a diferentes distancias. La mayoría de los objetos son mucho más pequeños que los planetas y les faltó masa para volverse redondos. Los objetos que se formaron lejos del Sol están compuestos principalmente de hielo, con un poco de roca y de metal. Los objetos que se formaron cerca del Sol, donde estaba más caliente, tienen poco hielo o carecen de él.

IDEA PRINCIPAL Y DETALLES
Recuerda tomar apuntes que te ayuden a estudiar después.

Asteroides

Los cuerpos pequeños, sólidos y rocosos que orbitan cerca del Sol se llaman **asteroides.** Sus diámetros van desde 1000 kilómetros (600 mi) hasta un kilómetro o menos. Menos los más grandes, su gravedad es demasiado débil para poder convertirlos en esferas redondas. Por lo tanto, la mayoría de los asteroides tienen formas irregulares. Algunos asteroides son los pedazos rotos de asteroides más grandes y redondeados.

La mayoría de los asteroides siguen trayectorias que los mantienen entre las órbitas de Marte y de Júpiter. Esta gran región se llama cinturón de asteroides y contiene más de 10,000 asteroides. Sin embargo, los asteroides están tan separados uno del otro que las naves espaciales de la Tierra han atravesado el cinturón sin peligro de colisión. Se estima que la masa de todos los asteroides juntos es menor que la masa de nuestra Luna.

cráter grande

Este asteroide es pequeño comparado con un planeta, pero es grande comparado con una persona. El cráter grande en la parte inferior es aproximadamente el tamaño de una ciudad pequeña.

Las superficies de los asteroides están cubiertas de cráteres, pedazos de roca y polvo. A pesar de que los asteroides están separados, objetos pequeños sí chocan contra ellos de vez en cuando. Los impactos de hace mucho tiempo todavía son visibles porque la mayoría de los asteroides no tienen la masa suficiente como para haber formado núcleos, mantos y cortezas. Por lo tanto, no tienen vulcanismo ni tectónica que borre los cráteres. La mayoría de los asteroides no tienen atmósferas, por lo que sus superficies cambian sólo cuando hay impactos o cuando la gravedad arrastra material cuesta abajo.

LEER ¿Comprendiste? ¿Por qué tienen cráteres los asteroides?

Algunos asteroides han chocado contra la Tierra en el pasado. Las colisiones dejaron cráteres de impacto, algunos de los cuales todavía son visibles hoy en día. Los científicos han encontrado evidencia de que un asteroide de 10 kilómetros (6 mi) de diámetro chocó contra la Tierra hace 65 millones de años. Una nube de polvo de la colisión se dispersó alrededor del mundo y probablemente afectó a las temperaturas de la superficie. Muchas formas de vida, incluídos los dinosaurios, murieron alrededor de esa época, y el impacto puede haber sido toda o parte de la razón. Hoy en día los astrónomos están trabajando para estudiar todos los asteroides mayores a 1 kilómetro (0.6 mi) de diámetro para determinar si alguno podría chocar contra la Tierra.

Cometas

A veces aparece un punto borroso en el cielo nocturno. Crece de noche a noche conforme cambia de posición con respecto a las estrellas en el fondo. El punto borroso es una nube de material, llamada coma, alrededor de un objeto espacial pequeño. Un objeto que produce una coma se llama **cometa.** Un cometa sin su coma es un objeto pequeño de hielo que es difícil de ver aun con un poderoso telescopio. Los científicos usan el número de cometas que se han vuelto visibles para inferir que un número vasto de cometas existen.

Los cometas se formaron lejos del Sol, por lo que están compuestos de diferentes tipos de hielo así como de roca y algo de metal. Sus órbitas normalmente son más ovaladas que las órbitas de los planetas. La órbita de un cometa lo puede llevar desde regiones más allá de la órbita de Plutón hasta el sistema solar interno.

Cuando un cometa se acerca al Sol, la radiación solar calienta su superficie y convierte parte del hielo en gas. Se forma una coma conforme el gas se mueve hacia fuera, a menudo llevando polvo consigo. La radiación solar y las partículas de alta velocidad provenientes del Sol empujan este material para formar una o más colas que se pueden extender millones de kilómetros. La cola de un cometa apunta en dirección opuesta al Sol, no importa en qué dirección se mueva el cometa. La coma y las colas se ven brillantes porque la luz solar brilla sobre ellas, a pesar de que pueden ser menos densas que la atmósfera de la Tierra.

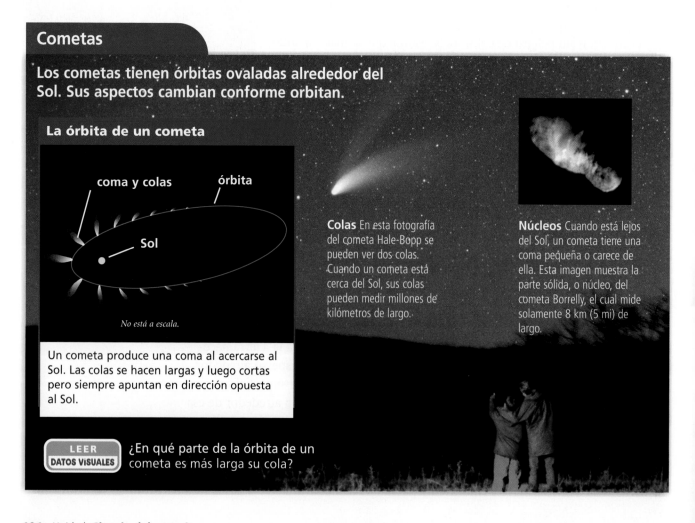

Cometas

Los cometas tienen órbitas ovaladas alrededor del Sol. Sus aspectos cambian conforme orbitan.

La órbita de un cometa

coma y colas   órbita

Sol

No está a escala.

Un cometa produce una coma al acercarse al Sol. Las colas se hacen largas y luego cortas pero siempre apuntan en dirección opuesta al Sol.

Colas En esta fotografía del cometa Hale-Bopp se pueden ver dos colas. Cuando un cometa está cerca del Sol, sus colas pueden medir millones de kilómetros de largo.

Núcleos Cuando está lejos del Sol, un cometa tiene una coma pequeña o carece de ella. Esta imagen muestra la parte sólida, o núcleo, del cometa Borrelly, el cual mide solamente 8 km (5 mi) de largo.

LEER DATOS VISUALES ¿En qué parte de la órbita de un cometa es más larga su cola?

La mayoría de los cometas son demasiado tenues como para poder verse fácilmente desde la Tierra. Pueden pasar muchos años entre apariciones de cometas brillantes, como el de la fotografía de la página 104.

 LEER **¿Comprendiste?** ¿Qué hace visible a un cometa?

Meteoros y meteoritos

La Tierra choca constantemente con partículas en el espacio. La Tierra orbita el Sol a aproximadamente 100,000 kilómetros por hora (70,000 mi/h), así que estas partículas entran a la delgada parte superior de la atmósfera de la Tierra a velocidades muy altas. Las partículas y el aire a su alrededor se calientan tanto que brillan, produciendo breves rayos luminosos llamados **meteoros.** Puede que veas unos cuantos meteoros por hora en una noche oscura y despejada. Varias veces al año, la Tierra atraviesa un grupo de partículas que ha dejado un cometa. En la lluvia de meteoros resultante puedes ver varios meteoros por hora.

Un meteoro producido por una partícula de un cometa puede durar menos de un segundo. Los fragmentos de roca o de metal provenientes de asteroides pueden producir meteoros más brillantes y duraderos. En raras ocasiones, un meteoro muy brillante, llamado bólido, ilumina el cielo durante varios segundos.

Un objeto de mayor masa, probablemente de 10 gramos o más, tal vez no será destruido por la atmósfera de la Tierra. Un **meteorito** es un objeto espacial que llega a la superficie de la Tierra. La parte externa de un meteorito generalmente es lisa porque se derritió, pero el interior puede seguir congelado. La mayoría de los meteoritos provienen del cinturón de asteroides, pero unos cuantos son fragmentos rocosos que han explotado hacia el espacio desde la Luna y desde Marte.

Este pedazo de hierro es parte de un enorme meteorito. La energía del impacto derritió el metal y cambió su forma.

 LEER **¿Comprendiste?** ¿Cuál es la diferencia entre un meteoro y un meteorito?

3.4 REPASO

CONCEPTOS CLAVES

1. ¿En qué se parecen Plutón y la mayoría de las lunas de los gigantes de gas?

2. Menciona dos diferencias entre los asteroides y los cometas.

3. ¿Qué causa los meteoros?

RAZONAMIENTO CRÍTICO

4. Aplicar De los cuatro tipos de procesos que moldean los mundos terrestres, ¿cuáles también moldean las superficies de las lunas de los planetas gigantes?

5. Comparar y contrastar ¿En qué se diferencia un cometa de un meteoro?

⬥ RETO

6. Predecir ¿Cómo piensas que se vería Plutón si su órbita lo acercara al Sol?

Explorar cráteres de impacto

DISEÑA
— TU PROPIO —
EXPERIMENTO

DESCRIPCIÓN Y PROPÓSITO Hace aproximadamente 50,000 años, un asteroide cayó en picada a través de la atmósfera de la Tierra y explotó cerca de lo que ahora es Winslow, Arizona. La fotografía de la izquierda muestra el cráter de impacto que resultó, el cual mide cerca de 1.2 kilómetros (0.7 mi) de ancho. La mayoría de los otros cráteres en la Tierra se han borrado. Sin embargo, algunos planetas y la mayoría de las lunas en el sistema solar tienen superficies cubiertas de cráteres. En esta investigación vas a

- usar objetos sólidos para producir cráteres en una superficie de harina
- determinar cómo afecta una variable al cráter resultante

▶ Problema   Por escrito

¿Cómo afecta al cráter resultante una característica del impacto o del objeto que choca?

▶ Hacer hipótesis   Por escrito

Completa los pasos 1 a 5 antes de escribir el planteamiento del problema y la hipótesis. Cuando hayas identificado la variable a probar, escribe una hipótesis para explicar cómo afectará al cráter el cambio de esta variable. Tu hipótesis debe tomar la forma de un enunciado "Si..., entonces..., porque...".

▶ Procedimiento

MATERIALES

- periódicos
- recipiente
- harina
- polvo de color
- objetos diversos
- regla de un metro
- regla
- balanza

1. Coloca el recipiente sobre los periódicos y agrega de 2 a 4 cm de harina. Revuelve la harina para romper los terrones y luego empareja la superficie con una regla. Espolvorea la superficie con polvo de color.

2. Deja caer un objeto a la harina desde la altura de tu cintura, luego recoge el objeto con cuidado, sin alterar la harina. Usa el diagrama para identificar las diferentes partes del cráter de impacto que produjiste.

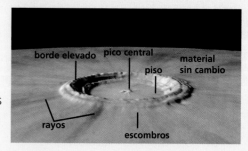

borde elevado   pico central   material sin cambio   piso   rayos   escombros

3. Para ayudarte a diseñar el experimento, prueba diferentes formas de producir cráteres. Haz cada cráter nuevo en una zona diferente del recipiente. Si el recipiente se llena demasiado de cráteres, revuelve la harina, empáréjala y espolvorea más polvo de color.

4. Diseña un experimento para probar los efectos de una variable. Escoge sólo una variable para cambiar, por ejemplo, la altura, o el tamaño o la masa del objeto, o tal vez la esponjosidad de la harina. Determina cuánto necesitas cambiar la variable para obtener resultados que sean suficientemente diferentes para que los puedas observar.

5. Experimenta para encontrar alguna parte del cráter que se afecte al cambiar tu variable, como la profundidad, el tamaño de la capa de escombros o el número de rayos. Diseña tu experimento de manera que puedas medir la parte del cráter que cambia más.

6. Escribe un planteamiento específico del problema que completa la pregunta, ¿Cómo afecta _____ a _____? Escribe una hipótesis para contestar el planteamiento del problema.

7. Realiza tu experimento. No cambies ningún otro factor salvo la variable que escogiste.

8. Efectúa varias pruebas para cada valor de la variable, porque hay factores que no puedes controlar.

9. Anota las mediciones y otras observaciones y haz dibujos conforme avanzas.

▶ Observar y analizar
Por escrito

1. **ANOTAR** Usa un diagrama para mostrar cómo mides los cráteres. Organiza tus datos en una tabla. Incluye espacios para promedios.

2. **IDENTIFICAR VARIABLES** Haz una lista de las variables y las constantes. La variable independiente es el factor que cambiaste. La variable dependiente es afectada por este cambio. Usa estas definiciones cuando hagas la gráfica de tus resultados.

3. **CALCULAR** Determina los promedios sumando todas tus mediciones para cada valor de tu variable independiente y luego dividiendo la suma entre el número de mediciones.

4. **HACER UNA GRÁFICA** Haz una gráfica lineal de tus resultados promedio. Coloca la variable independiente en el eje horizontal y la variable dependiente en el eje vertical. ¿Por qué debes usar una gráfica lineal en lugar de una gráfica de barras para estos datos?

▶ Sacar conclusiones

Por escrito

1. **ANALIZAR** Contesta tu planteamiento del problema. ¿Tus datos apoyan tu hipótesis?

2. **EVALUAR** ¿Pudiste identificar una tendencia en tus resultados? ¿Será un fracaso tu experimento si no puedes identificar una tendencia? ¿Por qué sí o por qué no?

3. **IDENTIFICAR LÍMITES** ¿Cómo modificarías el diseño de tu experimento ahora que has visto los resultados?

4. **APLICAR** ¿Qué piensas que sucedería si un objeto chocara contra el agua en vez de la tierra?

▶ INVESTIGAR más

RETO ¿Cómo difieren los cráteres de este modelo de los cráteres de impacto reales? Diseña, pero no realices, un experimento para simular el proceso de formación de cráteres de manera más realista.

Explorar cráteres de impacto

Problema ¿Cómo afecta _____ a _____?

Hacer hipótesis

Observar y Analizar

Tabla 1. Datos y promedios

Sacar conclusiones

Repaso del capítulo

la GRAN idea

Los planetas y otros objetos forman un sistema alrededor del Sol.

CONTENT REVIEW
CLASSZONE.COM

RESUMEN DE LOS CONCEPTOS CLAVE

3.1 Los planetas orbitan el Sol a diferentes distancias.

Los planetas tienen diferentes tamaños y distancias al Sol. El sistema solar se formó a partir de un disco de polvo y gas. Los objetos masivos se volvieron redondos.

sistema solar interno
Mercurio, Venus, la Tierra, Marte, asteroides

sistema solar externo
Júpiter, Saturno, Urano, Neptuno, Plutón, cometas

VOCABULARIO
unidad astronómica (AU) pág. 81
elipse pág. 81

3.2 El sistema solar interno contiene planetas rocosos.

- Los planetas terrestres son redondos y tienen capas.
- Las atmósferas provinieron de volcanes e impactos.
- Cuatro procesos producen las formaciones en la superficie.

tectónica

vulcanismo

meteorización y erosión

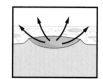
formación de cráteres de impacto

VOCABULARIO
planeta terrestre pág. 85
tectónica pág. 86
vulcanismo pág. 86

3.3 El sistema solar externo contiene cuatro planetas gigantes.

- Los gigantes de gas tienen atmósferas muy densas y profundas con capas de nubes.
- Los cuatro gigantes de gas tienen sistemas de anillos.

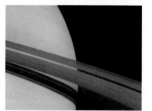
Acercamiento de los anillos de Saturno

VOCABULARIO
gigante de gas pág. 94
anillo pág. 97

3.4 Los objetos pequeños están compuestos de hielo y roca.

- Los objetos en el sistema solar interno son rocosos.
- Plutón y la mayoría de los objetos en el sistema solar externo están compuestos de hielo y roca.
- Los asteroides rocosos y los cometas de hielo orbitan el Sol y producen diminutos fragmentos que pueden convertirse en meteoros.

El asteroide Eros

VOCABULARIO
asteroide pág. 103
cometa pág. 104
meteoro pág. 105
meteorito pág. 105

Repasar el vocabulario

Haz un diagrama de Venn para cada par de términos. Escribe una semejanza importante en la parte que se traslapa. Utiliza el resto del diagrama para mostrar una diferencia importante.

Ejemplo:

Anillo   Luna

muchos pedazos pequeños | orbita un planeta | un solo objeto sólido

1. planeta terrestre, gigante de gas

2. vulcanismo, formación de cráteres de impacto

3. erosión, tectónica

4. asteroide, cometa

5. meteoro, meteorito

6. cometa, meteoro

Repasar los conceptos clave

Elección múltiple *Escoge la letra de la mejor respuesta.*

7. A pesar de que las órbitas son elipses, ¿a qué forma se parece más la órbita típica de un planeta?
   a. un rectángulo corto
   b. una forma de huevo con un extremo puntiagudo
   c. un óvalo largo y angosto
   d. un círculo

8. ¿En qué se diferencia una luna de un planeta?
   a. Una luna es más pequeña que cualquier planeta.
   b. Una luna es menos masiva que cualquier planeta.
   c. Una luna orbita alrededor de un planeta.
   d. Una luna no puede tener atmósfera.

9. ¿Cuál de estos aparece en la atmósfera terrestre?
   a. una luna   c. un meteoro
   b. un asteroide   d. un cometa

10. ¿Cómo se formaron los planetas y otros objetos en el sistema solar?
    a. Después de que se formó el Sol, arrojó pedazos calientes que giraron y se enfriaron.
    b. El Sol capturó objetos que se formaron en otras partes de la galaxia.
    c. Dos estrellas chocaron y los pedazos rotos entraron en órbita alrededor del Sol.
    d. El material en un disco formó grupos grandes mientras que el Sol se formaba en el centro del disco.

11. ¿Qué proceso ocurre sólo cuando un pequeño objeto espacial interactúa con un objeto espacial más grande?
    a. tectónica   c. erosión
    b. vulcanismo   d. formación de cráteres de impacto

12. ¿Qué procesos ocurren porque el interior de un planeta u otro objeto espacial está caliente?
    a. tectónica y vulcanismo
    b. vulcanismo y erosión
    c. erosión y formación de cráteres de impacto
    d. formación de cráteres de impacto y tectónica

13. ¿Qué tienen los cuatro gigantes de gas que no tienen los planetas terrestres?
    a. atmósferas   c. lunas
    b. superficies sólidas d. anillos

14. ¿Qué son las franjas blancas de Júpiter y las manchas blancas de Neptuno?
    a. nubes en la parte alta de la atmósfera
    b. humo de volcanes
    c. continentes e islas
    d. hoyos en la atmósfera

Respuesta breve *Escribe una respuesta breve para cada pregunta.*

15. La parte sólida de un cometa es pequeña en comparación con un planeta. Sin embargo, un cometa a veces se ve más grande que el Sol. ¿Qué hace que se vea tan grande?

16. ¿Por qué orbitan el Sol en la misma dirección los nueve planetas principales?

Razonamiento crítico

Usa la imagen de Ganímedes, una luna de Júpiter, para contestar las siguientes cinco preguntas.

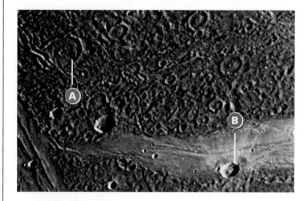

17. OBSERVAR ¿Qué cráter, A o B, está más erosionado? Explica por qué lo crees.

18. COMPARAR Y CONTRASTAR Describe las diferencias entre la superficie en la parte superior de la imagen y el área larga y triangular en la parte inferior de la imagen.

19. INFERIR Explica qué área de la superficie, la lisa o la que tiene muchos cráteres, probablemente es más vieja.

20. APLICAR El área más clara fue producida por procesos tectónicos y puede haber estado cubierta de material fundido. ¿Qué puedes inferir acerca del interior de esta luna?

21. ORDENAR Una grieta atraviesa parte del cráter A. Explica cómo puedes saber cuál se formó primero, la grieta o el cráter. **Pista:** Piensa en lo que habría pasado si la otra formación se hubiera creado primero.

22. PREDECIR Supón que el interior de la Luna fuera más caliente. ¿Cómo sería diferente su superficie?

23. IDENTIFICAR LA CAUSA La superficie de Mercurio no es tan caliente como la de Venus, a pesar de que Mercurio está más cerca del Sol. Además, el lado nocturno de Mercurio se enfría mucho, mientras que el lado nocturno de Venus es tan caliente como el lado diurno. ¿Por qué son tan diferentes los patrones de temperatura de estos dos planetas?

24. EVALUAR ¿Sería más fácil diseñar una misión de aterrizaje para la superficie de Venus o para la de Mercurio? Explica tu razonamiento.

25. INFERIR Algunos cometas orbitan en dirección opuesta a la de los planetas. ¿Por qué haría esto que algunos científicos se pregunten si estos cometas se formaron junto con el resto del sistema solar?

26. HACER HIPÓTESIS Los científicos calculan la masa de un planeta en base a los efectos de su gravedad sobre otros objetos, como las lunas. Sin embargo, Mercurio y Venus no tienen lunas. ¿Qué otros objetos espaciales pudieron haberse usado para determinar las masas de estos planetas?

27. COMPARAR Y CONTRASTAR Imágenes de la Tierra desde el espacio muestran pequeñas nubes blancas encima de tierra y agua más oscuras. ¿En qué maneras se parecen y se diferencian de las imágenes de Júpiter?

Tierra   **Júpiter**

28. ANALIZAR Los científicos a veces usan números redondos para comparar cantidades. Por ejemplo, un científico puede decir que el diámetro del Sol es cerca de 100 veces el diámetro de la Tierra, aun cuando sabe que el valor preciso es 109 veces. ¿Por qué crees que usa aproximaciones como ésta?

la GRAN idea

29. APLICAR Mira las páginas 76 y 77 otra vez. Piensa en la respuesta que diste a la pregunta acerca de la imagen grande del planeta y de la luna. ¿Cómo contestarías esa pregunta ahora?

30. SINTETIZAR El hielo generalmente es menos denso que la roca, la cual a su vez es menos densa que el metal. Usa lo que sabes acerca de los materiales en el sistema solar para calcular cuál debería ser el menos denso: una luna de Marte, una luna de Urano o el planeta Mercurio.

Proyecto para la unidad

Revisa el plan de tu proyecto para la unidad. ¿Cómo vas? Asegúrate de haber colocado los datos o los apuntes de tu investigación en tu carpeta del proyecto.

Interpretar un pasaje

Lee el siguiente pasaje. Luego contesta las preguntas que siguen.

La vida en medios ambientes extremosos

¿Podrían sobrevivir los organismos vivos en la atmósfera caliente y abrumadora de Venus? ¿Podrían prosperar en un asteroide sin agua u obtener su energía de las mareas del océano oscuro que podrá existir bajo la superficie de Europa? Los científicos están buscando respuestas a estas preguntas, aquí mismo, en la Tierra. Estudian a los extremófilos, los cuales son formas de vida que pueden sobrevivir en ambientes extremosos, es decir, a temperaturas muy altas o muy bajas u otras condiciones difíciles. Estos ambientes tienen condiciones parecidas a las de otros planetas y a las de las lunas, los asteroides y los cometas.

Los científicos han encontrado diminutos organismos que pueden crecer en el agua hirviente de las aberturas hidrotermales en el fondo del océano, en la profundidad de las rocas y en pequeñas lagunas dentro de los glaciares. Los científicos también han encontrado organismos que estaban latentes porque habían estado congelados durante miles de años, pero que todavía eran capaces de vivir y crecer después de calentarse. Al estudiar a los extremófilos, los científicos aprenden más acerca de las condiciones necesarias para mantener la vida.

Escoge entre los siguientes cuatro ambientes para contestar cada una de las siguientes tres preguntas.

- el océano oscuro que puede estar bajo la superficie de Europa
- los canales de inundación de Marte, que han estado secos y congelados por mucho tiempo
- el ambiente muy caliente y con alta presión de Venus
- la roca seca de un asteroide que se calienta y se enfría alternadamente

1. Algunos organismos sobreviven bajo agua a gran profundidad, donde la fotosíntesis no ocurre porque la luz solar no llega a esas profundidades. ¿Acerca de qué ambiente nos enseñan estos organismos?
  a. bajo la superficie de Europa   **c.** Venus
  b. los canales de inundación de Marte   **d.** un asteroide

2. Algunos organismos sobreviven en grietas muy profundas de las rocas, donde están protegidos de las temperaturas cambiantes. ¿En qué otros lugares podrían los científicos buscar estos tipos de organsimos?
  a. bajo la superficie de Europa   **c.** Venus
  b. los canales de inundación de Marte   **d.** un asteroide

3. ¿Dónde deberían buscar los científicos diminutos organismos que están latentes pero que podrían revivir si se les proporcionara calor y agua?
  a. bajo la superficie de Europa   **c.** Venus
  b. los canales de inundación de Marte   **d.** un asteroide

4. Fuera de la Tierra, ¿dónde deberían los científicos buscar pequeñas lagunas de agua dentro de hielo sólido?
  a. en los otros planetas terrestres
  b. en los gigantes de gas
  c. en pequeños objetos del sistema solar interno
  d. en pequeños objetos del sistema solar externo

Respuesta desarrollada

Contesta las siguientes dos preguntas en detalle.

5. Se le entregó a una clase una muestra de levadura común, seca y latente que había sido expuesta a un ambiente extremo. Describe las maneras por medio de las cuales los estudiantes podrían probar si la levadura permaneció libre de daños o siquiera si sobrevivió a las condiciones.

6. Imagina que los científicos han encontrado extremófilos en nubes de cristales de agua congelada a gran altitud en la atmósfera de la Tierra. ¿Cómo afectaría este descubrimiento a la búsqueda de organismos en los gigantes de gas?

Las estrellas, las galaxias y el universo

la GRAN idea

El Sol es una de las miles de millones de estrellas de una de las miles de millones de galaxias del universo.

Conceptos Clave

SECCIÓN

El Sol es nuestra estrella local.
Aprende cómo produce energía el Sol y acerca de las capas y las características del Sol.

SECCIÓN

Las estrellas cambian a lo largo de su ciclo de vida.
Aprende cómo se forman y cambian las estrellas.

SECCIÓN

Las galaxias tienen diferentes tamaños y formas.
Aprende cómo se clasifican las galaxias.

SECCIÓN

El universo se está expandiendo.
Aprende acerca de la formación y la expansión del universo.

Internet: Primer vistazo

CLASSZONE.COM

Recursos en Internet para el capítulo 4: **Visualization, Simulation,** tres **Resource Centers, Math Tutorial, Test Practice**

¿Qué podría haber en las áreas claras y oscuras de esta galaxia?

EXPLORA la GRAN idea

¿En qué pueden diferir las estrellas?

Mira el cielo por la noche y encuentra tres estrellas que tengan diferentes apariencias. Trata de identificar las ubicaciones de estas estrellas usando los mapas de estrellas en el apéndice al final de este libro.

Observar y pensar ¿En qué difirieron las características de las estrellas?

¿Cómo se separan las galaxias unas de otras?

Infla un globo hasta que esté parcialmente inflado. Usa un marcador de punta suave para hacer 12 puntos sobre la parte redonda. Luego párate frente a un espejo y observa los puntos mientras terminas de inflar el globo.

Observar y pensar ¿Qué causó que los puntos se separaran? ¿Qué puede causar que las galaxias se separen en el universo?

Actividad en Internet: Las formas de las galaxias

Visita **ClassZone.com** para explorar las diferentes formas de las galaxias en el universo.

Observar y pensar ¿En qué se diferencian los tipos de galaxias?

NSTA
scilinks.org
SCiLINKS

The Sun **Code: MDL060**

CAPÍTULO 4

Prepárate para aprender

◄ REPASO DE LOS CONCEPTOS

- La radiación electromagnética lleva información acerca del espacio.

- Nuestro sistema solar está en la galaxia Vía Láctea.

- Una galaxia es un grupo de millones o miles de millones de estrellas.

◄ REPASO DEL VOCABULARIO

sistema solar pág. 10

galaxia pág. 10

universo pág. 10

radiación electromagnética pág. 15

longitud de onda pág. 16

CONTENT REVIEW
CLASSZONE.COM

Repasa los conceptos y el vocabulario.

► TOMAR APUNTES

ESCOGE TU PROPIA ESTRATEGIA

Toma apuntes usando una o más de las estrategias de los capítulos anteriores: **red de ideas principales, apuntes combinados,** o **idea principal y detalles.** Puedes combinar las estrategias o usar una estrategia diferente.

ESTRATEGIA PARA EL VOCABULARIO

Coloca cada término del vocabulario en el centro de un diagrama de **rueda descriptiva.** Escribe algunas palabras que lo describan en los rayos.

Consulta el Manual para tomar apuntes, R45 a R51.

CUADERNO DE CIENCIAS

Red de ideas principales

Apuntes combinados

Idea principal y detalles

muy baja densidad

vista sólo durante eclipses

se extiende hacia afuera varios millones de km

CORONA

capa exterior de la atmósfera solar

forma irregular

4.1

El Sol es nuestra estrella local.

◀ ANTES, aprendiste

- Existen diferentes longitudes de onda de radiación electromagnética
- El Sol provee luz en el sistema solar

▶ AHORA, aprenderás

- Cómo produce energía el Sol
- Cómo fluye la energía a través de las capas del Sol
- Acerca de los rasgos solares y el viento solar

VOCABULARIO

fusión pág. 116
convección pág. 116
corona pág. 116
mancha solar pág. 118
viento solar pág. 119

EXPLORA Atmósfera solar

¿Cómo puede el bloquear la luz revelar características tenues?

PROCEDIMIENTO

1. Desdobla el sujetapapeles y úsalo para hacer un pequeño agujero en el centro de la tarjeta.
2. Prende la lámpara y trata brevemente de leer las inscripciones en la bombilla.
3. Cierra un ojo y sostén la tarjeta frente a tu otro ojo. Por el agujero, trata de leer las inscripciones en la bombilla.

¿QUÉ PIENSAS?

- ¿Cómo afectó a tu vista de las inscripciones el mirarlas por el agujero?
- Cómo puede un eclipse solar afectar a tu vista de la capa tenue más externa del Sol?

MATERIALES

- sujetapapeles pequeño
- tarjeta índice
- lámpara con una bombilla de 45 vatios

IDEA PRINCIPAL Y DETALLES
Podrías anotar información acerca del Sol usando una tabla de idea principal y detalles.

El Sol produce energía a partir de hidrógeno.

El Sol es la única estrella en nuestro sistema solar. Los astrónomos han podido estudiar el Sol con más detalle que otras estrellas porque está mucho más cerca de la Tierra. Como resultado, han aprendido mucho acerca de su tamaño y su composición y de la manera en que produce energía.

El Sol es mucho más grande que cualquiera de los planetas. Contiene el 99.9 por ciento de la masa de todo el sistema solar. En comparación, imagina que la Tierra tuviera la masa de un gorrión; entonces el Sol tendría la masa de un elefante.

El Sol consiste principalmente de gas hidrógeno. La energía se produce cuando el hidrógeno en el interior del Sol se convierte en helio. Esta energía es la fuente de la luz y del calor que hacen posible la vida en la Tierra.

La energía fluye a través de las capas del Sol.

Aunque el Sol está compuesto enteramente de gas, sí tiene una estructura. La energía producida en el centro del Sol fluye hacia fuera a través de las capas del Sol en diferentes formas, incluida la luz visible.

El interior del Sol

El interior del Sol generalmente se vuelve más frío y menos denso conforme te alejas del centro.

1 **Núcleo** El centro del Sol, llamado el núcleo, está compuesto de gas muy denso. Las temperaturas alcanzan cerca de 15 millones de grados centígrados. Bajo estas condiciones extremas, algunas partículas de hidrógeno chocan y se combinan para formar helio en un proceso llamado **fusión.** El proceso libera energía que viaja a través del núcleo por radiación.

2 **Zona radiativa** La energía del núcleo se mueve por radiación a través de una gruesa capa llamada zona radiativa. Aunque esta capa es muy caliente y densa, las condiciones en la zona radiativa no son suficientemente extremas para que ocurra la fusión.

3 **Zona convectiva** En la zona convectiva, la energía se mueve principalmente por convección La **convección** es la transferencia de energía de un lugar a otro por el movimiento de un gas o un líquido calentado. Corrientes de gas caliente que se elevan en la zona convectiva llevan energía hacia la superficie del Sol.

ACUÉRDATE

Recuerda que la radiación es energía que cruza las distancias en forma de ondas electromagnéticas.

LEER
¿Comprendiste? ¿De dónde proviene la energía del Sol?

La atmósfera del Sol

SIMULATION
CLASSZONE.COM

Observa el Sol a diferentes longitudes de onda.

Las capas externas del Sol se llama atmósfera. Estas capas son mucho menos densas que el interior. La atmósfera generalmente se vuelve más caliente y menos densa conforme te mueves hacia afuera.

4 **Fotosfera** La luz visible se mueve por radiación hacia el espacio desde la fotosfera. La luz tarda como ocho minutos en alcanzar la Tierra. Como la fotosfera es la capa que ves en las fotografías del Sol, a menudo se le llama la superficie del Sol. Las corrientes de convección bajo la fotosfera causan que tenga una textura desigual.

5 **Cromosfera** La cromosfera es la delgada capa intermedia de la atmósfera del Sol. Emite una luz rosácea.

6 **Corona** La capa más externa del Sol se llama **corona.** La corona, la cual varía en forma, se extiende hacia afuera varios millones de kilómetros. Tanto la cromosfera como la corona están mucho más calientes que la fotosfera. Sin embargo, tienen densidades tan bajas que sólo puedes ver su luz durante un eclipse total del Sol, cuando la Luna tapa la luz más brillante de la fotosfera.

Capas del Sol

La energía producida por fusión en el núcleo del Sol fluye hacia afuera a través de sus capas.

protuberancia

① La energía se produce en el núcleo del Sol.

② La energía se mueve por radiación a través de la zona radiativa.

manchas solares

③ Corrientes de gas caliente en la zona convectiva llevan la energía hacia afuera.

④ La fotosfera es la capa visible del Sol.

⑤ La cromosfera es la capa intermedia de la atmósfera del Sol.

⑥ La corona, la capa más externa del Sol, tiene una densidad muy baja.

La energía viaja por radiación y convección desde el núcleo del Sol hacia fuera, al espacio.

Corona

Durante un eclipse solar, la corona se vuelve visible porque la fotosfera, la cual es mucho más brillante, está oculta. La forma de la corona varía.

Rasgos en el Sol

Los astrónomos han observado rasgos en el Sol que varían con el tiempo. Cerca de la superficie del Sol hay regiones de fuerza magnética llamadas campos magnéticos. Estos campos magnéticos se retuercen y adoptan diferentes posiciones conforme gira el Sol. Los rasgos se presentan en la superficie en áreas donde hay campos magnéticos fuertes.

Las **manchas solares** son manchas en la fotosfera que están más frías que las áreas que las rodean. Aunque se ven oscuras, las manchas solares en realidad son brillantes. Sólo se ven tenues porque el resto de la fotosfera es mucho más brillante.

La actividad de las manchas solares sigue un patrón que dura aproximadamente 11 años. En el punto máximo del ciclo, puede que aparezcan docenas de manchas solares. Durante períodos de baja actividad, puede que no haya una sola mancha solar.

Las manchas solares se mueven de un lado a otro de la superficie del Sol conforme éste gira. Los astrónomos advirtieron por primera vez que el Sol gira cuando observaron este movimiento. Debido a que el Sol no es sólido, algunas partes giran más rápido que otras.

Las erupciones y las protuberancias son otros rasgos solares. Las erupciones son llamaradas de gas caliente en la superficie del Sol. Generalmente ocurren cerca de las manchas solares. Las protuberancias son enormes arcos de gas resplandeciente que se extienden hasta la corona. Ocurren donde los campos magnéticos que conectan las manchas solares se elevan hasta la atmósfera exterior.

LEER
¿Comprendiste? ¿En qué se diferencian las manchas solares de otras áreas de la fotosfera?

Rasgos solares

Los rasgos en el Sol surgen en áreas donde un campo magnético es fuerte.

Manchas solares

Las manchas solares en la fotosfera pueden ser más grandes que la Tierra.

Protuberancias

Las protuberancias pueden elevarse a más de 100,000 kilómetros sobre la fotosfera.

Viento solar

Material de la corona del Sol está continuamente saliendo al espacio. Las partículas con carga eléctrica que fluyen desde la corona en todas las direcciones se llaman **viento solar.** El viento solar se extiende a través de nuestro sistema solar.

La mayor parte del viento solar que fluye hacia la Tierra es guiada de manera segura alrededor del planeta por el campo magnético de la Tierra. Cuando las partículas del viento solar sí entran a las partes superiores de la atmósfera, liberan energía que puede producir patrones de luz muy bellos en el cielo. Estos espectáculos de luz se llaman auroras, o luces del Norte y del Sur. Las auroras a menudo ocurren cerca de los polos.

Esta aurora verde circular ocurrió sobre Alaska cuando entraron a la atmósfera partículas del viento solar.

La atmósfera de la Tierra normalmente evita que las partículas con carga alcancen la superficie. Sin embargo, durante el período máximo de actividad del ciclo de manchas solares, erupciones y otros tipos de actividad solar liberan fuertes ráfagas de partículas con carga eléctrica al viento solar. Estas ráfagas, llamadas tormentas magnéticas, pueden afectar a la distribución de energía eléctrica en grandes regiones al causar repentinas subidas de tensión en los cables de alta tensión. También pueden interferir con las radiocomunicaciones.

Las tormentas magnéticas son mucho más dañinas arriba de las capas protectoras de la atmósfera de la Tierra. Las ráfagas de partículas del viento solar pueden dañar o destruir satélites en órbita. El viento solar también es peligroso para los astronautas durante los vuelos espaciales.

LEER
¿Comprendiste?   ¿Qué causa que se formen las auroras?

4.1 REPASO

CONCEPTOS CLAVE

1. ¿Cómo produce energía el Sol?
2. ¿Cómo se mueve la energía del núcleo del Sol a la fotosfera?
3. ¿Cómo afecta normalmente el viento solar a la Tierra?

RAZONAMIENTO CRÍTICO

4. **Analizar** ¿Por qué es el núcleo la única capa del Sol en donde se produce energía?
5. **Comparar y contrastar** Haz un diagrama que compare las manchas solares, las erupciones y las protuberancias.

RETO

6. **Inferir** Un satélite de comunicaciones deja de funcionar mientras está en orbita, y una repentina subida de tensión en un cable de alta tensión causa apagones en las ciudades a lo largo de una región muy grande. ¿Qué fue lo que probablemente ocurrió en la atmósfera del Sol un poco antes de estos eventos?

INVESTIGACIÓN DEL CAPÍTULO

Temperatura, brillo y color

DESCRIPCIÓN Y PROPÓSITO Piensa en la superficie metálica de calentamiento de una hornilla. ¿Cómo puedes saber si la hornilla se ha calentado al máximo? ¿Está la superficie del metal más brillante o más tenue que cuando empieza a calentarse? ¿Cambia el color de la superficie conforme se calienta la hornilla? Puede que ya tengas una idea de cómo se relacionan la temperatura, el brillo y el color, al menos cuando se trata de metal caliente. ¿Aplican las mismas relaciones a la luz eléctrica? ¿A las estrellas? Esta investigación está diseñada para ayudarte a averiguarlo.

- Construirás un fotómetro de cera para comparar los brillos y los colores de diferentes fuentes de luz.
- Determinarás cómo afecta la temperatura de una fuente de luz a su brillo y a su color.

▶ Problema

Por escrito

¿Cómo se relacionan el brillo y el color a la temperatura?

▶ Hacer hipótesis

Por escrito

Escribe una hipótesis que explique cómo están relacionados el brillo y el color a la temperatura. Tu hipótesis debe tomar la forma de un enunciado "Si…, entonces…, porque…".

▶ Procedimiento

1 Un instrumento llamado fotómetro facilita el comparar el brillo y los colores de diferentes fuentes de luz. Ensambla el fotómetro de cera como se muestra en la pagina 121. El papel de aluminio entre los bloques de cera debe estar doblado de manera que el lado más brilloso mire a ambos lados.

2 Sostén el fotómetro de manera que puedas ver ambos bloques. Llévalo a diferentes lugares en la sala de clase y observa cómo cambian el brillo y los colores de los bloques cuando expones las dos caras del fotómetro a diferentes condiciones de luz.

3 Sujeta con cinta adhesiva un pedazo del alambre de cobre a cada extremo de una pila y conecta los alambres a un portalámpara. La pila proveerá electricidad para calentar el alambre que está adentro de la bombilla.

MATERIALES

- 2 bloques de parafina
- papel de aluminio
- 2 gomas elásticas
- 2 portalámparas
- 2 bombillas miniatura
- 3 pilas AA
- 4 pedazos de alambre de cobre sin aislante de 15 cm de largo
- cinta adhesiva protectora *para el Reto*
- lámpara incandescente
- regulador de intensidad de luz

4 Sujeta con cinta adhesiva la terminal negativa, o el extremo plano, de una de las pilas a la terminal positiva de otra pila. Sujeta con cinta adhesiva un pedazo de alambre de cobre a cada extremo y conecta los alambres a un portalámparas. Debido a que dos pilas proporcionarán electricidad a la bombilla en este portalámparas, el alambre en la bombilla se calentará más que el alambre en la bombilla alimentada por una sola pila.

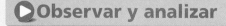

paso 4

5 Con el cuarto oscurecido, inserta una bombilla en cada portalámparas. Si la bombilla conectada a dos pilas no prende, puede que necesites apretar las dos pilas con tus dedos.

6 Coloca el fotómetro a la mitad de la distancia entre las dos bombillas. Compara los brillos de las dos fuentes de luz. Anota tus observaciones en tu **Cuaderno de ciencias**.

7 Acerca el fotómetro a la bombilla más fría hasta que ambos lados del fotómetro tengan el mismo brillo. Compara los colores de las dos fuentes de luz. Anota tus observaciones en tu **Cuaderno de ciencias**. Para evitar gastar las pilas por completo, quita las bombillas de los portalámparas cuando hayas completado este paso.

▶ Observar y analizar

Por escrito

1. **ANOTAR OBSERVACIONES** Dibuja el montaje de tu fotómetro y las fuentes de luz. Asegúrate de que tu tabla de datos tenga todas las descripciones de brillo y color.

2. **IDENTIFICAR** Identifica las variables en este experimento y haz una lista de ellas en tu **Cuaderno de ciencias**.

▶ Sacar conclusiones

Por escrito

1. **INTERPRETAR** Contesta la pregunta del problema. Compara tus resultados con tu hipótesis.

2. **ANALIZAR** ¿Cómo afecta la distancia a cómo percibes el brillo de un objeto?

3. **APLICAR** Juzgando por los resultados de la investigación, ¿qué esperarías que fuera más caliente, una estrella roja o una amarilla? Explica por qué.

▶ INVESTIGAR más

RETO Conecta una bombilla incandescente a un regulador de intensidad de luz. Escribe un procedimiento que muestre cómo usarías un fotómetro para mostrar la relación entre el color y la temperatura de la bombilla conforme ésta pierde intensidad, de lo más brillante a lo más tenue. Luego lleva a cabo tu procedimiento.

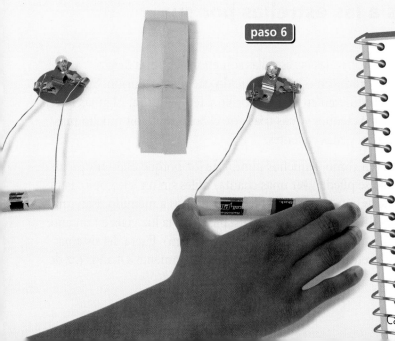

paso 6

Temperatura, brillo y color

Observar y analizar

Tabla 1. Propiedades de las luces de dos fuentes

	Bombilla más fría (una pila)	Bombilla más caliente (dos pilas)
Brillo		
Color		

Las estrellas cambian a lo largo de su ciclo de vida.

 ANTES, aprendiste

- El Sol es nuestra estrella local
- Las otras estrellas están fuera de nuestro sistema solar
- Hay enormes distancias entre los objetos en el universo

 AHORA, aprenderás

- Cómo se clasifican las estrellas
- Cómo se forman y cambian las estrellas

VOCABULARIO

año luz pág. 122
paralaje pág. 123
nebulosa pág. 125
secuencia principal pág. 126
estrella de neutrones pág. 126
agujero negro pág. 126

EXPLORA Características de las estrellas

¿Cómo afecta la distancia al brillo?

PROCEDIMIENTO

(1) En un cuarto oscurecido, alumbra con una linterna una superficie oscura a 30 cm de distancia mientras que tu compañero alumbra la superficie desde la misma distancia. Observa las dos manchas de luz.

(2) Mueve una de las linternas hacia atrás 15 cm y luego otros 15 cm. Compara las dos manchas de luz cada vez que muevas la linterna.

¿QUÉ PIENSAS?

- ¿Cómo afectó la distancia al brillo de la luz en la superficie oscura?
- ¿Cómo afecta la distancia entre una estrella y la Tierra a la manera en que vemos la estrella?

MATERIALES

- 2 linternas
- regla de un metro
- superficie oscura

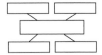

RED DE IDEAS PRINCIPALES
Una red de ideas principales sería una buena opción para tomar apuntes acerca de las características de las estrellas.

Clasificamos a las estrellas por sus características.

Al igual que nuestro Sol, todas las estrellas son enormes bolas de gas resplandeciente que producen o han producido energía por fusión. Sin embargo, las estrellas difieren en tamaño, brillo y temperatura. Algunas estrellas son más pequeñas, más tenues y más frías que el Sol. Otras son mucho más grandes, más brillantes y más calientes.

Las estrellas se ven como pequeños puntos de luz porque están muy lejos. Cómo máximo, sólo se pueden ver unas cuantas miles sin un telescopio. Para describir las distancias entre las estrellas, los astrónomos a menudo usan una unidad llamada año luz. Un **año luz** es la distancia que la luz viaja en un año, alrededor de 9.5 billones de kilómetros (6 billones de mi). Fuera del sistema solar, la estrella más cercana a la Tierra está aproximadamente a 4 años luz de distancia.

Brillo y distancia

Si miras las estrellas, probablemente notarás que unas se ven más brillantes que otras. La cantidad de luz que una estrella emite y su distancia desde la Tierra determinan lo brillante que luce ante un observador. Una estrella que emite una gran cantidad de luz puede verse tenue si está muy lejos. Por otra parte, una estrella que emite mucho menos luz puede verse brillante si está más cerca de la Tierra. Por lo tanto, para determinar el verdadero brillo de una estrella, los astrónomos tienen que medir su distancia desde la Tierra.

Una manera en la cual los astrónomos miden la distancia es usando **paralaje,** el cambio aparente en la posición de un objeto que se observa desde diferentes puntos. Mira un objeto con tu ojo derecho cerrado. Ahora rápidamente ábrelo y cierra tu ojo izquierdo. Parecerá que el objeto se mueve un poco debido a que lo estás viendo desde un ángulo diferente. El mismo tipo de desplazamiento ocurre cuando los astrónomos observan las estrellas desde diferentes lugares.

Para medir el paralaje de una estrella, los astrónomos determinan la posición de la estrella en el cielo desde lados opuestos de la órbita de la Tierra alrededor del Sol. Luego usan el cambio aparente en la posición y el diámetro de la órbita de la Tierra para calcular la distancia a la estrella.

 LEER ¿Comprendiste? ¿Qué factores afectan a lo brillante que una estrella se ve desde la Tierra?

INVESTIGA Paralaje

¿Cómo afecta la distancia de un objeto al paralaje?

PROCEDIMIENTO

1. Párate a 1 m de distancia de un compañero de clase. Pide a tu compañero que sostenga una regla de un metro a nivel del ojo.

2. Con tu ojo izquierdo cerrado, sostén un bolígrafo con tapa cerca de tu cara. Mira el bolígrafo con tu ojo derecho y alinéalo con la marca del cero en la regla de un metro. Luego abre tu ojo izquierdo y rápidamente cierra tu ojo derecho. Observa cuántos centímetros parece moverse el bolígrafo. Anota tu observación.

3. Repite el paso 2 sosteniendo el bolígrafo a la distancia del brazo y luego sosteniendo el bolígrafo a la mitad de la distancia del brazo. Anota tu observación en cada ocasión.

¿QUÉ PIENSAS?

- ¿Cuántos centímetros pareció moverse el bolígrafo cada vez que lo observaste?
- ¿Cómo se afecta el paralaje cuando cambias la distancia entre el bolígrafo y tú?

RETO ¿Cómo usarías este método para estimar distancias que no puedes medir directamente?

HABILIDADES
Medir

MATERIALES
- regla de un metro
- bolígrafo con tapa

TIEMPO
10 minutos

Tamaño

Es difícil darse una idea de lo grande que son las estrellas con solo mirarlas en el cielo. Incluso el Sol, el cual está mucho más cerca que cualquier otra estrella, es mucho más grande de lo que sugiere su apariencia. El diámetro del Sol es aproximadamente 100 veces más grande que el de la Tierra. Un avión a chorro volando a 800 kilómetros por hora (500 mi/h) podría viajar alrededor del ecuador de la Tierra en aproximadamente dos días. Si pudieras viajar alrededor del ecuador del Sol a la misma velocidad, el viaje tomaría más de siete meses.

Unas estrellas son mucho más grandes que el Sol. Las estrellas gigantes y supergigantes son de diez a cientos de veces más grandes. Una estrella supergigante llamada Betelgeuse tiene un diámetro 600 veces más grande que el del Sol. Si Betelgeuse reemplazara al Sol, llenaría el espacio de nuestro sistema solar más allá de la órbita de la Tierra. Debido a que las estrellas gigantes y supergigantes tienen superficies tan grandes para emitir luz, son muy brillantes. Betelgeuse es una de las estrellas más brillantes en el cielo, a pesar de que está a 522 años luz de distancia.

También hay estrellas mucho más pequeñas que el Sol. Las estrellas llamadas enanas blancas son cerca de 100 veces más pequeñas en diámetro que el Sol, o aproximadamente del tamaño de la Tierra. Las enanas blancas no se pueden ver sin un telescopio.

Una estrella del tamaño del Sol
Diámetro = 1.4 millones de kilómetros (900,000 mi)

Enana blanca
1/100 del diámetro del Sol

Estrella gigante
10–100 veces el diámetro del Sol

Estrella supergigante
100–1000 veces el diámetro del Sol

Color y temperatura

Si observas las estrellas detenidamente, puede que notes que varían ligeramente de color. La mayoría de las estrellas se ven blancas. Sin embargo, unas se ven un poco azules o rojas. Las diferencias de color se deben a diferencias de temperatura.

Puedes ver cómo afecta la temperatura al color cuando calientas un metal. Por ejemplo, si prendes el tostador, las espirales de metal en el interior se pondrán de color rojo opaco. Conforme se calientan más, las espirales se volverán naranja brillante. La ilustración en la página 125 muestra los cambios en el color de una barra de metal conforme se calienta.

Al igual que el color del metal caliente, el color de las estrellas indica su temperatura. Los astrónomos clasifican a las estrellas por color y temperatura superficial. El diagrama de la página 125 indica el color y el rango de temperatura de cada tipo de estrella. Las estrellas más frías son rojas. Las estrellas más calientes son azul-blancas. Nuestro Sol, una estrella tipo G, amarilla, tiene una temperatura superficial de alrededor de 6000°C.

Las estrellas de todos los tipos emiten luz compuesta de una gama de colores. Los astrónomos pueden separar la luz de una estrella para formar un espectro y aprender acerca de la composición de la estrella. Los colores y las líneas del espectro revelan qué gases están presentes en las capas exteriores de la estrella.

LEER ¿Comprendiste? ¿Cómo afecta la temperatura de una estrella a su apariencia?

Los objetos que irradian luz cambian de color conforme se calientan.

Clasificación de las estrellas		
Tipo	**Color**	**Temperatura superficial (°C)**
O	azul-blanco	superior a 25,000
B	azul-blanco	10,000–25,000
A	blanco	7500–10,000
F	amarillo-blanco	6000–7500
G	amarillo	5000–6000
K	naranja	3500–5000
M	rojo	inferior a 3500

Las estrellas se clasifican de acuerdo a sus colores y temperaturas. El Sol es una estrella tipo G.

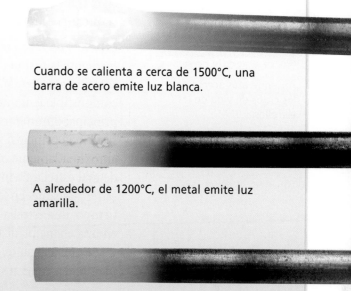

Cuando se calienta a cerca de 1500°C, una barra de acero emite luz blanca.

A alrededor de 1200°C, el metal emite luz amarilla.

Una barra de acero produce un resplandor rojo cuando se calienta a 600°C.

Las estrellas tienen ciclos de vida.

Aunque las estrellas duran largos periodos de tiempo, no son permanentes. Como los seres vivos, las estrellas pasan por ciclos de nacimiento, madurez y muerte. El ciclo de vida de una estrella varía, dependiendo de su masa. Las estrellas de mayor masa se desarrollan más rápido que las estrellas de menor masa. Hacia el final de sus ciclos de vida, las estrellas de mayor masa también se comportan de manera diferente a las de menor masa.

Las estrellas se forman dentro de una nube de gas y polvo llamada **nebulosa.** La gravedad hace que el gas y el polvo en algunas regiones de la nebulosa se junten. Conforme la materia se contrae, se forma una esfera caliente y densa. La esfera se convierte en una estrella si su centro se vuelve lo suficientemente caliente y denso para que ocurra fusión.

Cuando una estrella muere, su materia no desaparece. Parte puede formar una nebulosa o integrarse a una ya existente. Allí, es posible que la materia pase a formar parte de nuevas estrellas.

LEER
¿Comprendiste? ¿Cómo participa la gravedad en la formación de estrellas?

Se le han añadido colores a esta fotografía de la nebulosa Omega para hacer destacar sus detalles.

Etapas en los ciclos de vida de las estrellas

RESOURCE CENTER
CLASSZONE.COM

Aprende más acerca de los ciclos de vida de las estrellas.

El diagrama de la página 127 muestra las etapas por las que pasan las estrellas en el transcurso de sus ciclos de vida. La longitud de un ciclo y la manera en la que una estrella cambia dependen de la masa de la estrella al formarse.

Estrellas de masa menor La etapa en la cual las estrellas producen energía mediante la fusión de hidrógeno para producir helio se llama **secuencia principal.** Debido a que las estrellas de masa menor usan su combustible lentamente, pueden permanecer en la etapa de secuencia principal durante miles de millones de años. El Sol ha sido una estrella en secuencia principal por 4.6 mil millones de años y permanecerá en esta etapa aproximadamente otros 5 mil millones de años. Cuando se acaba el hidrógeno de una estrella de masa menor, la estrella se expande hasta convertirse en una estrella gigante, en la cual el helio se fusiona para producir carbono. Con el tiempo, una estrella gigante se despoja de sus capas exteriores y se convierte en una enana blanca. Una enana blanca es simplemente el núcleo muerto de una estrella gigante. Aunque no ocurre fusión en las enanas blancas, éstas se mantienen calientes durante miles de millones de años.

Estrellas de gran masa Las estrellas cuya masa es más de ocho veces la masa del Sol pasan menos tiempo en la etapa de secuencia principal porque usan su combustible rápidamente. Después de millones de años, una estrella de gran masa se expande hasta convertirse en una estrella supergigante. En el núcleo de una supergigante, la fusión produce elementos más y más pesados. Cuando se forma un núcleo de hierro, la fusión se detiene y la gravedad causa que el núcleo se desplome. Entonces parte del núcleo rebota hacia afuera y la estrella hace erupción en una explosión llamada supernova.

Durante un breve período, una supernova puede emitir tanta luz como una galaxia. Las capas exteriores salen disparadas al espacio, llevando elementos pesados del interior de la estrella. Con el tiempo esta materia puede formar parte de nuevas estrellas y planetas.

Las estrellas de neutrones y los agujeros negros

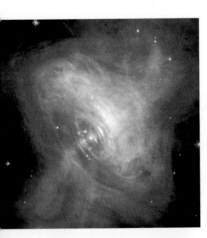

Un pulsar emite haces de ondas de radio conforme gira rápidamente. El pulsar parece latir conforme los haces giran y apuntan hacia la Tierra y luego giran en dirección contraria.

El núcleo desplomado de una estrella supergigante puede formar un cuerpo extremadamente denso llamado **estrella de neutrones.** Las estrellas de neutrones miden solo aproximadamente 20 kilómetros (12 mi) de diámetro, pero su masa es de una a tres veces la del Sol.

Las estrellas de neutrones emiten muy poca luz visible. Sin embargo, emiten con fuerza otros tipos de radiación, como los rayos X. Algunas estrellas de neutrones emiten haces de ondas de radio al mismo tiempo que giran. Estas estrellas se conocen como pulsares porque parecen latir conforme giran.

A veces, una supernova deja atrás un núcleo con una masa mayor a tres veces la del Sol. En tales casos, el núcleo no termina como una estrella de neutrones. Al contrario, se desploma aun más, formando un objeto invisible llamado **agujero negro.** La gravedad de un agujero negro es tan fuerte que ningún tipo de radiación se puede escapar de él.

LEER
¿Comprendiste? ¿En qué se diferencian las estrellas de masa menor de las estrellas de gran masa después de la etapa de secuencia principal?

Ciclos de vida de las estrellas

Una estrella se forma dentro de una nube de gas y polvo llamada nebulosa.
El ciclo de vida de una estrella depende de su masa.

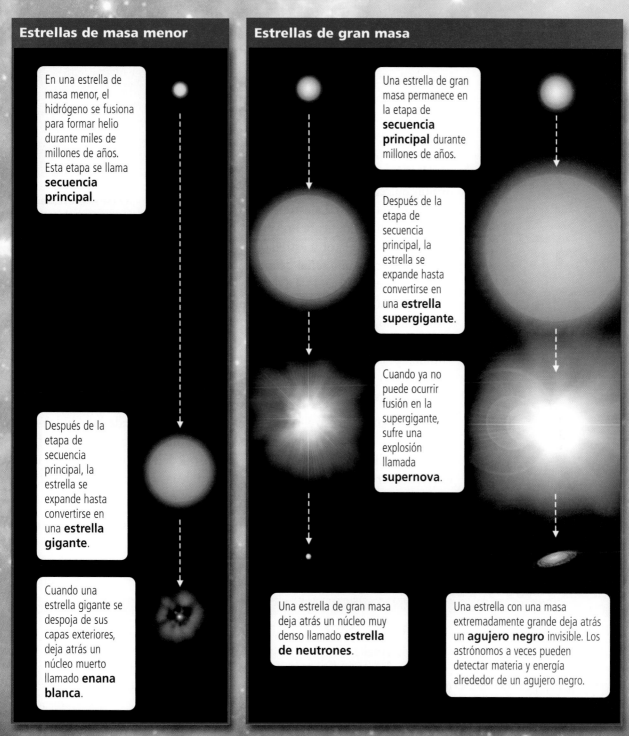

Estrellas de masa menor

En una estrella de masa menor, el hidrógeno se fusiona para formar helio durante miles de millones de años. Esta etapa se llama **secuencia principal**.

Después de la etapa de secuencia principal, la estrella se expande hasta convertirse en una **estrella gigante**.

Cuando una estrella gigante se despoja de sus capas exteriores, deja atrás un núcleo muerto llamado **enana blanca**.

Estrellas de gran masa

Una estrella de gran masa permanece en la etapa de **secuencia principal** durante millones de años.

Después de la etapa de secuencia principal, la estrella se expande hasta convertirse en una **estrella supergigante**.

Cuando ya no puede ocurrir fusión en la supergigante, sufre una explosión llamada **supernova**.

Una estrella de gran masa deja atrás un núcleo muy denso llamado **estrella de neutrones**.

Una estrella con una masa extremadamente grande deja atrás un **agujero negro** invisible. Los astrónomos a veces pueden detectar materia y energía alrededor de un agujero negro.

LEER DATOS VISUALES ¿En qué se diferencian las estrellas que se muestran en la ilustración durante la etapa de secuencia principal de sus ciclos de vida?

Sistemas de estrellas

A diferencia del Sol, la mayoría de las estrellas no existen solas sino que están agrupadas con una o más estrellas acompañantes. Las estrellas se mantienen unidas por la fuerza de gravedad entre ellas. Un sistema de estrella binaria consiste de dos estrellas que se orbitan una a la otra. Un sistema de estrellas múltiple consiste en más de dos estrellas.

En muchos sistemas de estrellas, las estrellas están demasiado pegadas para ser visibles de forma individual. Sin embargo, los astrónomos han desarrollado maneras de detectar dichos sistemas. Por ejemplo, en un sistema de estrella binaria, una de las estrellas puede orbitar enfrente de la otra cuando es vista desde la Tierra. La estrella que orbita enfrente bloqueará brevemente parte de la luz de la otra estrella, proporcionando una señal de que más de una estrella está presente. La ilustración de la derecha muestra un sistema de estrella binaria que se puede detectar de esta manera. Los astrónomos a veces también pueden determinar si una estrella es en realidad un sistema al estudiar su espectro.

Sistema de estrella binaria

Algunos sistemas de estrella binaria parecen atenuarse brevemente cuando una estrella orbita frente a la otra y bloquea parte de su luz.

Cuando ninguna de las estrellas está frente a la otra, el sistema de estrellas parece emitir más luz.

Los sistemas de estrellas son una importante fuente de información acerca de las masas de las estrellas. Los astrónomos no pueden medir la masa de una estrella directamente. Sin embargo, pueden encontrar la masa de una estrella observando el efecto de la gravedad de la estrella sobre una estrella acompañante.

 LEER ¿Comprendiste? ¿Por qué son importantes para los astrónomos los sistemas de estrellas?

4.2 REPASO

CONCEPTOS CLAVE

1. ¿Por qué tienen los astrónomos que hallar la distancia a una estrella para calcular su verdadero brillo?

2. ¿Cómo se relacionan el color y la temperatura en las estrellas?

3. ¿Cómo afecta la masa de una estrella a su ciclo de vida?

RAZONAMIENTO CRÍTICO

4. **Analizar** Algunas de las estrellas más brillantes son supergigantes rojas. ¿Cómo pueden ser tan brillantes las estrellas con superficies rojas más frías?

5. **Inferir** ¿Finalmente el Sol se convertirá en un agujero negro? ¿Por qué sí o por qué no?

RETO

6. **Inferir** ¿En qué etapa del ciclo de vida del Sol será imposible que la vida exista sobre la Tierra? Explica.

Las

MATEMÁTICAS
en las ciencias

MATH TUTORIAL
CLASSZONE.COM

Haz clic en **Math Tutorial** para obtener más ayuda con gráficas de dispersión.

Brillo y temperatura de las estrellas

El brillo de una estrella, o luminosidad, depende de la temperatura superficial de la estrella y de su tamaño. Si dos estrellas tienen la misma temperatura superficial, la estrella más grande será más luminosa. El diagrama de Hertzsprung-Russell (H-R) más abajo es una gráfica de dispersión que muestra las temperaturas y luminosidades relativas de varias estrellas.

Ejemplo

Describe la temperatura superficial y la luminosidad de Spica.

(1) Temperatura superficial: Sin dibujar en la gráfica, imagina una línea que se extiende desde Spica hacia abajo, hasta el eje de la temperatura. Spica es una de las estrellas más calientes.

(2) Luminosidad: Imagina una línea que se extiende horizontalmente desde Spica hasta cruzar el eje de la luminosidad. Spica tiene una alta luminosidad.

RESPUESTA Spica es una de las estrellas más calientes y más luminosas.

Diagrama Hertzsprung-Russell (H-R)

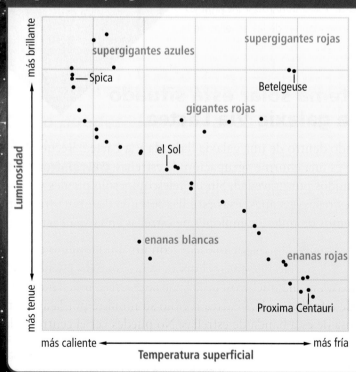

Usa el diagrama para contestar las preguntas.

1. Describe la temperatura superficial y la luminosidad de Proxima Centauri.

2. Compara la temperatura superficial y la luminosidad del Sol con la temperatura superficial y la luminosidad de Betelgeuse.

3. Compara la temperatura superficial y la luminosidad de las enanas rojas con la temperatura superficial y la luminosidad de las supergigantes azules.

RETO Cuando una estrella gigante roja vieja pierde su atmósfera externa, lo único que queda es el núcleo muy caliente de la estrella. Debido a que el núcleo es pequeño, no emite mucha luz. ¿En qué tipo de estrella se convierte la estrella gigante roja después de perder su atmósfera externa? ¿Cómo puedes saberlo a partir del diagrama?

Cuando las galaxias chocan

Una galaxia pequeña está moviéndose a través de nuestra galaxia, la Vía Láctea. ¡En este mismo momento!

• Puede que la pequeña galaxia sea destruida por la colisión, pero la Vía Láctea no está en peligro.

• Parece que anteriormente la misma galaxia ha pasado a través de la Vía Láctea diez veces.

• Puede que otras galaxias también estén moviéndose a través de la Vía Láctea.

¡No hay de que preocuparse!

Galaxias de miles de millones de estrellas están chocando siempre. ¿Cuál es la probabilidad de que sus estrellas choquen? Es poco probable ya que hay mucho espacio vacío entre las estrellas.

Caníbales galácticos

Cuando las galaxias chocan, una galaxia grande puede "comerse" a una más pequeña.

• Las estrellas de la más pequeña se vuelven parte de la más grande.

• La colisión de dos galaxias espirales puede formar una galaxia elíptica nueva.

Curva fuera de forma

Las galaxias a veces pasan muy cerca unas de otras sin chocar. En estos casos, la gravedad puede producir unas nuevas e interesantes formas. Por ejemplo, la galaxia Renacuajo (a la izquierda) tiene una larga cola de polvo y gas estirada por la gravedad de una galaxia pasajera.

Hacer modelos de las galaxias

Los astrónomos usan simulaciones computarizadas para predecir cómo una colisión afecta a las estrellas y al gas de las galaxias. Comparan las simulaciones con imágenes de galaxias reales para entender mejor.

EXPLORA

1. **PREDECIR** Dibuja la forma de la nueva galaxia que podrían formar las dos galaxias de la fotografía de la izquierda.

2. **RETO** Mira en Internet las imágenes y las simulaciones de colisiones de galaxias. Haz una gráfica que muestre cómo pueden diferir estas colisiones.

RESOURCE CENTER
CLASSZONE.COM

Descubre más acerca de las colisiones de las galaxias.

Regresa dentro de algunos miles de millones de años y puede que veas que estas dos galaxias espirales se han vuelto una galaxia elíptica.

El universo se está expandiendo.

ANTES, aprendiste

- Las galaxias contienen millones o miles de millones de estrellas
- La radiación electromagnética lleva información sobre el espacio

AHORA, aprenderás

- Cómo se están separando las galaxias en el universo
- Lo que están descubriendo los científicos acerca del desarrollo del universo

VOCABULARIO

efecto Doppler pág. 136
la gran explosión pág. 138

EXPLORA Números grandes

¿Cuánto es mil millones?

PROCEDIMIENTO

1. Adivina el grosor de un libro de mil millones de páginas. Apunta el número.

2. Cuenta cuántas hojas de papel de un libro se suman para formar un milímetro de grosor. Multiplica por 2 para calcular el número de páginas.

3. Luego divide 1 mil millones (1,000,000,000) por ese número para determinar cuántos milímetros de grosor tendría el libro. Divide tu resultado por 1,000,000 para convertirlo a kilómetros.

MATERIALES
- libro
- regla
- calculadora

¿QUÉ PIENSAS?
- ¿Cuál sería el grosor de un libro de mil millones de páginas?
- ¿Adivinaste un número cerca al resultado?

APUNTES COMBINADOS
Podrías anotar información sobre la expansión del universo en una tabla de apuntes combinados.

Las galaxias se están alejando unas de otras en el universo.

El universo es increíblemente grande. Consiste de todo el espacio, toda la energía y toda la materia. La Vía Láctea es solo una de alrededor de 100 mil millones de galaxias. Estas galaxias se presentan en grupos que juntos forman supercúmulos. Entre los supercúmulos hay áreas muy grandes de espacio casi vacío.

Debido a que el universo es tan grande, podrías pensar que las regiones más distantes del universo son muy diferentes al espacio cercano a la Tierra. Sin embargo, viendo los espectros de luz de las estrellas y las galaxias, los astrónomos han determinado que se encuentran los mismos elementos en todo el universo. Las observaciones científicas también indican que los mismos fuerzas y procesos físicos operan en todas partes.

¿Cómo se expande el universo?

PROCEDIMIENTO

1. Extiende la goma elástica cortada contra la regla, sin estirarla. Marca cada uno de los primeros 6 centímetros.

2. Alinea la primera marca en la goma elástica con la marca del centímetro 1 en la regla y sujétala firmemente en ese lugar. Estira la goma elástica hasta que la segunda marca esté junto a la marca del centímetro 3 en la regla.

3. Observa cuántos centímetros se ha movido cada marca a partir de su posición original contra la regla.

¿QUÉ PIENSAS?

- ¿Cuánto se movió cada marca en la goma elástica a partir de su posición original?

- ¿Qué demuestra esta actividad acerca de la expansión del universo?

RETO ¿Cómo podrías calcular las velocidades a las que se movieron las marcas cuando estiraste la goma elástica?

HABILIDADES
Medir

MATERIALES
- goma elástica gruesa y cortada
- bolígrafo
- regla

TIEMPO
20 minutos

Los científicos están investigando el origen del universo.

Después de que los astrónomos descubrieron que las galaxias se están separando, desarrollaron nuevas ideas acerca del origen del universo. Concluyeron que toda la materia estuvo una vez unida y luego el universo repentinamente comenzó a expandirse. La evidencia para esta teoría científica es tan fuerte que casi todos los astrónomos la aceptan ahora.

La **gran explosión** es el momento en el tiempo cuando el universo comenzó a expandirse a partir de un estado extremadamente caliente y denso. Los astrónomos han calculado que este evento sucedió hace aproximadamente 14 mil millones de años. La expansión fue muy rápida. En una diminuta fracción de segundo, el universo pudo haberse expandido desde un tamaño mucho más pequeño que una mota de polvo hasta el tamaño de nuestro sistema solar.

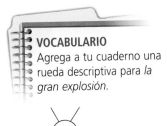

VOCABULARIO
Agrega a tu cuaderno una rueda descriptiva para *la gran explosión.*

Evidencia de la gran explosión

La evidencia de la gran explosión proviene de varias fuentes. Una importante fuente de evidencia es la radiación de microondas. Los astrónomos predijeron en 1948 que el universo todavía estaría lleno de microondas emitidas poco después de la gran explosión. En 1965, los investigadores detectaron este tipo de radiación viajando por el espacio en todas las direcciones.

Además de la presencia de radiación de microondas y de los movimientos de las galaxias, los científicos han encontrado más evidencia acerca de la gran explosión al observar el espacio. Por ejemplo, las imágenes de galaxias muy distantes proporcionan información acerca del desarrollo del universo. Experimentos y modelos computacionales han proporcionado evidencia adicional de la gran explosión.

Desarrollo del universo

Inmediatamente después de la gran explosión, el universo era increíblemente denso y caliente, mucho más caliente que el núcleo del Sol. La materia y la energía se comportaban de manera muy diferente a como se comportan bajo las condiciones actuales. Al expandirse rápidamente, el universo sufrió una serie de cambios.

Los científicos no comprenden completamente las condiciones que había en el universo primitivo. Sin embargo, están logrando una imagen más clara de cómo se desarrolló el universo. Una manera en la cual los científicos están aprendiendo acerca del desarrollo del universo es haciendo experimentos en aceleradores de partículas. Estas enormes máquinas exponen a la materia a condiciones extremas.

Los científicos han encontrado que las etapas iniciales del desarrollo del universo ocurrieron en una diminuta fracción de segundo. Sin embargo, tomó cerca de 300,000 años para que se formaran los primeros elementos. Las estrellas, los planetas y las galaxias comenzaron a aparecer dentro de los siguientes mil millones de años. Hay evidencia que sugiere que la primera estrella se formó sólo unos cuantos cientos de millones de años después de la gran explosión.

Esta imagen del telescopio Hubble de unas galaxias muy distantes ha ayudado a los científicos a aprender cómo era el universo hace aproximadamente 13 mil millones de años.

 **LEER ¿Comprendiste?** ¿Qué le sucedió al universo poco tiempo después de la gran explosión?

4.4 REPASO

CONCEPTOS CLAVE

1. ¿En qué se parecen las regiones distantes del universo al espacio cercano a la Tierra?

2. ¿Qué indica el efecto Doppler acerca del movimiento de las galaxias?

3. ¿Cómo explican los científicos el origen del universo?

RAZONAMIENTO CRÍTICO

4. **Aplicar** Si una estrella a 100 años luz de la Tierra está comenzando a expandirse para convertirse en una estrella gigante, ¿cuánto tiempo tardarán los astrónomos en observar este suceso? Explica.

5. **Analizar** ¿Por qué necesitan los científicos hacer experimentos para aprender acerca de las primeras etapas del universo?

◯ RETO

6. **Inferir** Las galaxias A y B emiten luz que parece estirada a longitudes de ondas más largas. Las longitudes de onda de la luz de la galaxia B están aun más estiradas que la luz de la galaxia A. ¿Qué puedes inferir a partir de estos datos?

Repaso del capítulo

la GRAN idea

El Sol es una de las miles de millones de estrellas de una de las miles de millones de galaxias del universo.

CONTENT REVIEW
CLASSZONE.COM

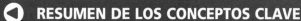

RESUMEN DE LOS CONCEPTOS CLAVE

4.1 El Sol es nuestra estrella local.

El Sol produce energía a partir del hidrógeno. La energía fluye a través de las capas del Sol. Aparecen rasgos sobre la superficie del Sol.

capas interiores

atmósfera

VOCABULARIO
fusión pág. 116
convección pág. 116
corona pág. 116
mancha solar pág. 118
viento solar pág. 119

4.2 Las estrellas cambian a lo largo de su ciclo de vida.

Las estrellas varían en brillo, tamaño, color y temperatura. El desarrollo de una estrella depende de la masa de la estrella. La mayoría de las estrellas están agrupadas con una o más estrellas acompañantes.

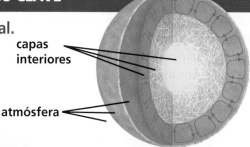

estrella de masa menor

estrella gigante

enana blanca

estrella de gran masa

supergigantes

supernovas

estrella de neutrones

agujero negro

VOCABULARIO
año luz pág. 122
paralaje pág. 123
nebulosa pág. 125
secuencia principal pág. 126
estrella de neutrones pág. 126
agujero negro pág. 126

4.3 Las galaxias tienen diferentes tamaños y formas.

Nuestra galaxia, la Vía Láctea, es una galaxia espiral. Las galaxias también pueden ser elípticas o irregulares. Las galaxias irregulares no tienen una forma definida.

Galaxia espiral

Galaxia elíptica

Galaxia irregular

VOCABULARIO
quásar pág. 133

4.4 El universo se está expandiendo.

Las galaxias se están separando en el universo. Los científicos investigan el origen y el desarrollo del universo.

VOCABULARIO
efecto Doppler pág. 136
la gran explosión pág. 138

Repasar el vocabulario

Haz un marco para cada una de las palabras de vocabulario en la lista de abajo. Escribe la palabra en el centro. Decide con qué información enmarcarla. Usa definiciones, ejemplos, descripciones, partes o dibujos. Se muestra un ejemplo abajo.

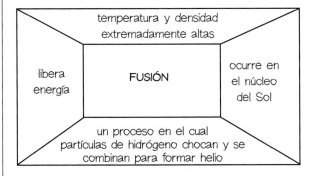

temperatura y densidad extremadamente altas

libera energía

FUSIÓN

ocurre en el núcleo del Sol

un proceso en el cual partículas de hidrógeno chocan y se combinan para formar helio

1. convección
2. corona
3. mancha solar
4. viento solar
5. nebulosa
6. agujero negro
7. efecto Doppler
8. la gran explosión

Repasar los conceptos clave

Elección múltiple *Escoge la letra de la mejor respuesta.*

9. ¿Qué capa ves normalmente en las fotografías del Sol?
   a. zona convectiva
   b. fotosfera
   c. cromosfera
   d. corona

10. ¿Qué enunciado es verdadero para las manchas solares?
    a. Son rasgos permanentes en la superficie del Sol.
    b. Son causadas por el viento solar.
    c. Están en donde ocurre la fusión.
    d. Son más frías que el área que las rodea.

11. ¿Qué unidad se usa normalmente para describir las distancias a las estrellas?
    a. unidades astronómicas
    b. años luz
    c. kilómetros
    d. millas

12. ¿Qué ejemplo muestra mejor la relación entre el color y la temperatura?
    a. Un arco iris se forma cuando la luz del Sol incide sobre las gotas de lluvia.
    b. El rayo de una linterna se ve rojo cuando pasa a través de un filtro de plástico rojo.
    c. Un plástico con una luz química produce un resplandor amarillo verdoso.
    d. Una varilla metálica en el fuego cambia de color rojo a color anaranjado.

13. ¿En qué se diferencian las estrellas de masa menor de las de gran masa?
    a. Se desarrollan más rápidamente.
    b. Se desarrollan más lentamente.
    c. Terminan convirtiéndose en agujeros negros.
    d. Tienen tan poca masa que no pueden producir energía.

14. ¿Qué término describe la Vía Láctea?
    a. galaxia espiral
    b. galaxia elíptica
    c. galaxia irregular
    d. quásar

15. El efecto Doppler se usa para determinar
    a. el número de estrellas en una galaxia
    b. el número de galaxias en el universo
    c. el tamaño del universo
    d. si una galaxia está alejándose o acercándose a la Tierra

16. ¿Qué es la gran explosión?
    a. el choque de galaxias
    b. la formación del sistema solar
    c. el inicio de la expansión del universo
    d. el momento en el cual las estrellas comenzaron a formarse

Respuesta breve *Escribe una respuesta breve a cada pregunta.*

17. ¿Por qué no podemos ver la corona del Sol bajo condiciones normales?

18. ¿Cómo usan los astrónomos el paralaje para calcular la distancia a una estrella?

19. ¿De dónde provienen los elementos pesados, como el hierro?

20. ¿Cómo pueden saber los astrónomos si existe un agujero negro en el centro de una galaxia?

La tabla de abajo muestra las distancias a algunas galaxias y las velocidades a las cuales se están alejando de la Vía Láctea. Usa la tabla para contestar las siguientes tres preguntas.

Galaxia	Distancia (millones de años luz)	Velocidad (kilómetros por segundo)
NGC 7793	14	241
NGC 6946	22	336
NGC 2903	31	472
NGC 6744	42	663

21. **COMPARAR Y CONTRASTAR** ¿Cómo se comparan la velocidad y la distancia de NGC 7793 con la velocidad y la distancia de NGC 2903?

22. **ANALIZAR** ¿Qué patrón general ves en estos datos?

23. **APLICAR** ¿Cuál estimas que sería la velocidad de una galaxia que se encuentra a 60 millones de años luz? **Pista:** Observa el patron entre la primera fila y la tercera, y entre la segunda fila y la cuarta de la tabla.

24. **INFERIR** ¿Por qué podría tener el viento solar un efecto más fuerte sobre los planetas interiores que sobre los planetas exteriores del sistema solar?

25. **PREDECIR** El núcleo de cierta estrella consiste casi completamente de helio. ¿Qué le sucederá pronto a esta estrella?

26. **ANALIZAR** Los planetas brillan al reflejar luz. ¿Por qué se ven algunos planetas en nuestro sistema solar más brillantes que las estrellas, a pesar de que las estrellas emiten su propia luz?

27. **IDENTIFICAR CAUSA** Una estrella se atenúa por un breve período cada tres días. ¿Qué podría estar causando que se atenúe?

28. **COMPARAR Y CONTRASTAR** Describe las semejanzas y diferencias entre los ciclos de vida de las estrellas de masa menor y las estrellas de gran masa.

29. **EVALUAR** ¿Si quisieras estudiar una estrella de neutrones, usarías un telescopio de luz visible o un telescopio de rayos X? Explica por qué.

30. **INFERIR** Supón que los astrónomos encuentran evidencia de hierro y otros elementos pesados en una galaxia. ¿Qué puedes suponer que ya ha ocurrido en esa galaxia en base a esta evidencia?

31. **ANALIZAR** ¿Por qué el descubrimiento de que las galaxias se están separando ayudó a los científicos a concluir que toda la materia estuvo unida en un principio?

32. **PREDECIR** ¿Qué cambios predices que sucederán en el universo en los próximos 10 mil millones de años?

33. **COMPARAR Y CONTRASTAR** Las fotografías de arriba muestran una galaxia espiral y una galaxia elíptica. ¿Qué semejanzas y diferencias ves en estos dos tipos de galaxias?

la GRAN idea

34. **INFERIR** Mira de nuevo la fotografía en las páginas 112 y 113. ¿Cómo cambiarías tu respuesta a la pregunta en la fotografía ahora que has terminado el capítulo? ¿Qué más podría estar presente?

35. **SINTETIZAR** Piensa en una pregunta que todavía tengas acerca del universo. ¿Qué información necesitarías para contestar la pregunta? ¿Cómo podrías obtener esta información?

Proyecto para la unidad

Evalúa todos los datos, los resultados y la información de tu carpeta del proyecto. Prepárate para presentar tu proyecto.

Analizar una tabla

Usa la tabla y el diagrama para contestar las siguientes seis preguntas

Clasificación de las estrellas

Tipo	Color	Temperatura superficial (°C)
O	azul-blanco	superior a 25,000
B	azul-blanco	10,000–25,000
A	blanco	7500–10,000
F	amarillo-blanco	6000–7500
G	amarillo	5000–6000
K	naranja	3500–5000
M	rojo	inferior a 3500

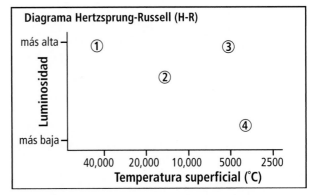

1. ¿Qué tipo de estrella tiene la temperatura superficial más baja?

a. O   **c.** G

b. B   **d.** M

2. ¿Qué tipo de estrella tiene la temperatura superficial más alta?

a. O   **c.** G

b. B   **d.** M

3. ¿Cuál sería el color de una estrella con una temperatura superficial de 8000°C?

a. azul-blanco   **c.** naranja

b. blanco   **d.** rojo

4. Hacia el final de sus ciclos de vida, las estrellas con gran masa aumentan de tamaño mientras que su temperatura superficial disminuye. ¿Cuál de los siguientes es un ejemplo de este cambio?

a. Una estrella blanca se convierte en una estrella azul-blanca.

b. Una estrella azul-blanca se convierte en una estrella roja.

c. Una estrella roja se convierte en una estrella azul-blanca.

d. Una estrella amarilla se convierte en una estrella amarilla-blanca.

5. El diagrama H-R de arriba muestra las temperaturas superficiales y las luminosidades, o brillos reales, de cuatro estrellas. ¿Cuál de las estrellas es de tipo O?

a. 1   **c.** 3

b. 2   **d.** 4

6. ¿Cuáles son las dos estrellas en el diagrama H-R que tienen las temperaturas superficiales más parecidas?

a. 1 y 2   **c.** 2 y 3

b. 1 y 3   **d.** 3 y 4

Respuesta desarrollada

Contesta las dos siguientes preguntas en detalle.

7. ¿Por qué es el mirar una estrella en el cielo nocturno como ver hacia el pasado?

8. ¿Cómo podrías usar dos linternas para demostrar el concepto de que el brillo aparente de una estrella se ve afectado por su distancia de la Tierra? Puedes incluir un diagrama como parte de tu respuesta.

Manuales de recursos para estudiantes

Manual de razonamientos científicos R2

Hacer observaciones   R2

Predecir y formular hipótesis   R3

Inferir   R4

Identificar causa y efecto   R5

Identificar el sesgo   R6

Identificar los razonamientos erróneos   R7

Analizar declaraciones   R8

Manual de laboratorio R10

Normas de seguridad   R10

Usar el equipo de laboratorio   R12

El sistema métrico decimal y las unidades del SI   R20

Precisión y exactitud   R22

Crear tablas de datos y gráficas   R23

Diseñar un experimento   R28

Manual de matemáticas R36

Describir un conjunto de datos   R36

Usar razones, relaciones o tasas y proporciones   R38

Usar decimales, fracciones y porcentajes   R39

Usar fórmulas   R42

Hallar el área   R43

Hallar el volumen   R43

Usar cifras significativas   R44

Usar la notación científica   R44

Manual para tomar apuntes R45

Estrategias para tomar apuntes   R45

Estrategias para el vocabulario   R50

Manual de razonamientos científicos

Hacer observaciones

Una **observación** es el proceso de percibir y anotar un suceso, una característica, un comportamiento o cualquier otro factor detectado con un instrumento o con los sentidos.

Las observaciones te permiten formular hipótesis razonadas y recoger datos para realizar experimentos. Las observaciones precisas producen frecuentemente ideas para nuevos experimentos. Hay dos categorías de observaciones:

- Las **observaciones cuantitativas** pueden expresarse con números y proporcionan datos sobre el tiempo, la temperatura, la masa, la distancia y el volumen.

- Las **observaciones cualitativas** proporcionan descripciones de visiones, sonidos, olores y texturas.

EJEMPLO

Una estudiante disolvió en agua 30 gramos de sales de Epsom, vertió la solución en un recipiente y la dejó en reposo y sin tapar toda la noche. Al día siguiente, hizo las siguientes observaciones sobre los cristales de las sales de Epsom que habían crecido en el recipiente.

Tabla 1. Observaciones sobre los cristales de las sales de Epsom

Observaciones cuantitativas	Observaciones cualitativas
• masa = 30 g • longitud media de los cristales = 0.5 cm • longitud del cristal más largo = 2 cm	• Los cristales son transparentes. • Los cristales son largos, delgados y rectangulares. • Se ha formado un depósito blanco por el borde del recipiente.

Para determinar la masa, la estudiante halló la masa del recipiente antes y después de dejar crecer los cristales y luego usó la operación de resta para hallar la diferencia.

La estudiante midió varios cristales y calculó la longitud media. (En la página R36 se explica cómo calcular la media de un conjunto de datos.)

Las fotografías y los dibujos son de utilidad para anotar observaciones cualitativas.

 Cristales de las sales de Epsom

COMENTARIOS ADICIONALES SOBRE LAS OBSERVACIONES

- Haz observaciones cuantitativas siempre que sea posible. Así, otras personas sabrán exactamente qué observaste y podrán comparar sus resultados con los tuyos.

- También es aconsejable hacer observaciones cualitativas. En el momento menos esperado, podrías observar algo imprevisto.

Predecir y formular hipótesis

Una **predicción** es un pronóstico sobre lo que ocurrirá o se observará. Una **hipótesis** es una explicación provisional de una observación o de un problema científico que puede someterse a prueba mediante investigaciones adicionales.

EJEMPLO

Supongamos que has hecho dos aviones de papel y te preguntas por qué uno de ellos tiende a volar más lejos que el otro.

1. Empieza por formular una pregunta.

2. Haz una estimación razonada. Tras examinar los aviones, observas que las alas del avión que vuela más lejos son un poco más grandes que las alas del otro avión.

3. Escribe una predicción en forma de un enunciado "Si..., entonces...", basándote en la estimación razonada. Escribe la variable independiente después de la palabra *si* y la variable dependiente después de la palabra *entonces*.

4. Para formular una hipótesis, explica por qué piensas que tu predicción será correcta. Escribe la explicación después de la palabra *porque*.

1. ¿Por qué uno de los aviones de papel vuela más lejos que el otro?

2. El tamaño de las alas del avión podría afectar a la distancia recorrida por el avión.

3. Predicción: Si hago un avión de papel con alas más grandes, entonces el avión volará más lejos.

En la página R30 se explican las variables independiente y dependiente.

4. Hipótesis: Si hago un avión de papel con alas más grandes, entonces el avión volará más lejos porque el área superficial adicional del ala producirá más sustentación.

Observa que la parte de la hipótesis que sigue a la palabra *porque* explica la razón por la que el avión volará más lejos.

COMENTARIOS ADICIONALES SOBRE LAS HIPÓTESIS

- Los resultados de un experimento no pueden demostrar que una hipótesis sea correcta. En lugar de ello, los resultados apoyan o no la hipótesis.

- Se obtiene información valiosa aún cuando la hipótesis no sea apoyada por los resultados. Por ejemplo, sería importante descubrir que el tamaño de las alas no está relacionado con la distancia recorrida por un avión.

- En ciencias, se apoya una hipótesis sólo después de que muchos científicos han realizado gran número de experimentos y obtenido resultados coherentes.

Inferir

Una **inferencia** es una conclusión lógica sacada a partir de las evidencias existentes y los conocimientos previos. Las inferencias se formulan frecuentemente a partir de las observaciones.

EJEMPLO

Un estudiante al examinar un grupo de bellotas observó algo imprevisto en una de ellas. Vio a un insecto blanco de cuerpo blando salir de la bellota comiendo de ella.

El estudiante anotó estas observaciones.

Observaciones

- Hay un orificio en la bellota, de aproximadamente 0.5 cm de diámetro, por donde salió el insecto.
- Hay otro orificio en el otro lado de la bellota que tiene el tamaño aproximado del agujero de un alfiler.
- El interior de la bellota está hueco.

Estas son algunas inferencias que pueden formularse a partir de las observaciones.

Inferencias

- El insecto se formó a partir del material del interior de la bellota, llegó a su tamaño actual y salió de la bellota comiendo de ella.
- El insecto entró por el orificio pequeño, se comió el interior de la bellota, llegó a su tamaño actual y salió de la bellota comiendo de ella.
- Un huevo fue depositado en la bellota a través del orificio pequeño. La larva, al salir del huevo, se comió el interior de la bellota, llegó a su tamaño actual y salió de la bellota comiendo de ella.

Al formular inferencias, asegúrate de examinar todas las evidencias existentes uniéndolas a lo que ya conoces sobre el tema.

COMENTARIOS ADICIONALES SOBRE LAS INFERENCIAS

Las inferencias dependen tanto de las observaciones como de los conocimientos de quienes formulan las inferencias. Las antiguas civilizaciones que no sabían que los organismos eran producidos sólo por organismos similares podían haber formulado una inferencia como la primera. Hoy día, un estudiante al ver las mismas observaciones podría formular la segunda inferencia. Otro estudiante, que además tuviera conocimientos sobre este insecto en particular y supiera que nunca es lo suficiente pequeño para entrar por el orificio pequeño, podría llegar a la tercera inferencia.

Identificar causa y efecto

En una **relación de causa y efecto,** un suceso o una característica es el resultado de otro. Por lo general, el efecto se produce después de la causa.

Hay muchos ejemplos de relaciones de causa y efecto en la vida diaria.

Causa	Efecto
Apaga la luz.	El cuarto se oscurece.
Deja caer un vaso.	El vaso se rompe.
Pita con un silbato.	Se oye un sonido.

Los científicos deben tener cuidado para no inferir que existe una relación de causa y efecto tan sólo porque un suceso ocurre después de otro. Cuando un suceso ocurre después de otro, este hecho por sí solo no basta para inferir que existe una relación de causa y efecto. No se puede llegar a la conclusión de que un suceso causó el otro si existen otras explicaciones del segundo suceso. Los científicos deben demostrar mediante la experimentación o la ampliación de las observaciones que un suceso realmente fue causado por otro.

EJEMPLO

Haz una observación

Supongamos que tienes unas plantas al aire libre. Cuando empieza a hacer frío, trasladas una de ellas al interior de la casa. Después observas que esa planta crece más rápido que las de fuera. Sin embargo, no puedes llegar a la conclusión de que el crecimiento acelerado de la planta se deba al cambio en la temperatura, ya que existen otras explicaciones de la observación. Estas son algunas de las posibles explicaciones.

- La humedad del interior de la casa hizo que la planta creciera más rápido.

- El nivel de luz solar del interior hizo que la planta creciera más rápido.

- El examinar y regar la planta del interior más a menudo que las de fuera la hizo crecer más rápido.

- En un principio, la planta trasladada al interior estaba más sana que las otras.

Para determinar cuáles de estos factores, en el caso de haber alguno, hicieron que la planta del interior creciera más rápido que las de fuera, tendrías que diseñar y realizar un experimento.

En las páginas R28 a R35 se explica cómo diseñar un experimento.

Identificar el sesgo

La televisión, los periódicos y el Internet están repletos de expertos que dicen poseer evidencias científicas para respaldar sus afirmaciones. ¿Cómo sabes si las afirmaciones son respaldadas realmente por datos científicos válidos?

MANUAL DE RAZONAMIENTOS CIENTÍFICOS

El **sesgo** es un punto de vista distorsionado, o un prejuicio personal. Los científicos tienen por meta ser lo más objetivos posible y basar sus resultados en hechos y no en opiniones. Sin embargo, el sesgo afecta frecuentemente a las conclusiones de los investigadores, y es importante aprender a identificarlo.

Cuando se dan a conocer resultados científicos, es aconsejable considerar tanto la fuente de la información como la propia información. Es importante analizar críticamente la información que ves y lees.

FUENTES DE SESGO

Un informe de carácter científico puede ser sesgado de diferentes maneras. Aquí hay algunas preguntas que te puedes plantear al respecto:

1. **¿Quién patrocina la investigación?**

   A veces, los resultados de una investigación son sesgados porque la organización que la costea pretende obtener una determinada respuesta. Este tipo de sesgo puede afectar a la recogida y a la interpretación de los datos.

2. **¿Es suficientemente grande la muestra de la investigación?**

   A veces, la investigación no incluye suficientes datos. Cuanto más grande es el tamaño muestral, más probabilidades hay de que los resultados sean precisos, suponiendo que la muestra es realmente aleatoria.

3. **En el caso de una encuesta, ¿quién responde a las preguntas?**

   Los resultados de una encuesta o un sondeo pueden ser sesgados. Las personas que participan en la encuesta pueden haber sido elegidas precisamente por las respuestas que darían. Quizá tengan las mismas ideas o estilos de vida. Una encuesta o un sondeo debe hacer uso de una muestra aleatoria de personas.

4. **¿Tienen algún prejuicio personal las personas que participan en la encuesta?**

   A veces, las personas que participan en las encuestas tratan de responder a las preguntas de la manera en que el investigador espera que respondan. Además, en las encuestas o los sondeos que solicitan información personal, las personas pueden estar poco dispuestas a dar respuestas verdaderas.

SESGO CIENTÍFICO

También es importante darse cuenta de que los científicos mismos, debido al tipo de investigaciones que hacen y a su punto de vista científico, tienen sus propios prejuicios. Y debido a estos prejuicios, es posible que dos científicos al examinar el mismo conjunto de datos lleguen a conclusiones totalmente diferentes. Sin embargo, estas discrepancias no son necesariamente malas. De hecho, el análisis crítico de las discrepancias es a menudo el impulsor de las ciencias.

Identificar los razonamientos erróneos

Los **razonamientos erróneos** son una forma incorrecta de pensar que lleva a equivocaciones y a conclusiones falsas. Los científicos tienen cuidado para no sacar conclusiones poco razonables de los datos experimentales. Sin esas precauciones, los resultados de las investigaciones científicas podrían ser engañosos.

EJEMPLO

Los científicos, para explicar todo lo posible sobre la naturaleza, tratan de hacer generalizaciones basadas en los datos. Sin embargo, si se examina sólo una pequeña muestra de datos, la conclusión puede ser errónea. Supongamos que un científico ha estudiado los efectos de El Niño y La Niña sobre los daños producidos por inundaciones en California entre 1989 y 1995. Organizó los datos en esta gráfica de barras.

El científico sacó las siguientes conclusiones:

1. El patrón meteorológico de La Niña no influye en las inundaciones en California.
2. Cuando no ocurre ninguno de los patrones meteorológicos, casi no hay daños por inundaciones.
3. El Niño, cuando es débil o moderado, produce inundaciones mínimas o moderadas.
4. El Niño, cuando es intenso, produce inundaciones fuertes.

Para el período de seis años que corresponde a la investigación del científico, estas conclusiones pueden resultar razonables. Sin embargo, un estudio de seis años sobre los patrones meteorológicos puede ser una muestra demasiado pequeña para poder apoyar las conclusiones. Considera la siguiente gráfica, en la cual se muestran los datos recogidos entre 1949 y 1997.

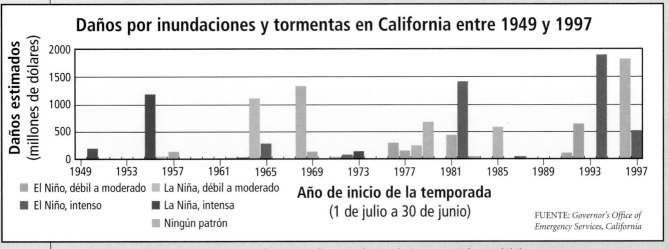

La única conclusión que apoyan todos estos datos es la 3: El Niño, cuando es débil o moderado, produce inundaciones mínimas o moderadas. Al recoger datos adicionales, los científicos pueden estar más seguros de sus conclusiones y evitar los razonamientos erróneos.

Analizar declaraciones

Analizar una declaración es examinar atentamente sus diferentes partes. Muchas veces, los resultados científicos se dan a conocer a través de los medios de comunicación como la televisión o el Internet. Un informe que sale a la luz pública se centra frecuentemente sólo en una pequeña parte de una investigación. Como resultado de ello, es importante preguntarse por las fuentes de información.

Evaluar las afirmaciones de los medios de comunicación

Evaluar una declaración es juzgarla basándote en los criterios que has fijado. A veces, evaluar significa decidir si una declaración es cierta.

Los informes de investigaciones y resultados científicos que salen en los medios de comunicación pueden ser engañosos o incompletos. Cuando te llega esta información, debes plantearte algunas preguntas para así poder formar opiniones razonadas sobre ella.

1. **¿Es la información de una fuente fiable?**

   Supongamos que te informas de un nuevo producto del cual se afirma que las evidencias científicas demuestran sus buenos resultados. Un informe de una fuente de información respetada puede ser más creíble que un anuncio costeado por el fabricante del producto.

2. **¿Cuántas evidencias apoyan la afirmación?**

   A menudo, puede parecer que cada día surgen nuevas evidencias de algo en el mundo que causa o elimina alguna enfermedad. Sin embargo, la información que resulta del trabajo realizado por diferentes científicos durante un período de varios años es más fiable que un anuncio que ni siquiera menciona a los sujetos del experimento.

3. **¿Cuánta información se presenta?**

   La ciencia no puede resolver todas las cuestiones, y los experimentos científicos frecuentemente tienen defectos. Un informe que comenta los problemas surgidos en un estudio científico puede ser más creíble que otro que proporciona sólo los resultados experimentales positivos.

4. **¿Las evidencias científicas son presentadas por una fuente específica?**

   A veces, los resultados científicos son dados a conocer por personas calificadas de expertos o líderes en un campo científico. Pero si no se mencionan sus nombres ni sus credenciales científicas, sus declaraciones pueden ser menos fiables que las de reconocidos expertos.

Distinguir entre los hechos y las opiniones

A veces, la información se presenta como si fuera un hecho aunque sólo sea una opinión. Cuando se dan a conocer conclusiones científicas, es importante reconocer si están basadas en evidencias sólidas. De nuevo, es aconsejable que te plantees algunas preguntas.

1. **¿Qué diferencia hay entre un hecho y una opinión?**

   Un **hecho** es un dato que puede definirse con rigor y demostrarse como cierto. Una **opinión** es una declaración que expresa una creencia, un valor o un sentimiento, y que no se puede demostrar como cierta o falsa. Por ejemplo, la edad de una persona es un hecho, pero si se le pregunta qué edad siente que tiene es imposible demostrar que su respuesta sea cierta o falsa.

2. **¿Es posible medir las opiniones?**

   Sí, es posible medir las opiniones. De hecho, muchas veces las encuestas preguntan qué opinan las personas sobre algún tema. Pero es imposible saber si la opinión es o no la verdad.

CÓMO DISTINGUIR ENTRE UN HECHO Y UNA OPINIÓN

Las actividades humanas y el medio ambiente

Opiniones
Fíjate en las palabras o frases que expresan creencias o sentimientos. Las palabras *desafortunadamente* y *descuidada* indican opiniones.

Desafortunadamente, el uso humano de los combustibles fósiles es uno de los sucesos más significativos de los últimos siglos. Los seres humanos necesitan combustibles fósiles, que son recursos de energía no renovables, para cubrir más del 90 por ciento de sus necesidades energéticas.

Hechos
Las declaraciones que contienen estadísticas tienden a ser hechos. Los escritores suelen usar hechos para apoyar sus opiniones.

Opinión
Busca declaraciones que especulen sobre los sucesos. Ese tipo de declaraciones son opiniones ya que no pueden demostrarse.

La explotación errónea y descuidada de los recursos de nuestro planeta ha llevado a la contaminación, al calentamiento global y a la destrucción de frágiles ecosistemas. Por ejemplo, los oleoductos transportan diariamente más de un millón de barriles de petróleo por regiones de tundra. El transporte de petróleo por ese tipo de extensiones lleva irremediablemente a derrames que envenenan la tierra durante décadas.

Manual de laboratorio

Normas de seguridad

Antes de trabajar en el laboratorio, lee estas normas de seguridad dos veces. Pídele al maestro que explique las normas que no entiendas perfectamente. Haz referencia a las normas más adelante si tienes alguna pregunta sobre la seguridad en la sala de la clase de ciencias.

Instrucciones

- Lee todas las instrucciones y asegúrate de entenderlas bien antes de empezar una investigación o una actividad de laboratorio. Si no entiendes cómo realizar un procedimiento o usar un aparato, pídele ayuda al maestro.
- No empieces ninguna investigación ni toques ningún aparato hasta que el maestro así te lo indique.
- No hagas ningún experimento por tu cuenta. Si quieres realizar un procedimiento que no aparezca en las instrucciones, primero pídele permiso al maestro.
- Si resultas herido de cualquier manera, avisa inmediatamente al maestro.

Ropa y equipo personal

lentes de seguridad

delantal

guantes

- Usa lentes de seguridad al
  — manejar material de vidrio, objetos afilados o sustancias químicas
  — calentar un objeto
  — trabajar con algo que bien podría escaparse hacia arriba y dañarle los ojos a alguien
- Recógete el pelo largo o el que cuelgue delante de los ojos.
- Quítate cualquier prenda de vestir, como un suéter holgado o un pañuelo, que al colgar pueda entrar en contacto con una llama, una sustancia química o un aparato.
- Respeta todos los símbolos de seguridad referentes al uso de protección para los ojos, guantes y delantales.

Seguridad ante las fuentes de calor o los fuegos

seguridad fuegos

seguridad fuentes de calor

- Mantén el lugar de trabajo ordenado, limpio y libre de materiales innecesarios.
- Nunca te acerques a una llama o fuente de calor para alcanzar algo.
- Nunca apuntes los objetos que se calienten hacia ti o hacia otras personas.
- Nunca calientes ninguna sustancia u objeto en un recipiente cerrado.
- Nunca toques un objeto calentado. Si no sabes si está caliente, trátalo como si lo estuviera. Usa manoplas de cocina, abrazaderas, tenacillas o una pinza para tubos de ensayo.
- Infórmate de la localización en la sala de clase del extintor y de la manta apagafuegos.
- No eches sustancias calientes a la basura. Deja que se enfríen o usa el recipiente que el maestro destine para su eliminación.

Seguridad ante el equipo eléctrico

seguridad
equipo
eléctrico

- Nunca uses lámparas ni otros equipos eléctricos que tengan el cable desgastado.
- Asegúrate de que los cables situados en el suelo estén apartados, para evitar que se tropiece con ellos.
- Aleja los cables de los bordes de las encimeras o las mesas, para evitar que alguien tire de ellos o que caigan al suelo.
- Aleja los cables del interior de los lavados o de otros sitios donde haya agua.
- Nunca intentes corregir ningún problema eléctrico. En caso de un problema, avisa inmediatamente al maestro.
- Desenchufa los cables eléctricos tirando del enchufe y no del cable.

Seguridad ante las sustancias químicas

seguridad
sustancias
químicas

veneno

vapores

- Si derramas una sustancia química o ésta entra en contacto con tu piel o tus ojos, avisa inmediatamente al maestro.
- Nunca toques, pruebes ni huelas ninguna sustancia química en el laboratorio. Si necesitas determinar un olor, haz lo siguiente: coloca a 15 centímetros (6 pulg) de la nariz el recipiente con la sustancia química y mueve los dedos lentamente para dirigir los vapores desde el recipiente hacia la nariz.
- Mantén cerrados los recipientes de las sustancias químicas cuando no las uses.

Dirige los vapores.

- Nunca vuelvas a echar en los recipientes originales las sustancias químicas sin usar. Echa las sustancias químicas que sobren en el lugar que el maestro destina para tal uso.
- Cuando viertas sustancias químicas, colócate sobre el lavabo o sobre el lugar de trabajo y no sobre el suelo.
- Si una sustancia química entra en contacto con tus ojos, usa inmediatamente el lavaojos.
- Lávate las manos siempre después de manipular sustancias químicas, plantas o suelo.

Seguridad ante el material de vidrio y los objetos afilados

objetos
afilados

- Si rompes algún objeto de vidrio, avisa inmediatamente al maestro.
- No uses material de vidrio roto o agrietado. Entrégaselo al maestro.
- Utiliza con cuidado cuchillos y otros instrumentos para cortar. Usa siempre protección para los ojos y corta en dirección contraria a ti.

Seguridad ante los animales

- Nunca hagas daño a ningún animal.
- No toques los animales a menos que sea necesario. Sigue las instrucciones del maestro sobre la manipulación de los animales.
- Lávate las manos siempre después de trabajar con animales.

Limpieza

eliminación

- Sigue las instrucciones del maestro para desechar o guardar los materiales.
- Limpia el lugar de trabajo y recoge todo lo que haya caído al suelo.
- Lávate las manos.

Usar el equipo de laboratorio

Para realizar diferentes experimentos se necesitan diferentes tipos de equipos. Pero aunque los experimentos sean diferentes, la utilización del equipo es la misma.

Vasos de precipitados

- Usa vasos de precipitados para contener y verter líquidos.

- No uses un vaso de precipitados para medir el volumen de un líquido. En ese caso, usa una probeta graduada. (Consulta la página R16.)

- Usa un vaso de precipitados que tenga aproximadamente el doble de capacidad del líquido que se necesita. Por ejemplo, si necesitas 100 mililitros de agua, utiliza un vaso de 200 ó 250 mililitros.

Tubos de ensayo

- Usa tubos de ensayo para contener pequeñas cantidades de sustancia.

- No uses un tubo de ensayo para medir el volumen de un líquido.

- Usa un tubo de ensayo para calentar una sustancia sobre una llama. Apunta la boca del tubo de ensayo en dirección contraria a ti y a otras personas.

- Los líquidos se derraman o escapan fácilmente fuera de los tubos de ensayo, por lo que es importante usar sólo pequeñas cantidades de líquido.

Pinza para tubos de ensayo

- Usa una pinza cuando calientes una sustancia en un tubo de ensayo.

- Usa una pinza cuando sea peligroso tocar la sustancia del tubo de ensayo.

- Asegúrate de que la pinza sujete bien el tubo de ensayo, para evitar que éste se suelte de ella.

- Asegúrate de colocar la pinza por encima de la superficie de la sustancia del tubo de ensayo, para permitir la observación de ésta.

Gradilla para tubos de ensayo

- Usa una gradilla para organizar los tubos de ensayo antes, durante y después de un experimento.

- Usa una gradilla para mantener verticales los tubos de ensayo, evitando así que se vuelquen y pierdan su contenido.

- Usa una gradilla cuyo tamaño sea correcto para los tubos de ensayo utilizados. Si la gradilla es demasiado pequeña, los tubos de ensayo pueden quedar atrancados. Y si es demasiado grande, los tubos de ensayo pueden inclinarse, perdiéndose o salpicándose parte de su contenido.

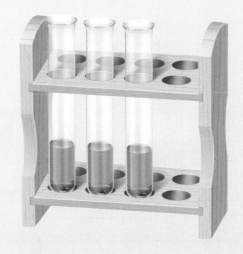

Pinzas

- Usa pinzas cuando necesites levantar o sostener un objeto muy pequeño que no deba tocarse con las manos.

- No uses pinzas para sostener un objeto sobre una llama ya que no son lo suficientemente largas para mantener la distancia de seguridad entre la mano y la llama. Las pinzas de plástico se fundirán y las metálicas se calentarán, quemándote la mano.

Placa calentadora

- Usa una placa calentadora cuando una sustancia tenga que mantenerse a una temperatura superior a la temperatura ambiente durante un tiempo prolongado.

- Usa una placa calentadora en lugar del mechero Bunsen o una vela cuando necesites controlar con exactitud la temperatura.

- No uses una placa calentadora cuando sea necesario quemar una sustancia en un experimento.

- Usa siempre manoplas de seguridad o de cocina al manipular algo que haya sido calentado sobre la placa calentadora.

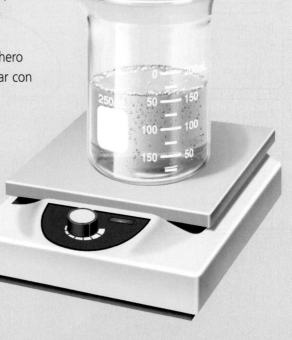

El microscopio

Los científicos usan el microscopio para observar objetos muy pequeños que son difíciles de ver a simple vista. Este aparato aumenta la imagen de un objeto para así examinar los pequeños detalles. Uno de los microscopios que usarás puede aumentar un objeto 400 veces, es decir, el objeto parecerá ser 400 veces más grande que su tamaño real.

Ocular Los objetos se ven a través del ocular, el cual contiene una lente que normalmente aumenta la imagen 10 veces.

Tubo Separa la lente del ocular de los objetivos inferiores.

Tornillo macrométrico Permite enfocar la imagen de un objeto a través del objetivo de menor aumento.

Revólver Sostiene los objetivos sobre la platina pudiendo girarse para permitir el uso de todas las lentes.

Tornillo micrométrico Permite enfocar la imagen de un objeto a través del objetivo de mayor aumento.

Objetivo de mayor aumento Contiene la lente más grande del revólver. Aumenta la imagen aproximadamente 40 veces.

Objetivo de menor aumento Contiene la lente más pequeña del revólver. Aumenta la imagen aproximadamente 10 veces.

Platina Sostiene el objeto observado.

Brazo Sostiene el tubo sobre la platina. Para trasladar el microscopio, éste se toma por el brazo y el pie.

Diafragma Ajusta la cantidad de luz que pasa por el portaobjetos hasta el objetivo.

Pinza de la platina Sujeta el portaobjetos sobre la platina.

Espejo o fuente de iluminación Algunos microscopios usan la luz reflejada por la platina mediante un espejo. Otros microscopios disponen de su propia fuente de iluminación.

Pie Sirve de base para el microscopio.

OBSERVAR UN OBJETO

1. Usa el tornillo macrométrico para subir el tubo del microscopio.

2. Ajusta el diafragma hasta ver un círculo de luz brillante a través del ocular.

3. Coloca en la platina el objeto o el portaobjetos. Asegúrate de situarlo sobre el centro de la abertura de la platina.

4. Gira el revólver hasta que el objetivo de menor aumento quede encajado.

5. Girando el tornillo macrométrico, baja lentamente el objetivo hasta que el espécimen a observar esté enfocado. Asegúrate de que el objetivo no toque el portaobjetos ni el objeto.

6. Para pasar del objetivo de menor aumento al objetivo de mayor aumento, sube primero el tubo con el tornillo macrométrico para evitar que el objetivo de mayor aumento entre en contacto con el portaobjetos.

7. Gira el revólver hasta que el objetivo de mayor aumento quede encajado.

8. Gira el tornillo micrométrico hasta que el espécimen a observar esté enfocado. De nuevo, asegúrate de que el objetivo no toque el portaobjetos ni el objeto.

REALIZAR UNA PREPARACIÓN EN FRESCO

1 Pon el espécimen en el centro de un portaobjetos limpio.

2 Coloca una gota de agua sobre el espécimen.

3 Pon un cubreobjetos sobre el portaobjetos. Para ello, coloca uno de los bordes del cubreobjetos en la gota de agua y baja lentamente el cubreobjetos sobre el espécimen.

4 Elimina las burbujas de aire que haya bajo el cubreobjetos dándole unos ligeros golpecitos.

5 Seca el exceso de agua que haya antes de colocar el portaobjetos a observar sobre la platina del microscopio.

Balanza de resorte

- Usa una balanza de resorte para medir una fuerza que tira de ella.

- Usa una balanza de resorte para medir la fuerza de gravedad que ejerce la Tierra sobre un objeto.

- Para medir con exactitud una fuerza, antes de usar la balanza de resorte ésta debe estar calibrada a cero. La balanza está calibrada a cero si antes de sujetar ningún peso el indicador se sitúa en cero.

- No sujetes a la balanza de resorte un peso excesivo ni insuficiente. Un peso excesivo podría romper la balanza o ejercer una fuerza demasiado grande, impidiendo que la balanza funcionara. Un peso insuficiente podría ejercer una fuerza demasiado pequeña, impidiendo que la medición fuera exacta.

Probeta graduada

- Usa una probeta graduada para medir el volumen de un líquido.

- Asegúrate de colocar la probeta graduada sobre una superficie plana para obtener una medición exacta.

- Al leer la escala de la probeta graduada, asegúrate de que tus ojos estén a la altura del nivel de la superficie del líquido.

- El líquido tendrá la superficie curva en la probeta graduada. Lee el volumen del líquido a la altura de la parte inferior de la curva, o menisco.

- Puedes usar una probeta graduada para hallar el volumen de un objeto sólido; para ello, mide el aumento en el nivel del líquido tras introducir el objeto en la probeta.

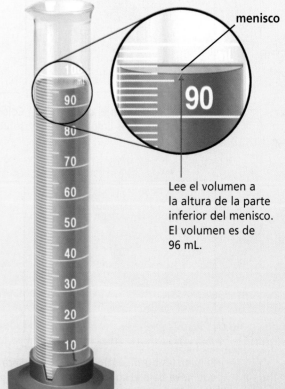

menisco

Lee el volumen a la altura de la parte inferior del menisco. El volumen es de 96 mL.

Reglas métricas

- Usa una regla métrica o una regla de un metro para medir la longitud de los objetos.

- No midas el objeto a partir del extremo de la regla métrica o de la regla de un metro, ya que el extremo suele presentar imperfecciones. En lugar de ello, parte de la marca de 1 centímetro pero recuerda restar un centímetro a la medida aparente.

- Estima las longitudes que se sitúen entre las unidades marcadas. Por ejemplo, si la regla de un metro indica centímetros pero no milímetros, puedes estimar la longitud de un objeto que se sitúa entre las marcas de los centímetros para medirlo al milímetro más próximo.

- **Controlar las variables** Si realizas una misma medición repetidas veces, mide siempre desde el mismo punto. Por ejemplo, si mides el rebote de dos pelotas diferentes tras dejarlas caer desde la misma altura, mide ambos rebotes en el mismo punto de las pelotas, ya sea en la parte superior o en la parte inferior. No midas en la parte superior de una pelota y en la parte inferior de la otra.

EJEMPLO

Cómo medir una hoja

1. Coloca una regla sobre la hoja de manera que la marca de 1 centímetro coincida con uno de los extremos de la hoja. Desde este momento y hasta que tomes la medida, asegúrate de no mover ni la regla ni la hoja.

2. Mirando directamente hacia abajo, fíjate en la regla para ver exactamente cómo coinciden las marcas con el otro extremo de la hoja.

3. Estima la longitud de la hoja cuando sobrepase las marcas. Por ejemplo, la longitud de la hoja de la imagen se sitúa aproximadamente a medio camino entre las marcas de 4.2 centímetros y 4.3 centímetros. Por lo tanto, la medida aparente es de aproximadamente 4.25 centímetros.

4. Recuerda restar 1 centímetro a la medida aparente ya que partiste de la marca de 1 centímetro de la regla y no del extremo. La hoja mide aproximadamente 3.25 centímetros (4.25 cm − 1 cm = 3.25 cm).

Balanza de tres brazos

Esta balanza tiene un platillo y tres brazos con pesas corredizas. En un extremo de los brazos se encuentra un indicador que muestra si la masa colocada en el platillo es igual a las masas indicadas en los brazos.

1. Asegúrate de que la balanza esté calibrada a cero antes de medir la masa del objeto. La balanza está calibrada a cero si tras situar las pesas en cero y sin que haya ningún objeto en el platillo, el indicador señala el cero. Gira el tornillo de calibración situada en la base de la balanza para calibrarla a cero.

2. Coloca el objeto en el platillo.

3. Mueve las pesas una muesca cada vez en dirección contraria a la del platillo, empezando por la pesa más grande. Si al mover esta pesa una muesca el indicador desciende por debajo del cero, empieza a medir la masa del objeto con la pesa de tamaño siguiente.

4. Cambia la posición de las pesas hasta encontrar la posición de equilibrio de la masa en el platillo y que el indicador señale el cero. Después suma los valores de los tres brazos para determinar la masa del objeto.

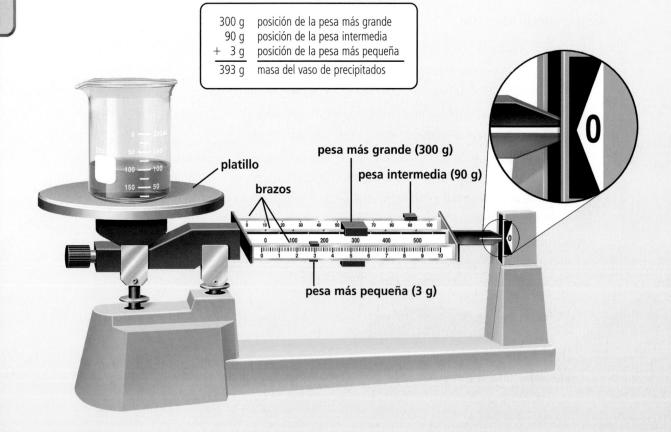

300 g	posición de la pesa más grande
90 g	posición de la pesa intermedia
+ 3 g	posición de la pesa más pequeña
393 g	masa del vaso de precipitados

platillo

brazos

pesa más grande (300 g)

pesa intermedia (90 g)

pesa más pequeña (3 g)

Balanza de dos platillos

Este tipo de balanza tiene dos platillos. Entre los platillos se encuentra un indicador que muestra si las masas colocadas en ellos son iguales.

1. Asegúrate de que la balanza esté calibrada a cero antes de medir la masa del objeto. La balanza está calibrada a cero si el indicador señala el cero sin que haya nada en ninguno de los platillos. Muchas balanzas de dos platillos tienen tornillos corredizos que sirven para calibrarlas a cero.

2. Coloca el objeto en uno de los platillos.

3. Empieza a agregar al otro platillo masas normalizadas, empezando con la más grande. Si la masa agregada a la balanza es excesiva, empieza a medir la masa del objeto con la masa normalizada de tamaño siguiente.

4. Sigue agregando masas normalizadas hasta encontrar la posición de equilibrio de las masas en ambos platillos y que el indicador señale el cero. Después suma los valores de las masas normalizadas para determinar la masa del objeto.

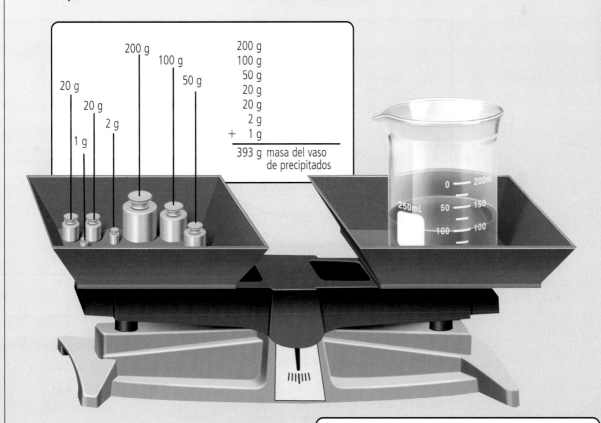

Nunca pongas directamente en un platillo sustancias químicas ni líquidos. En esos casos, sigue este procedimiento:

1. Determina la masa de un recipiente vacío, como un vaso de precipitados.

2. Vierte la sustancia en el recipiente y mide la masa total de la sustancia y del recipiente.

3. Resta la masa del recipiente vacío a la masa total para hallar la masa de la sustancia.

El sistema métrico decimal y las unidades del SI

Los científicos usan las unidades del Sistema Internacional (SI) para medir la distancia, el volumen, la masa y la temperatura. Este sistema está basado en los múltiplos de diez y en el sistema métrico decimal de medidas.

Unidades básicas del SI		
Propiedad	Nombre	Símbolo
longitud	metro	m
volumen	litro	L
masa	kilogramo	kg
temperatura	kelvin	K

Prefijos del SI		
Prefijo	Símbolo	Múltiplo de 10
kilo-	k	1000
hecto-	h	100
deca-	da	10
deci-	d	$0.1 \left(\frac{1}{10}\right)$
centi-	c	$0.01 \left(\frac{1}{100}\right)$
mili-	m	$0.001 \left(\frac{1}{1000}\right)$

Cambiar de unidad métrica

Puedes pasar de una unidad del sistema métrico decimal a otra multiplicando o dividiendo por una potencia de 10.

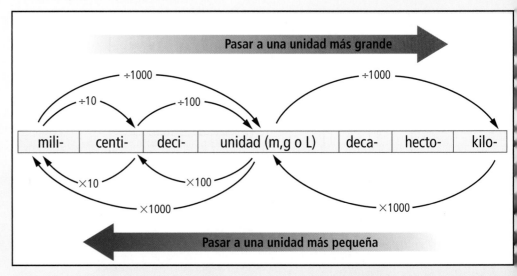

Ejemplo

Pasa 0.64 litro a mililitros.

(1) Decide si multiplicar o dividir.

(2) Escoge la potencia de 10.

RESPUESTA 0.64 L = 640 mL

Para pasar a una unidad más pequeña, multiplica.

mL ◄——— × 1000 ——— L

$0.64 \times 1000 = 640.$

Ejemplo

Pasa 23.6 gramos a kilogramos.

(1) Decide si multiplicar o dividir.

(2) Escoge la potencia de 10.

RESPUESTA 23.6 g = 0.0236 kg

Para pasar a una unidad más grande, divide.

g ——— ÷ 1000 ——► kg

$23.6 \div 1000 = 0.0236$

Conversiones de temperatura

El kelvin es la unidad básica de temperatura del SI, pero sin embargo el grado centígrado será la unidad que usarás con más frecuencia en tus estudios científicos. Las siguientes fórmulas muestran las relaciones entre las temperaturas en grados Fahrenheit (°F), en grados centígrados (°C) y en kelvins (K).

$$°C = \frac{5}{9}(°F - 32)$$

$$°F = \frac{9}{5}°C + 32$$

$$K = °C + 273$$

En la página R42 se explica cómo usar las fórmulas.

Ejemplos de conversiones de temperatura		
Condición	Grados centígrados	Grados Fahrenheit
Punto de congelación del agua	0	32
Día fresco	10	50
Día suave	20	68
Día algo caluroso	30	86
Temperatura corporal normal	37	98.6
Día muy caluroso	40	104
Punto de ebullición del agua	100	212

Hacer conversiones entre las unidades del SI y del sistema estadounidense

Usa la siguiente tabla para hacer conversiones entre las unidades del SI y las del sistema estadounidense.

Unidad del SI	Del SI al sistema estadounidense			Del sistema estadounidense al SI		
Longitud	Cuando se dan	multiplica por	para hallar	Cuando se dan	multiplica por	para hallar
kilómetro (km) = 1000 m	kilómetros	0.62	millas	millas	1.61	kilómetros
metro (m) = 100 cm	metro	3.28	pies	pies	0.3048	metro
centímetro (cm) = 10 mm	centímetros	0.39	pulgadas	pulgadas	2.54	centímetros
milímetro (mm) = 0.1 cm	milímetros	0.04	pulgadas	pulgadas	25.4	milímetros
Área	Cuando se dan	multiplica por	para hallar	Cuando se dan	multiplica por	para hallar
kilómetro cuadrado (km²)	kilómetros cuadrados	0.39	millas cuadradas	millas cuadradas	2.59	kilómetros cuadrados
metro cuadrado (m²)	metros cuadrados	1.2	yardas cuadradas	yardas cuadradas	0.84	metros cuadrados
centímetro cuadrado (cm²)	centímetros cuadrados	0.155	pulgadas cuadradas	pulgadas cuadradas	6.45	centímetros cuadrados
Volumen	Cuando se dan	multiplica por	para hallar	Cuando se dan	multiplica por	para hallar
litro (L) = 1000 mL	litros	1.06	cuartos	cuartos	0.95	litros
	litros	0.26	galones	galones	3.79	litros
	litros	4.23	tazas	tazas	0.24	litros
	litros	2.12	pintas	pintas	0.47	litros
mililitro (mL) = 0.001 L	mililitros	0.20	cucharaditas	cucharaditas	4.93	mililitros
	mililitros	0.07	cucharadas	cucharadas	14.79	mililitros
	mililitros	0.03	onzas líquidas	onzas líquidas	29.57	mililitros
Masa	Cuando se dan	multiplica por	para hallar	Cuando se dan	multiplica por	para hallar
kilogramo (kg) = 1000 g	kilogramos	2.2	libras	libras	0.45	kilogramos
gramo (g) = 1000 mg	gramos	0.035	onzas	onzas	28.35	gramos

Precisión y exactitud

Cuando realices un experimento es importante que tus métodos, observaciones y datos sean precisos y exactos.

baja precisión

alta precisión, baja exactitud

alta precisión, alta exactitud

Precisión

En ciencias, la **precisión** requiere afinamiento y consecuencia en las medidas. Por ejemplo, las medidas realizadas con una regla marcada en centímetros y milímetros serían más precisas que las medidas realizadas con una regla marcada sólo en centímetros. Otro indicador de la precisión es el esmero con el que se garantiza que los métodos y las observaciones sean lo más afinados y consecuentes posibles. Cada vez que se efectúe un determinado experimento, se deberá usar el mismo procedimiento. La precisión es necesaria porque los experimentos se repiten varias veces, y si cambia el procedimiento también cambiarán los resultados.

EJEMPLO

Supongamos que estás midiendo la temperatura durante un período de dos semanas. Si mides la temperatura en el mismo lugar a la misma hora del día y con el mismo termómetro, la precisión será mayor que si cambias alguno de estos factores entre un día y el siguiente.

Exactitud

En ciencias, es posible ser preciso sin ser exacto. La **exactitud** se refiere a la diferencia entre una medida y el valor real. Cuanto más pequeña sea esa diferencia, más exacta será la medida.

EJEMPLO

Supongamos que al mirar un arroyo estimas que cierto lugar de su tramo tiene 1 metro de ancho. Para comprobar tu estimación, usas una regla de un metro para medir el arroyo y determinas que tiene 1.32 metros de ancho. Sin embargo, debido a la dificultad con la que se mide el ancho de un arroyo con una regla de un metro, resulta que no lo has hecho muy bien. El ancho real es de 1.14 metros. Por lo tanto, la estimación aunque era menos precisa que la medida en sí, era en realidad más exacta.

Crear tablas de datos y gráficas

Las tablas de datos y las gráficas son herramientas útiles tanto para anotar datos científicos como para comunicarlos.

Tablas de datos

Puedes usar una **tabla de datos** para organizar y anotar las medidas que realices. Ejemplos de datos que podrían anotarse en una tabla de datos son las frecuencias, los tiempos y las cantidades.

EJEMPLO

Supongamos que estás investigando la fotosíntesis en dos plantas de elodea. Una recibe luz solar directa y la otra está en un cuarto poco iluminado. Para medir la tasa de fotosíntesis, cuentas las burbujas del frasco cada diez minutos.

1. Asígnale a la tabla de datos un título y un número.

2. Decide cómo organizar la tabla en columnas y filas.

3. Las unidades, como los segundos o los grados, deben indicarse en el encabezamiento de las columnas y no en las celdas individuales.

Tabla 1. Número de burbujas de las plantas de elodea

Tiempo (min)	Luz solar	Iluminación débil
0	0	0
10	15	5
20	25	8
30	32	7
40	41	10
50	47	9
60	42	9

> Asígnales siempre a las tablas de datos un título y un número.

Los datos de la tabla superior también podrían organizarse de otra manera.

Tabla 1. Número de burbujas de las plantas de elodea

Iluminación	Tiempo (min)						
	0	10	20	30	40	50	60
Luz solar	0	15	25	32	41	47	42
Iluminación débil	0	5	8	7	10	9	9

> Indica las unidades en el encabezamiento de la columna.

Gráficas lineales

Puedes usar una **gráfica lineal** para mostrar una relación entre variables. Las gráficas lineales son especialmente útiles para mostrar los cambios en las variables con el paso del tiempo.

EJEMPLO

Supongamos que quieres representar gráficamente los datos de temperatura que recogiste a lo largo de un día.

Tabla 1. La temperatura exterior durante el día, el 7 de marzo

	Hora						
	7:00 a.m.	9:00 a.m.	11:00 a.m.	1:00 p.m.	3:00 p.m.	5:00 p.m.	7:00 p.m.
Temp (°C)	8	9	11	14	12	10	6

1. Usa el eje vertical de la gráfica lineal para representar la variable que mides: la temperatura.

2. Fija una escala tanto para el eje horizontal de la gráfica como para el eje vertical. El eje vertical tendrá dos puntos más de los necesarios, y el eje horizontal será lo suficientemente largo como para situar en él los puntos de todos los datos.

3. Dibuja y rotula cada eje.

4. Representa gráficamente cada valor. Primero localiza el punto apropiado en la escala del eje horizontal. Imagina una línea vertical que parte de ese lugar de la escala. Después halla el valor correspondiente del eje vertical e imagina una línea horizontal que parte de ese valor. El punto donde las dos líneas imaginarias se cruzan es el lugar donde se debe marcar el valor.

5. Une los puntos mediante líneas rectas.

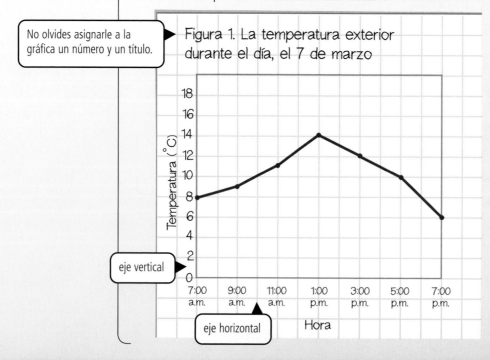

No olvides asignarle a la gráfica un número y un título.

Figura 1. La temperatura exterior durante el día, el 7 de marzo

eje vertical

eje horizontal

Gráficas circulares

Puedes usar una **gráfica circular,** o diagrama de tarta, para representar los datos como las partes de un círculo. Este tipo de gráfica se usa sólo cuando los datos pueden expresarse como porcentajes de un todo. El círculo entero que aparece en una gráfica circular equivale al 100 por ciento de los datos.

EJEMPLO

Supongamos que identificaste la especie de cada uno de los árboles desarrollados que crecen en una pequeña zona de bosque. Organizaste los datos en una tabla pero también quieres presentarlos en una gráfica circular.

1. Para empezar, halla el número total de árboles desarrollados.

    $56 + 34 + 22 + 10 + 28 = 150$

2. Para hallar la medida en grados de cada sector del círculo, escribe una fracción que relacione el número de árboles de cada especie con el número total de árboles. Después multiplica la fracción por 360°.

    Encina: $\frac{56}{150} \times 360° = 134.4°$

3. Dibuja un círculo. Usa el transportador para dibujar el ángulo de cada sector de la gráfica.

4. Colorea y rotula cada sector de la gráfica.

5. Asígnale a la gráfica un número y un título.

Tabla 1. Especies de árboles de una zona de bosque

Especie	Número de ejemplares
Encina	56
Arce	34
Abedul	22
Sauce	10
Pino	28

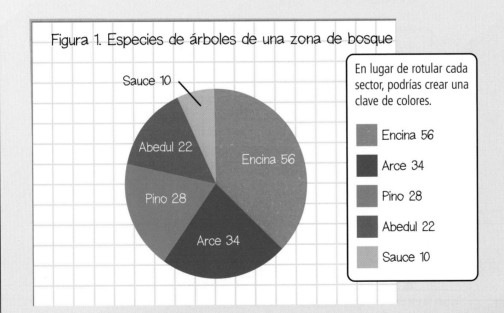

Figura 1. Especies de árboles de una zona de bosque

Sauce 10
Abedul 22
Encina 56
Pino 28
Arce 34

En lugar de rotular cada sector, podrías crear una clave de colores.

- Encina 56
- Arce 34
- Pino 28
- Abedul 22
- Sauce 10

Gráficas de barras

Una **gráfica de barras** es un tipo de gráfica en que las longitudes de las barras sirven para representar y comparar los datos. Se utiliza una escala numérica para determinar las longitudes de las barras.

EJEMPLO

Para determinar el efecto del agua sobre la germinación de las semillas, se llenaron de arena tres vasos y en cada uno de ellos se plantaron diez semillas. Durante un período de tres días a cada vaso se añadió una cantidad diferente de agua.

Tabla 1. Efecto del agua sobre la germinación de las semillas

Cantidad diaria de agua (mL)	Número de semillas que germinaron tras estar 3 días en arena
0	1
10	4
20	8

1. Fija una escala numérica. El valor más grande es 8, por lo que el último valor de la escala debe ser superior a 8, como 10. Usa incrementos iguales en la escala, como los de 2.

2. Dibuja y rotula los ejes. Marca los intervalos en el eje vertical según la escala que fijes.

3. Dibuja una barra para cada valor de los datos. Usa la escala para determinar la longitud de cada barra.

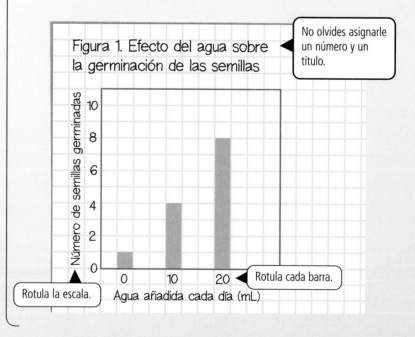

Figura 1. Efecto del agua sobre la germinación de las semillas

No olvides asignarle un número y un título.

Rotula la escala.

Rotula cada barra.

Número de semillas germinadas

Agua añadida cada día (mL)

Gráficas de doble barra

Una **gráfica de doble barra** es una gráfica de barras que muestra dos conjuntos de datos. Las dos barras correspondientes a cada medición se dibujan una al lado de la otra.

EJEMPLO

Se repitió el mismo experimento sobre la germinación de las semillas, pero esta vez con tierra abonada. Los datos referentes a arena y a tierra abonada pueden representarse en una sola gráfica.

1. Dibuja un conjunto de barras usando los datos referentes a arena, tal como se indica abajo.

2. Junto a las barras para los datos referentes a arena, dibuja las barras para los datos referentes a tierra abonada. Usa colores diferentes e incluye una clave.

Tabla 2. El efecto del agua y del suelo sobre la germinación de las semillas

Cantidad diaria de agua (mL)	Número de semillas que germinaron tras estar 3 días en arena	Número de semillas que germinaron tras estar 3 días en tierra abonada
0	1	2
10	4	5
20	8	9

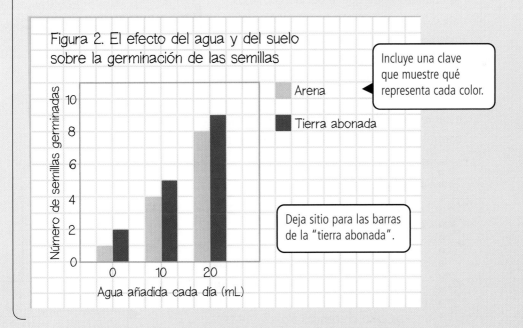

Figura 2. El efecto del agua y del suelo sobre la germinación de las semillas

Incluye una clave que muestre qué representa cada color.

Deja sitio para las barras de la "tierra abonada".

Diseñar un experimento

Lee esta sección cuando tengas que diseñar o realizar un experimento.

Determinar el objetivo

Para fijar el objetivo de un experimento, podrías hacer investigaciones, examinar los resultados de un experimento ya realizado u observar el mundo que te rodea. Un **experimento** es un procedimiento organizado cuyo fin es estudiar algo en condiciones controladas.

1. Escribe el objetivo de tu experimento en forma de una pregunta o un problema que quieres investigar.

2. Apunta las preguntas a investigar y busca información que te pueda ayudar a diseñar un experimento. Consulta en la biblioteca, en Internet y a otras personas mientras realizas la investigación.

> No olvides aprender todo lo que puedas sobre el tema antes de empezar.

EJEMPLO

Los estudiantes de una escuela intermedia notaron un olor cerca del lago situado junto a la escuela. Observaron también que el agua del lado del lago más cercano a la escuela estaba más verde que la del lado opuesto. Los estudiantes investigaron para aprender más sobre sus observaciones. Descubrieron que el olor y el color verde del lago provenían de algas. Descubrieron también que se estaba utilizando un nuevo fertilizante en un campo cercano. Así, los estudiantes infirieron que el uso del fertilizante podría estar relacionado con la presencia de las algas, y diseñaron un experimento controlado para saber si estaban en lo correcto.

Problema

¿Cómo afecta el fertilizante a la presencia de algas en un lago?

Preguntas a investigar

- ¿Se han realizado otros experimentos sobre este problema? Si es así, ¿qué resultados se obtuvieron?
- ¿Qué tipo de fertilizante se usa en el campo? ¿Cuánto?
- ¿Cómo crecen las algas?
- ¿Cómo es posible medir las algas?
- ¿Pueden emplearse el fertilizante y las algas en un laboratorio? ¿Cómo?

> **Investigación**
> Al realizar la investigación, quizás halles un tema que te interese más que el tema original o te enteres de que un procedimiento que querías usar no es práctico o seguro. Está permitido cambiar de objetivo durante la investigación.

Escribir una hipótesis

Una **hipótesis** es una explicación provisional de una observación o de un problema científico que puede someterse a prueba mediante investigaciones adicionales.
Puedes escribir la hipótesis en forma de un enunciado "Si…, entonces… porque".

Hipótesis

Si la cantidad de fertilizante que hay en el agua del lago aumenta, entonces la cantidad de algas también aumentará porque los fertilizantes proporcionan los nutrientes necesarios para su crecimiento.

> **Hipótesis**
> En la página R3 se explican las hipótesis.

Determinar los materiales

Haz una lista de todos los materiales que necesitarás para realizar el experimento. Descríbelos detalladamente, especialmente si alguien va a ayudarte a conseguirlos. Intenta pensar en todo lo que necesitarás.

Materiales

- 1 frasco o recipiente grande
- 4 recipientes pequeños idénticos
- guantes de goma que cubren hasta los brazos
- muestra de una solución de fertilizante y agua
- gotero
- envoltura de plástico transparente
- tijeras
- cinta adhesiva protectora
- marcador
- regla

Determinar las variables y las constantes

EL GRUPO EXPERIMENTAL Y EL GRUPO DE CONTROL

En un experimento para determinar cómo están relacionados dos factores siempre hay dos grupos: el grupo de control y el grupo experimental.

1. Diseña un grupo experimental. Realiza en este grupo tantas pruebas como sea posible para poder obtener resultados fiables.

2. Diseña un grupo de control que sea igual en todo lo posible al grupo experimental, excepto en el factor que deseas probar.

> **Grupo experimental:** dos recipientes de agua del lago a los que se añadió una gota de la solución del fertilizante
>
> **Grupo de control:** dos recipientes de agua del lago a los que no se añadió la solución del fertilizante

Revisa la lista de materiales para asegurarte de que haya suficientes materiales tanto para el grupo experimental como para el grupo de control.

VARIABLES Y CONSTANTES

Identifica las variables y las constantes del experimento. En un experimento controlado, la **variable** es cualquier factor que se puede cambiar. Las **constantes** son todos los factores que son iguales en el grupo experimental y en el grupo de control.

1. Lee la hipótesis. La **variable independiente** es el factor que deseas probar y que para ello es manipulado o cambiado. Esta variable se expresa en la hipótesis después de la palabra *si*. Identifica la variable independiente en el informe del laboratorio.

2. La **variable dependiente** es el factor que mides para conseguir resultados. Esta variable se expresa en la hipótesis después de la palabra *entonces*. Identifica la variable dependiente en el informe del laboratorio.

Hipótesis
Si la cantidad de fertilizante que hay en el agua del lago aumenta, entonces la cantidad de algas también aumentará porque los fertilizantes proporcionan los nutrientes necesarios para su crecimiento.

Tabla 1. Variables y constantes del experimento sobre las algas

Variable independiente	Variable dependiente	Constantes
Cantidad de fertilizante que hay en el agua del lago	Cantidad de algas que crecen	• El lugar donde se obtiene el agua del lago • El tipo de recipiente utilizado • Las condiciones de luz y de temperatura del lugar donde se almacenará el agua

Organiza el experimento de tal manera que se pruebe sólo una variable.

MEDIR LA VARIABLE DEPENDIENTE

Antes de iniciar el experimento, necesitas definir cómo medirás la variable dependiente. Una **definición operativa** es una descripción de la manera concreta en que medirás la variable dependiente.

La definición operativa es importante por varias razones. Primero, en todo experimento existen varias maneras de medir la variable dependiente. Segundo, el procedimiento utilizado en el experimento depende de cómo decidas medir la variable dependiente. Tercero, la definición operativa hace posible que otras personas puedan evaluar y ampliar el experimento.

EJEMPLO 1

La definición operativa de una variable dependiente puede ser cualitativa. Es decir, puedes medir la variable dependiente con sólo observar si se produce algún cambio como resultado de un cambio ocurrido en la variable independiente. Este tipo de definición operativa se puede considerar como una medición de "sí o no".

Tabla 2. Definición operativa cualitativa del crecimiento de las algas

Variable independiente	Variable dependiente	Definición operativa
Cantidad de fertilizante que hay en el agua del lago	Cantidad de algas que crecen	Las algas crecen en el agua del lago

Una medición cualitativa de una variable dependiente suele ser fácil de realizar y anotar. Sin embargo, este tipo de información no proporciona resultados experimentales muy detallados.

EJEMPLO 2

La definición operativa de una variable dependiente puede ser cuantitativa. Es decir, puedes medir la variable dependiente mediante un número que indica qué grado de cambio se produce como resultado de un cambio ocurrido en la variable independiente.

Tabla 3. Definición operativa cuantitativa del crecimiento de las algas

Variable independiente	Variable dependiente	Definición operativa
Cantidad de fertilizante que hay en el agua del lago	Cantidad de algas que crecen	Diámetro de la masa de algas más grande (en mm)

Una medición cuantitativa de una variable dependiente puede ser más difícil de realizar y analizar que una medida cualitativa. Sin embargo, este tipo de datos proporcionan mucha más información sobre el experimento y suelen ser de mayor utilidad.

Escribir el procedimiento

Escribe cada uno de los pasos del procedimiento. Empieza cada paso con un verbo, o "palabra de acción," y haz que sea corto. La claridad del procedimiento debe ser tal que otra persona que lo lea lo pueda usar para repetir el experimento.

MANUAL DE LABORATORIO

Si es necesario, revisa la lista de materiales y añade a ella el material que falte.

Controlar las variables
Se debe añadir la misma cantidad de la solución del fertilizante a dos de los cuatro recipientes.

Controlar las variables
Los cuatro recipientes deben recibir todos la misma cantidad de luz.

Procedimiento

1. Ponte los guantes. Usa el recipiente grande para obtener una muestra del agua del lago.

2. Reparte la muestra del agua del lago a partes iguales entre los cuatro recipientes pequeños.

3. Usa el gotero para añadir a dos de los recipientes una gota de la solución del fertilizante.

4. Usa la cinta adhesiva protectora y el marcador para rotular los recipientes con tus iniciales, la fecha y los identificadores "Frasco 1 con fertilizante", "Frasco 2 con fertilizante", "Frasco 1 sin fertilizante" y "Frasco 2 sin fertilizante".

5. Tapa los recipientes con envoltura de plástico transparente. Usa las tijeras para hacer diez agujeros en cada tapa.

6. Coloca los cuatro recipientes sobre la repisa de una ventana. Asegúrate de que todos reciban la misma cantidad de luz.

7. Observa los recipientes cada día durante una semana.

8. Usa la regla para medir el diámetro de la masa de algas más grande de cada recipiente y anota diariamente las medidas.

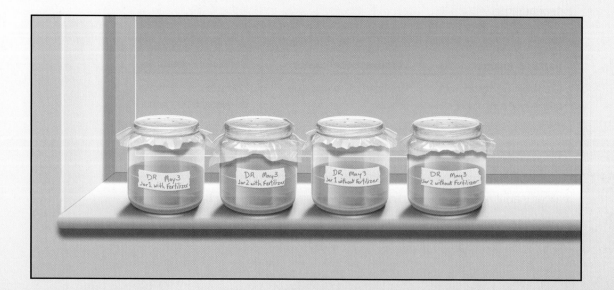

Anotar las observaciones

Una vez obtenidos todos los materiales y aprobado el procedimiento, podrás empezar a hacer observaciones experimentales. Recoge datos cuantitativos y otros cualitativos. Si algo sale mal durante el procedimiento, asegúrate de anotarlo también.

> **Observaciones**
> En la página R2 se explican las observaciones cualitativas y cuantitativas.

En la página R23 aparecen ejemplos adicionales de tablas de datos.

Tabla 4. El fertilizante y el crecimiento de las algas

Fecha y hora	Grupo experimental		Grupo de control		Observaciones
	Frasco 1 con fertilizante (diámetro de las algas en mm)	Frasco 2 con fertilizante (diámetro de las algas en mm)	Frasco 1 sin fertilizante (diámetro de las algas en mm)	Frasco 2 sin fertilizante (diámetro de las algas en mm)	
5/3 4:00 p.m.	0	0	0	0	condensación en todos los recipientes
5/4 4:00 p.m.	0	3	0	0	minúsculas masas verdes en el frasco 2 con fertilizante
5/5 4:15 p.m.	4	5	0	3	masas verdes en los frascos 1 y 2 con fertilizante y en el frasco 2 sin fertilizante
5/6 4:00 p.m.	5	6	0	4	agua de un verde claro en el frasco 2 con fertilizante
5/7 4:00 p.m.	8	10	0	6	agua de un verde claro en los frascos 1 y 2 con fertilizante y en el frasco 2 sin fertilizante
5/8 3:30 p.m.	10	18	0	6	el frasco 2 con fertilizante está destapado
5/9 3:30 p.m.	14	23	0	8	hice dibujos de cada recipiente

Observa que el sexto día el estudiante encontró que uno de los recipientes estaba destapado. Es importante anotar las observaciones de factores imprevistos ya que podrían afectar a los resultados del experimento.

Usa la tecnología, como un microscopio, para ayudarte a hacer observaciones siempre que sea posible.

Dibujos de las muestras observadas al microscopio con 100x, el 5/9

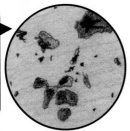
Frasco 1 con fertilizante

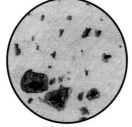
Frasco 2 con fertilizante

Frasco 1 sin fertilizante

Frasco 2 sin fertilizante

Resumir los resultados

Para resumir los datos, revisa juntas todas las observaciones. Busca formas válidas de presentarlas. Por ejemplo, podrías sacar un promedio de los datos o hacer una gráfica en la que buscar patrones. Cuando sea posible, usa un programa de hoja de cálculo para facilitar el análisis y la presentación de los datos. Las dos gráficas siguientes muestran los mismos datos.

EJEMPLO 1

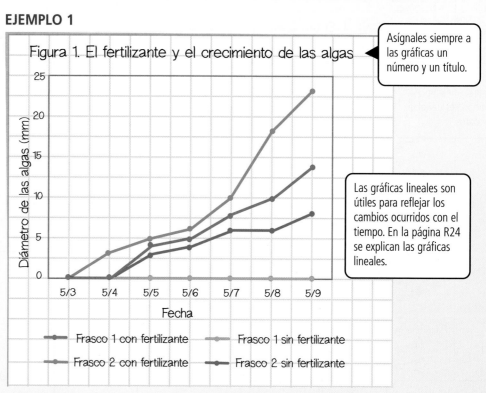

Figura 1. El fertilizante y el crecimiento de las algas

Asígnales siempre a las gráficas un número y un título.

Las gráficas lineales son útiles para reflejar los cambios ocurridos con el tiempo. En la página R24 se explican las gráficas lineales.

EJEMPLO 2

Las gráficas de barras son útiles para comparar diferentes conjuntos de datos. En esta gráfica de barras hay cuatro barras para cada día. Otra manera de presentar los datos sería calcular el promedio de las pruebas y de los controles y usar para cada día una barra de pruebas y una barra de controles.

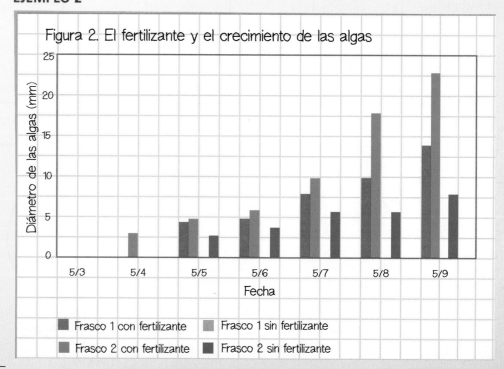

Figura 2. El fertilizante y el crecimiento de las algas

Sacar conclusiones

RESULTADOS E INFERENCIAS

Para sacar conclusiones de tu experimento, escribe primero los resultados. Después compara los resultados con la hipótesis. ¿Apoyan la hipótesis los resultados? Ten cuidado con no hacer inferencias sobre factores que no hayan sido probados.

> En la página R4 se explican las inferencias.

Resultados e inferencias

Los resultados de mi experimento muestran que crecieron más algas en el agua del lago a la que se añadió fertilizante que en el agua del lago a la que no se añadió fertilizante. Mi hipótesis queda apoyada. Así, infiero que es posible que el crecimiento de las algas del lago fuera causado por el fertilizante del campo.

> Observa que basándote en este experimento no puedes llegar a la conclusión de que la presencia de las algas en el agua se deba sólo al fertilizante.

PREGUNTAS PARA AMPLIAR LA INVESTIGACIÓN

Escribe una lista de preguntas para ampliar la investigación. Estas ideas podrían llevarte a nuevos experimentos y descubrimientos.

Preguntas para ampliar la investigación

- ¿Qué relación hay entre la cantidad de fertilizante y el crecimiento de las algas?
- ¿Qué efecto tienen las diferentes marcas de fertilizante sobre el crecimiento de las algas?
- ¿Qué ocurriría con el crecimiento de las algas si no se usara fertilizante en el campo?
- ¿Qué efecto tienen las algas sobre el lago y las otras formas de vida que habitan en él y en sus alrededores?
- ¿Qué efecto tiene el fertilizante sobre el lago y las formas de vida que habitan en él y en sus alrededores?
- Si el fertilizante realmente llega al lago, ¿cómo lo hace?

Manual de matemáticas

Describir un conjunto de datos

La media, la mediana, la moda y la gama son importantes herramientas matemáticas para describir conjuntos de datos, como los siguientes anchos de las conchas de almejas fosilizadas.

13 mm   25 mm   14 mm   21 mm   16 mm   23 mm   14 mm

Media

La **media** de un conjunto de datos es la suma de los valores dividida por el número de valores.

> **Ejemplo**
>
> Para hallar la media de los datos sobre las conchas de almejas, suma los valores y divide la suma por el número de valores.
>
> $$\frac{13\text{ mm} + 25\text{ mm} + 14\text{ mm} + 21\text{ mm} + 16\text{ mm} + 23\text{ mm} + 14\text{ mm}}{7} = \frac{126\text{ mm}}{7} = 18\text{ mm}$$
>
> **RESPUESTA** La media es 18 mm.

Mediana

La **mediana** de un conjunto de datos es el valor central cuando los valores están escritos en orden numérico. Si el conjunto de datos tiene un número par de valores, la mediana es la media de los dos valores centrales.

> **Ejemplo**
>
> Para hallar la mediana de los datos sobre las conchas de almejas, ordena los valores de menor a mayor. La mediana es el valor central.
>
> 13 mm   14 mm   14 mm   16 mm   21 mm   23 mm   25 mm
>
> **RESPUESTA** La mediana es 16 mm.

MANUAL DE MATEMÁTICAS

R36 Recursos para estudiantes

Moda

La **moda** de un conjunto de datos es el valor que aparece más veces.

Ejemplo

Para hallar la moda de los datos sobre las conchas de almejas, ordena los valores de menor a mayor y determina qué valor aparece más veces.

13 mm   14 mm   14 mm   16 mm   21 mm   23 mm   25 mm

RESPUESTA La moda es 14 mm.

Un conjunto de datos puede tener más de una moda o bien ninguna. Por ejemplo, el siguiente conjunto de datos tiene modas de 2 mm y 4 mm:

2 mm   2 mm   3 mm   4 mm   4 mm

El siguiente conjunto de datos no tiene moda ya que no hay ningún valor que aparezca más veces que los demás.

2 mm   3 mm   4 mm   5 mm

Gama

La **gama** de un conjunto de datos es la diferencia entre el valor más grande y el valor más pequeño.

Ejemplo

Para hallar la gama de los datos sobre las conchas de almejas, ordena los valores de menor a mayor.

13 mm   14 mm   14 mm   16 mm   21 mm   23 mm   25 mm

Resta el valor más pequeño al valor más grande.

13 mm es el valor más pequeño.
25 mm es el valor más grande.

25 mm – 13 mm = 12 mm

RESPUESTA La gama es 12 mm.

Usar razones, relaciones o tasas y proporciones

Puedes usar razones y relaciones o tasas para comparar los valores de los conjuntos de datos. Puedes usar proporciones para hallar valores desconocidos.

Razones

En una **razón** se usa la división para comparar dos valores. La razón de un valor a a un valor b distinto a cero puede escribirse como $\frac{a}{b}$.

Ejemplo

La altura de una planta es de 8 centímetros y la altura de otra planta es de 6 centímetros. Para hallar la razón entre la altura de la primera planta y la altura de la segunda planta, escribe una fracción y simplifícala.

$$\frac{8 \text{ cm}}{6 \text{ cm}} = \frac{4 \times \overset{1}{\cancel{2}}}{3 \times \underset{1}{\cancel{2}}} = \frac{4}{3}$$

RESPUESTA La razón entre las alturas de las plantas es $\frac{4}{3}$.

También es posible escribir la razón $\frac{a}{b}$ como "a a b" o $a:b$. Por ejemplo, puedes escribir la razón entre las alturas de las plantas como "4 a 3" ó 4:3.

Relaciones o tasas

Una **relación,** o **tasa,** es la razón entre dos valores expresados en unidades diferentes. Una relación unitaria es una relación que tiene un denominador de 1 unidad.

Ejemplo

Una planta creció 6 centímetros en 2 días. Su tasa de crecimiento fue de $\frac{6 \text{ cm}}{2 \text{ días}}$. Para describir el crecimiento de la planta en centímetros al día, escribe una relación unitaria.

Divide el numerador y el denominador por: $\quad \frac{6 \text{ cm}}{2 \text{ días}} = \frac{6 \text{ cm} \div 2}{2 \text{ días} \div 2}$

> Divides 2 días por 2 para obtener 1 día, así que divide también 6 cm por 2.

Simplifica: $\quad = \frac{3 \text{ cm}}{1 \text{ día}}$

RESPUESTA La tasa de crecimiento de la planta es de 3 centímetros al día.

Proporciones

Una **proporción** es una ecuación que establece que dos razones son equivalentes. Para resolver para un valor desconocido de una proporción, puedes usar los productos cruzados.

Ejemplo

Si una planta creciera 6 centímetros en 2 días, ¿cuántos centímetros crecería en 3 días (si su tasa de crecimiento fuera constante)?

Escribe una proporción: $\dfrac{6 \text{ cm}}{2 \text{ días}} = \dfrac{x \text{ cm}}{3 \text{ días}}$

Escribe los productos cruzados: $6 \cdot 3 = 2x$

Multiplica 6 por 3: $18 = 2x$

Divide cada miembro por 2: $\dfrac{18}{2} = \dfrac{2x}{2}$

Simplifica: $9 = x$

RESPUESTA La planta crecería 9 centímetros en 3 días.

Usar decimales, fracciones y porcentajes

Los decimales, las fracciones y los porcentajes sirven para anotar y representar datos.

Decimales

Un **decimal** es un número escrito en el sistema de posición relativa en base diez, en el cual el punto decimal separa los dígitos de las unidades y de las décimas. El valor de cada posición es diez veces el de la posición situada a su derecha.

Ejemplo

Una oruga se trasladó del punto A al punto C por el camino indicado.

A   **36.9 cm**   B   **52.4 cm**   C

SUMAR DECIMALES Para hallar la distancia total recorrida por la oruga, suma la distancia entre A y B y la distancia entre B y C. Empieza por colocar en columna los puntos decimales. Después suma las cifras como si fueran números enteros y baja el punto decimal.

```
  36.9 cm
+ 52.4 cm
  89.3 cm
```

RESPUESTA La oruga recorrió una distancia total de 89.3 centímetros.

RESTAR DECIMALES Para hallar cuánto más recorrió la oruga en el segundo tramo del viaje, resta la distancia entre *A* y *B* a la distancia entre *B* y *C*.

$$52.4 \text{ cm}$$
$$- 36.9 \text{ cm}$$
$$\overline{15.5 \text{ cm}}$$

RESPUESTA La oruga recorrió 15.5 centímetros más en el segundo tramo del viaje.

Ejemplo

Una oruga se traslada del punto *D* al punto *F* por el camino indicado. Viaja a una velocidad de 9.6 centímetros por minuto.

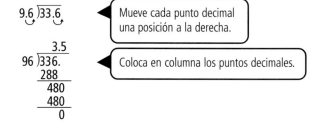

MULTIPLICAR DECIMALES Multiplica los decimales como si fueran números enteros. El número de posiciones decimales del producto es igual a la suma del número de posiciones decimales de los factores.

Por ejemplo, supongamos que la oruga tarda 1.5 minutos en pasar de *D* a *E*. Para hallar la distancia entre *D* y *E*, multiplica su velocidad por el tiempo que tardó.

9.6	1 posición decimal
× 1.5	+ 1 posición decimal
480	
96	
14.40	2 posiciones decimales

Coloca en columna como se indica. ◀

RESPUESTA La distancia entre *D* y *E* es de 14.4 centímetros.

DIVIDIR DECIMALES Al dividir por un decimal, mueve los puntos decimales el mismo número de posiciones en el divisor que en el dividendo, para así convertir el divisor en número entero.

Por ejemplo, para hallar el tiempo que tardará la oruga en pasar de *E* a *F,* divide la distancia entre *E* y *F* por su velocidad.

$$9.6\overline{)33.6}$$

◀ Mueve cada punto decimal una posición a la derecha.

$$\begin{array}{r} 3.5 \\ 96\overline{)336.} \\ \underline{288} \\ 480 \\ \underline{480} \\ 0 \end{array}$$

◀ Coloca en columna los puntos decimales.

RESPUESTA La oruga tardará 3.5 minutos en pasar de *E* a *F*.

Fracciones

Una **fracción** es un número escrito en la forma $\frac{a}{b}$, donde b no es igual a 0. Una fracción está en su **mínima expresión** si el numerador y el denominador tienen un máximo común divisor (M.C.D.) de 1. Para simplificar una fracción, divide el numerador y el denominador por el M.C.D.

Ejemplo

Una oruga mide 40 milímetros. Su cabeza mide 6 milímetros. Para comparar la longitud de la cabeza de la oruga con su longitud total, escribe y simplifica una fracción que exprese la razón entre las dos longitudes.

Escribe la razón entre las dos longitudes: $\dfrac{\text{Longitud de la cabeza}}{\text{Longitud total}} = \dfrac{6 \text{ mm}}{40 \text{ mm}}$

Escribe el numerador y el denominador como productos de un número y el M.C.D.: $= \dfrac{3 \times 2}{20 \times 2}$

Divide el numerador y el denominador por el M.C.D.: $= \dfrac{3 \times \overset{1}{\cancel{2}}}{20 \times \underset{1}{\cancel{2}}}$

Simplifica: $= \dfrac{3}{20}$

RESPUESTA En su mínima expresión, la razón entre las longitudes es $\frac{3}{20}$.

Porcentajes

Un **porcentaje** es una razón que compara un número con 100. La palabra *porcentaje* significa "por ciento" o "de cada 100". El símbolo de *porcentaje* es %.

Por ejemplo, supongamos que 43 de cada 100 orugas son hembras. Esta razón se puede representar en forma de porcentaje, decimal o fracción.

Porcentaje	Decimal	Fracción
43%	0.43	$\frac{43}{100}$

Ejemplo

En el ejemplo anterior, la razón entre la longitud de la cabeza de la oruga y su longitud total es $\frac{3}{20}$. Para escribir esta razón en forma de porcentaje, escribe una fracción equivalente que tenga un denominador de 100.

Multiplica el numerador y el denominador por 5: $\dfrac{3}{20} = \dfrac{3 \times 5}{20 \times 5}$

$= \dfrac{15}{100}$

Escríbelo en forma de porcentaje: $= 15\%$

RESPUESTA La cabeza de la oruga representa el 15 por ciento de su longitud total.

Usar fórmulas

Una **fórmula** matemática establece un hecho, una regla o un principio. Por lo general, las fórmulas se expresan en forma de ecuaciones.

En ciencias, las fórmulas frecuentemente tienen una forma verbal y una forma simbólica. La siguiente fórmula expresa la ley de Ohm.

Forma verbal

$$\text{Corriente} = \frac{\text{voltaje}}{\text{resistencia}}$$

Forma símbolica

$$I = \frac{V}{R}$$

En esta fórmula, *I*, *V* y *R* son variables. Una **variable** matemática es un símbolo o letra que sirve para representar uno o más números.

La palabra *variable* también se usa en ciencias para referirse a un factor que se puede cambiar en un experimento.

Ejemplo

Supongamos que mides un voltaje de 1.5 voltios y una resistencia de 15 ohmios. Puedes usar la fórmula de la ley de Ohm para hallar la corriente en amperios.

Escribe la fórmula de la ley de Ohm: $\quad I = \dfrac{V}{R}$

Sustituye V por 1.5 voltios
y R por 15 ohmios: $\quad I = \dfrac{1.5 \text{ voltios}}{15 \text{ ohmios}}$

Simplifica: $\quad I = 0.1 \text{ amp}$

RESPUESTA La corriente es de 0.1 amperio.

Si conoces los valores de todas las variables de una fórmula excepto uno, puedes resolver para el valor de la variable desconocida. For ejemplo, la ley de Ohm sirve para hallar un voltaje si se conocen la corriente y la resistencia.

Ejemplo

Supongamos que sabes que la corriente es de 0.2 amperios y la resistencia es de 18 ohmios. Aplica la fórmula de la ley de Ohm para hallar el voltaje en voltios.

Escribe la fórmula de la ley de Ohm: $\qquad\qquad I = \dfrac{V}{R}$

Sustituye I por 0.2 amp
y R por 18 ohmios: $\qquad\qquad 0.2 \text{ amp} = \dfrac{V}{18 \text{ ohmios}}$

Multiplica ambos miembros por 18 ohmios: $\quad 0.2 \text{ amp} \cdot 18 \text{ ohmios} = V$

Simplifica: $\qquad\qquad 3.6 \text{ voltios} = V$

RESPUESTA El voltaje es de 3.6 voltios.

Hallar el área

El área de una figura es la cantidad de superficie que cubre la figura.

El área se mide en unidades cuadradas, como los metros cuadrados (m²) o los centímetros cuadrados (cm²). Las fórmulas del área de tres figuras geométricas comunes aparecen a continuación.

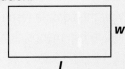

Área = (longitud de lado)²
$A = s^2$

Área = longitud × ancho
$A = lw$

Área = $\frac{1}{2}$ × base × altura
$A = \frac{1}{2} bh$

Ejemplo

Cada una de las caras de un cristal de halita es un cuadrado como el indicado. Puedes hallar el área del cuadrado siguiendo estos pasos.

3 mm

3 mm

Escribe la fórmula del área de un cuadrado: $A = s^2$

Sustituye s por 3 mm: $= (3\ \text{mm})^2$

Simplifica: $= 9\ \text{mm}^2$

RESPUESTA El área del cuadrado es de 9 milímetros cuadrados.

Hallar el volumen

El volumen de un sólido es la cantidad de espacio que contiene el sólido.

El volumen se mide en unidades cúbicas, como los metros cúbicos (m³) o los centímetros cúbicos (cm³). El volumen de un prisma rectangular viene dado por la siguiente fórmula.

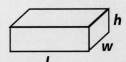

Volumen = longitud × ancho × altura
$V = lwh$

Ejemplo

Un cristal de topacio es un prisma rectangular como el indicado. Puedes hallar el volumen del prisma siguiendo estos pasos.

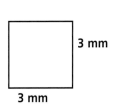

10 mm

12 mm

20 mm

Escribe la fórmula del volumen de un prisma rectangular: $V = lwh$

Sustituye por las dimensiones: $= 20\ \text{mm} \times 12\ \text{mm} \times 10\ \text{mm}$

Simplifica: $= 2400\ \text{mm}^3$

RESPUESTA El volumen del prisma rectangular es de 2400 milímetros cúbicos.

Usar cifras significativas

Las **cifras significativas** de un decimal son los dígitos garantizados por la precisión de un aparato de medición.

Al realizar un cálculo con medidas, el número de cifras significativas a incluir en el resultado depende en parte del número de cifras significativas que tengan las medidas. Al multiplicar o dividir medidas, la respuesta debe tener igual número de cifras significativas que la medida con menos cifras significativas.

Ejemplo

Usando una balanza y una probeta graduada llena de agua, determinaste que una canica tiene una masa de 8.0 gramos y un volumen de 3.5 centímetros cúbicos. Para calcular la densidad de la canica, divide la masa por el volumen.

Escribe la fórmula de la densidad: $Densidad = \dfrac{masa}{Volumen}$

Sustituye por las medidas: $= \dfrac{8.0 \text{ g}}{3.5 \text{ cm}^3}$

Usa una calculadora para dividir: $\approx 2.285714286 \text{ g/cm}^3$

RESPUESTA Como la masa y el volumen tienen cada uno dos cifras significativas, la densidad debe tener dos cifras significativas. La canica tiene una densidad de 2.3 gramos por centímetro cúbico.

Usar la notación científica

La **notación científica** es una forma abreviada de escribir números muy grandes o muy pequeños. Por ejemplo, la masa de la Luna es de 73,500,000,000,000,000,000,000 kg. En notación científica, es de 7.35×10^{22} kg.

Ejemplo

Puedes pasar de la forma usual a la notación científica.

Forma usual	Notación científica
720,000	7.2×10^5
5 posiciones decimales a la izquierda	El exponente es 5.
0.000291	2.91×10^{-4}
4 posiciones decimales a la derecha	El exponente es −4.

Puedes pasar de la notación científica a la forma usual.

Notación científica	Forma usual
4.63×10^7	46,300,000
El exponente es 7.	7 posiciones decimales a la derecha
1.08×10^{-6}	0.00000108
El exponente es −6.	6 posiciones decimales a la izquierda

Manual para tomar apuntes

Estrategias para tomar apuntes

Tomar apuntes al leer facilita la comprensión de la información. Además, los apuntes que tomas pueden usarse como material de estudio para repasos posteriores. Este manual presenta varias maneras de organizar los apuntes.

Marco de contenido

1. Haz una tabla en la que cada columna represente una categoría.
2. Escribe un encabezamiento en cada columna.
3. Escribe detalles bajo los encabezamientos.

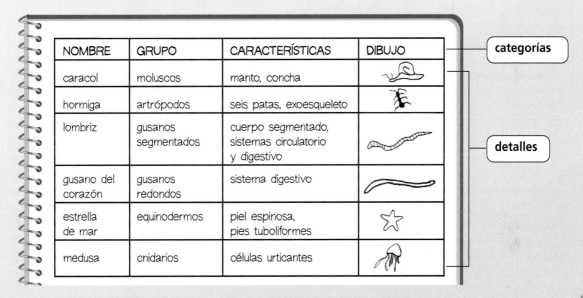

NOMBRE	GRUPO	CARACTERÍSTICAS	DIBUJO
caracol	moluscos	manto, concha	
hormiga	artrópodos	seis patas, exoesqueleto	
lombriz	gusanos segmentados	cuerpo segmentado, sistemas circulatorio y digestivo	
gusano del corazón	gusanos redondos	sistema digestivo	
estrella de mar	equinodermos	piel espinosa, pies tuboliformes	
medusa	cnidarios	células urticantes	

categorías

detalles

Apuntes combinados

1. Para cada idea o concepto nuevo, escribe un esquema simple con la información.
2. Haz un dibujo para ilustrar el concepto y rotúlalo.

APUNTES

Tipos de fuerzas
- fuerza de contacto
- gravedad
- fricción

esquema simple

fuerzas ejercidas sobre una caja que es empujada

dibujo rotulado

fuerza de contacto

gravedad

fricción

Crea tarjetas de memorización para ayudarte a preparar un examen. Para ello, escribe un concepto en una de las caras de cada tarjeta y haz el dibujo correspondiente en la otra cara. Usa las tarjetas para repasar los conceptos con un amigo.

Idea principal y detalles

1. En la columna izquierda de una tabla de dos columnas, escribe las ideas principales. Los encabezamientos azules expresan las ideas principales del libro de texto.

2. En la columna derecha, escribe detalles que amplíen cada una de las ideas principales.

Puedes abreviar los encabezamientos en la tabla, pero asegúrate de usar las palabras más importantes.

Al estudiar para un examen, cubre con una hoja de papel la columna de los detalles. Después formula una pregunta a partir de cada idea principal, como la siguiente: "¿Cómo afecta la latitud al clima?" Contesta la pregunta y luego descubre la columna de los detalles para comprobar la respuesta.

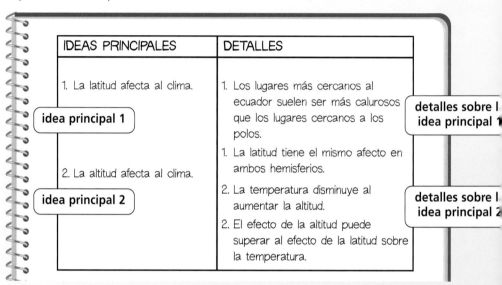

IDEAS PRINCIPALES	DETALLES
1. La latitud afecta al clima.	1. Los lugares más cercanos al ecuador suelen ser más calurosos que los lugares cercanos a los polos.
	1. La latitud tiene el mismo afecto en ambos hemisferios.
2. La altitud afecta al clima.	2. La temperatura disminuye al aumentar la altitud.
	2. El efecto de la altitud puede superar al efecto de la latitud sobre la temperatura.

idea principal 1

idea principal 2

detalles sobre l
idea principal 1

detalles sobre l
idea principal 2

Red de ideas principales

1. Escribe una idea principal en un recuadro.

2. Rodea al recuadro de otros recuadros que contengan términos del vocabulario relacionados y detalles importantes.

Cerca de los términos realzados se encuentran las definiciones.

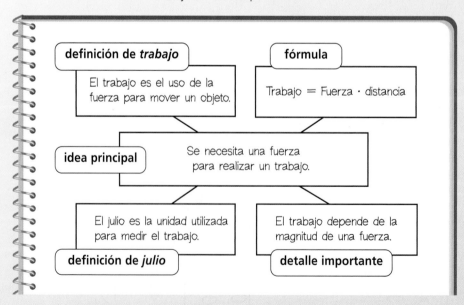

definición de *trabajo*

El trabajo es el uso de la fuerza para mover un objeto.

fórmula

Trabajo = Fuerza · distancia

idea principal

Se necesita una fuerza para realizar un trabajo.

El julio es la unidad utilizada para medir el trabajo.

definición de *julio*

El trabajo depende de la magnitud de una fuerza.

detalle importante

Mapa mental

1. Escribe una idea principal en el centro.
2. Añade detalles que estén relacionados entre sí y con la idea principal.

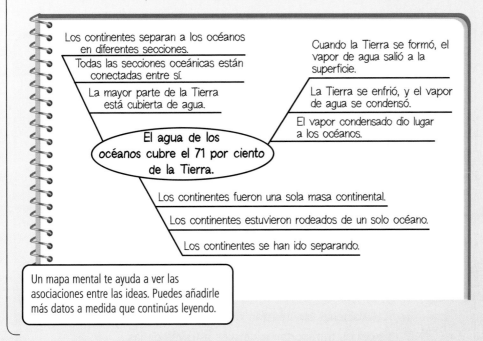

Los continentes separan a los océanos en diferentes secciones.

Todas las secciones oceánicas están conectadas entre sí.

La mayor parte de la Tierra está cubierta de agua.

Cuando la Tierra se formó, el vapor de agua salió a la superficie.

La Tierra se enfrió, y el vapor de agua se condensó.

El vapor condensado dio lugar a los océanos.

El agua de los océanos cubre el 71 por ciento de la Tierra.

Los continentes fueron una sola masa continental.

Los continentes estuvieron rodeados de un solo océano.

Los continentes se han ido separando.

Un mapa mental te ayuda a ver las asociaciones entre las ideas. Puedes añadirle más datos a medida que continúas leyendo.

Apoyar las ideas principales

1. Escribe una idea principal en un recuadro.
2. Debajo del recuadro añade otros recuadros que contengan información que apoye la idea principal, como razones, explicaciones y ejemplos.

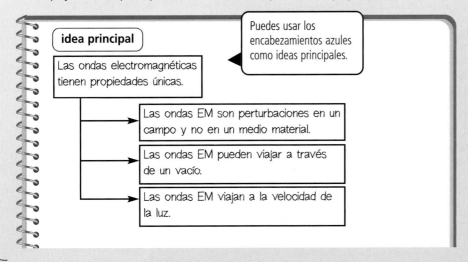

idea principal

Las ondas electromagnéticas tienen propiedades únicas.

Puedes usar los encabezamientos azules como ideas principales.

Las ondas EM son perturbaciones en un campo y no en un medio material.

Las ondas EM pueden viajar a través de un vacío.

Las ondas EM viajan a la velocidad de la luz.

Esquema

1. Copia del libro el título del capítulo y los encabezamientos y organízalos en forma de esquema.

2. Añade apuntes que resuman con tus propias palabras lo que leas.

Procesos de la célula

idea principal 1

I. Las células captan y liberan energía.

idea secundaria 1 de I

   A. Todas las células necesitan energía.

idea secundaria 2 de I

   B. Algunas células captan energía luminosa.

detalle 1 sobre B

      1. Proceso de fotosíntesis

detalle 2 sobre B

      2. Cloroplastos (sitio de la fotosíntesis)

      3. Dióxido de carbono y agua, como materias primas

      4. Glucosa y oxígeno, como productos

   C. Todas las células liberan energía.

      1. Proceso de respiración celular

      2. Fermentación del azúcar pasando a dióxido de carbono

      3. Bacterias que realizan la fermentación

II. Las células transportan materiales a través de las membranas.

   A. Algunos materiales se mueven mediante la difusión.

      1. El movimiento de las partículas de una concentración mayor a otra menor

      2. El movimiento del agua a través de una membrana (osmosis)

   B. Algunos tipos de transporte requieren energía.

      1. Transporte activo

      2. Ejemplos de transporte activo

Un esquema correcto

Escribe un título.

Ordena las ideas principales, las ideas secundarias y los detalles como se indica.

Deja los márgenes según se indica en los apartados del esquema.

Usa las mismas formas gramáticas para los datos de una misma categoría. Por ejemplo, si A es una oración, entonces B también tiene que ser una oración.

Tiene que haber al menos dos ideas principales o dos ideas secundarias. Es decir, cada A debe ser seguida de B y cada 1 debe ser seguido de 2.

Mapa conceptual

1. Escribe un concepto importante en un óvalo grande.

2. Escribe detalles relacionados con el concepto en unos óvalos pequeños.

3. Escribe palabras de enlace sobre flechas que únan los óvalos.

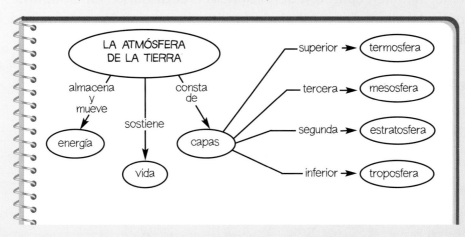

Las ideas o conceptos principales frecuentemente se dan en los encabezamientos azules. Un ejemplo de ello es: "La atmósfera almacena y mueve energía". Escribe en los óvalos los sustantivos de los conceptos y en las líneas, el verbo o verbos.

Diagrama de Venn

1. Dibuja dos círculos superpuestos, uno para cada objeto que compares.

2. En la sección superpuesta, escribe las características que compartan ambos objetos.

3. En las secciones no superpuestas, escribe las características que sean propias de cada objeto.

4. Escribe un resumen que describa la información del diagrama de Venn.

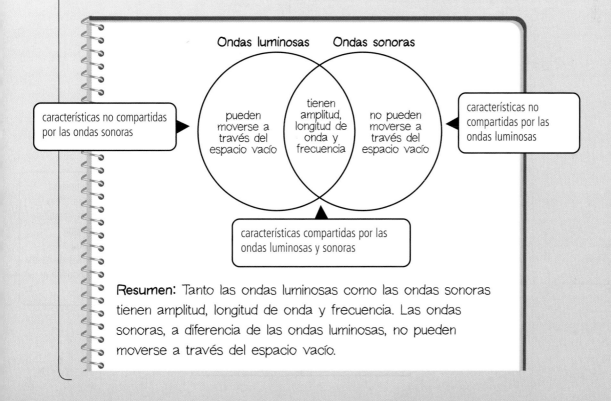

Resumen: Tanto las ondas luminosas como las ondas sonoras tienen amplitud, longitud de onda y frecuencia. Las ondas sonoras, a diferencia de las ondas luminosas, no pueden moverse a través del espacio vacío.

Estrategias para el vocabulario

Los términos importantes están realzados en este libro. Una definición de cada término se encuentra en la oración o el párrafo que contiene el término. También aparecen definiciones en el Glosario. Tomar apuntes sobre los términos del vocabulario facilita la comprensión y memorización de lo que leas.

Rueda descriptiva

1. Escribe un término en un círculo.
2. Escribe en los "ejes" del círculo palabras que describan el término.

Cuando prepares un examen con un amigo, lee una frase de las de los "ejes" cada vez hasta que tu amigo sepa identificar el término correcto.

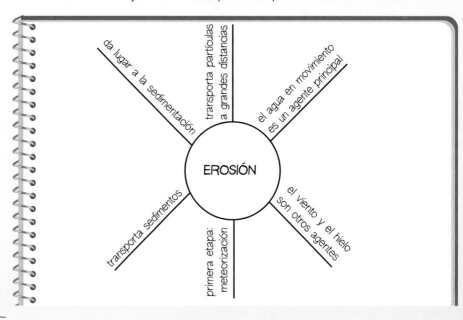

Cuatro cuadrados

1. Escribe un término en el centro.
2. Escribe detalles en los cuatro espacios que rodean al término.

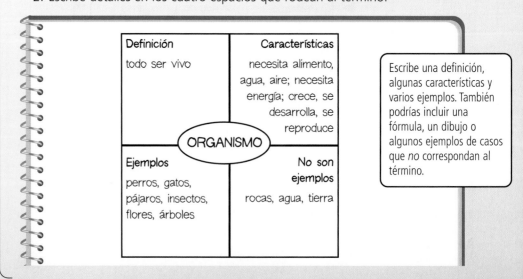

Escribe una definición, algunas características y varios ejemplos. También podrías incluir una fórmula, un dibujo o algunos ejemplos de casos que *no* correspondan al término.

Diagrama de marco

1. Escribe un término en el centro.

2. Forma un marco de detalles alrededor del término.

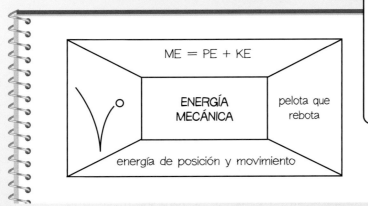

Incluye ejemplos, descripciones, dibujos u oraciones que contengan el término en el contexto adecuado. Cambia el marco de manera que encierre bien cada nuevo término.

Palabra imán

1. Escribe un término sobre el imán.

2. Escribe sobre las líneas detalles relacionados con el término.

También podrías escribir frases y oraciones sobre las líneas.

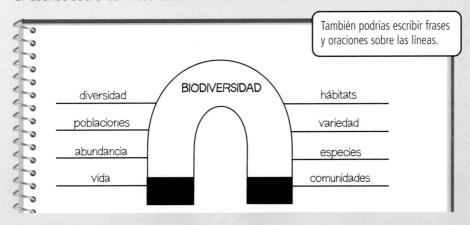

Triángulo de palabras

1. En la sección inferior, escribe un término y su definición.

2. En la sección central, escribe una oración en la que se utilice el término correctamente.

3. En la sección superior, haz un pequeño dibujo que ilustre el término.

Apéndice

Husos horarios

Debido a la rotación de la Tierra, puede ser mediodía en un lugar y estar poniéndose el Sol en otro. Para evitar confusiones en el transporte y en las comunicaciones, la Tierra se ha dividido en 24 husos, o zonas, horarios. Los relojes de cada huso horario marcan la misma hora del día.

Los husos horarios se centran en las líneas de longitud, pero en muchos casos sus límites no son rectos sino que siguen a las fronteras políticas. El punto de partida de los husos horarios se centra en el primer meridiano (0°). La hora local de esta zona generalmente se llama hora del meridiano de Greenwich (GMT) , pero los astrónomos la llaman también hora universal (UT) y los meteorólogos le dan el nombre de hora zulú (Z). La línea internacional de cambio de fecha se centra en la longitud 180°. La fecha al este de esta línea es un día anterior a la fecha al oeste de la línea.

En el siguiente mapa cada columna de color representa un huso horario. El color beige muestra las áreas que no se corresponden con las zonas oficiales. En la parte superior del mapa aparecen las distintas horas al mediodía GMT. Los números positivos y negativos de la parte inferior muestran la diferencia entre la hora local de la zona y la hora del meridiano de Greenwich.

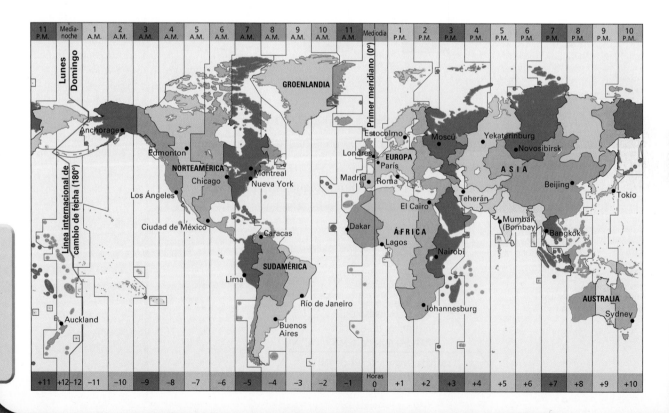

Características de los planetas

La siguiente tabla recoge algunos datos sobre los planetas y la Luna, el satélite de la Tierra. Ciertos datos, como la inclinación de Mercurio y la masa de Plutón, no son tan conocidos como otros. Una unidad astronómica (AU) es la distancia media entre la Tierra y el Sol, o sea 149,597,870 kilómetros. A modo de comparación, la masa de la Tierra es de 5.97×10^{24} kilogramos, y el diámetro de nuestro planeta es de 12,756 kilómetros.

La excentricidad mide lo aplanada que es una elipse. Una elipse con una excentricidad de 0 es un círculo. Otra elipse con una excentricidad de 1 es totalmente aplanada.

Venus, Urano y Plutón giran en dirección contraria a la de la Tierra. Si cierras la mano izquierda y usas el dedo pulgar como el polo norte de uno de estos planetas, los otros dedos apuntarán en la dirección en la que gira ese planeta.

Características de los planetas

Característica	Mercurio	Venus	Tierra	Marte	Júpiter	Saturno	Urano	Neptuno	Plutón	Luna
Distancia media al Sol (AU)	0.387	0.723	1.00	1.52	5.20	9.55	19.2	30.1	39.5	
Período de revolución (años terrestres)	0.241 (88 días terrestres)	0.615 (225 días terrestres)	1.00	1.88	11.9	29.4	83.7	164	248	0.075 (27.3 días terrestres)
Excentricidad de la órbita	0.206	0.007	0.017	0.093	0.048	0.056	0.046	0.009	0.249	0.055
Diámetro (Tierra = 1)	0.382	0.949	1.00	0.532	11.21	9.45	4.01	3.88	0.180	0.272
Volumen (Tierra = 1)	0.06	0.86	1.00	0.15	1320	760	63	58	0.006	0.02
Período de rotación	58.6 días terrestres	243 días terrestres	23.9 horas	24.6 horas	9.93 horas	10.7 horas	17.2 horas	16.1 horas	6.39 días terrestres	27.3 días terrestres
Inclinación del eje (°) (del perpendicular a la órbita)	0.1 (aproximada)	2.6	23.45	25.19	3.12	26.73	82.14	29.56	60.4	6.67
Masa (Tierra = 1)	0.0553	0.815	1.00	0.107	318	95.2	14.5	17.1	0.002	0.0123
Densidad media (g/cm³)	5.4	5.2	5.5	3.9	1.3	0.7	1.3	1.6	2	3.3

Mapas estacionales del cielo

La visión del cielo nocturno cambia según gira la Tierra alrededor del Sol. Algunas constelaciones aparecen durante todo el año, pero otras se ven sólo durante ciertas estaciones. Y durante el curso de una noche, las constelaciones parecen desplazarse a través del cielo al girar la Tierra.

Cuando salgas al aire libre para ver las estrellas, deja que tus ojos se adapten a la oscuridad. Evita mirar las luces intensas. Si necesitas mirar hacia una luz intensa, conserva la visión nocturna de un ojo manteniéndolo cerrado.

Los mapas del cielo de las páginas R55 a R58 muestran partes del cielo nocturno durante diferentes estaciones. Si usas una linterna para ver los mapas, tapa la lente con un trozo de globo rojo. El globo reducirá la intensidad de la luz y le dará una tonalidad roja, la cual afecta menos a la visión nocturna que los otros colores. Los siguientes pasos te ayudarán a usar los mapas:

1. Colócate mirando hacia el norte. Para hallar esa dirección, usa una brújula, o mirando hacia donde se puso el Sol, gírate 90° en el sentido de las agujas del reloj.

2. El mapa superior de cada estación muestra algunas constelaciones que aparecen sobre el horizonte norte a las 10 de la noche. Durante la noche, las constelaciones giran en círculo alrededor de Polaris, la estrella del norte.

3. Ahora gírate de manera que estés mirando hacia el sur. El mapa inferior de la estación muestra algunas constelaciones que aparecen sobre el horizonte sur a las 10 de la noche.

CIELO INVERNAL al NORTE, *el 15 de enero*

Cassiopeia

Polaris

Dubhe

Ursa Major

Cepheus

Ursa Minor

Kochab

Lacerta

Alioth

Mizar

Draco

Alkaid

Canes Venatici

Deneb

Cygnus

Eltanin

NO

N

NE

CIELO INVERNAL al SUR, *el 15 de enero*

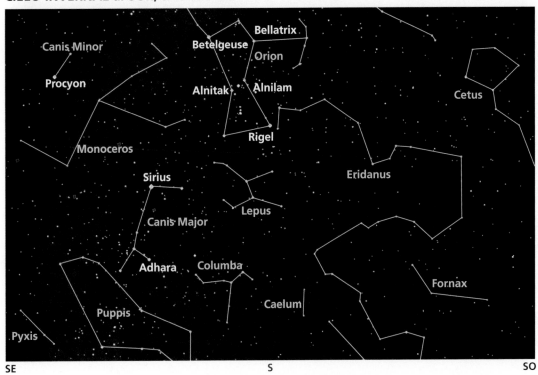

Canis Minor

Bellatrix

Betelgeuse

Orion

Procyon

Cetus

Alnitak

Alnilam

Monoceros

Rigel

Eridanus

Sirius

Lepus

Canis Major

Adhara

Columba

Fornax

Caelum

Puppis

Pyxis

SE

S

SO

Mapas estacionales del cielo *continuación*

CIELO PRIMAVERAL al NORTE, *el 15 de abril*

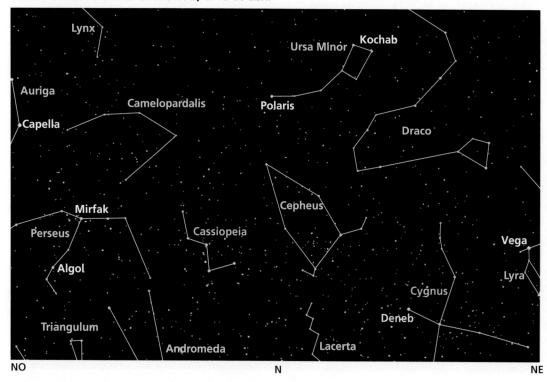

CIELO PRIMAVERAL al SUR, *el 15 de abril*

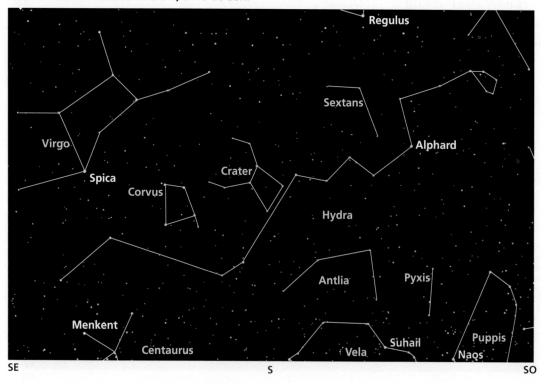

CIELO VERANIEGO al NORTE, *el 15 de julio*

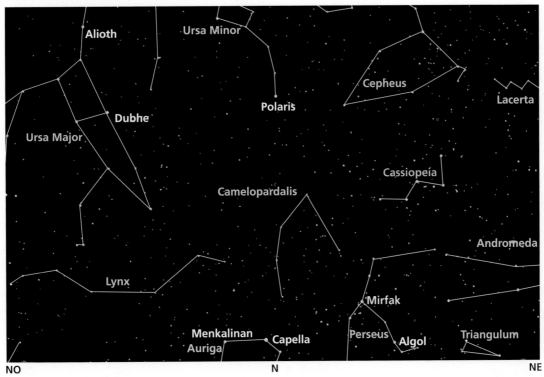

Alioth
Ursa Minor
Cepheus
Lacerta
Dubhe
Polaris
Ursa Major
Cassiopeia
Camelopardalis
Andromeda
Lynx
Mirfak
Menkalinan
Perseus
Triangulum
Auriga
Capella
Algol

NO   N   NE

CIELO VERANIEGO al SUR, *el 15 de julio*

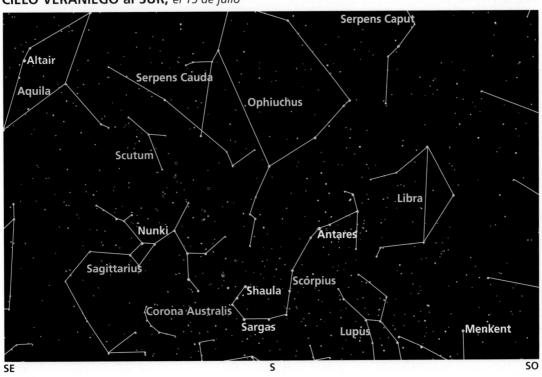

Serpens Caput
Altair
Serpens Cauda
Aquila
Ophiuchus
Scutum
Libra
Nunki
Antares
Sagittarius
Scorpius
Shaula
Corona Australis
Sargas
Lupus
Menkent

SE   S   SO

Mapas estacionales del cielo *continuación*

CIELO OTOÑAL al NORTE, *el 15 de octubre*

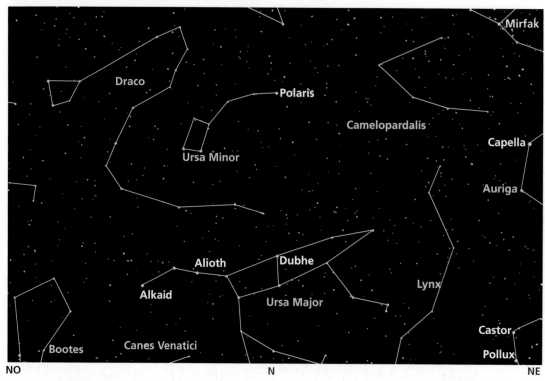

NO   N   NE

CIELO OTOÑAL al SUR, *el 15 de octubre*

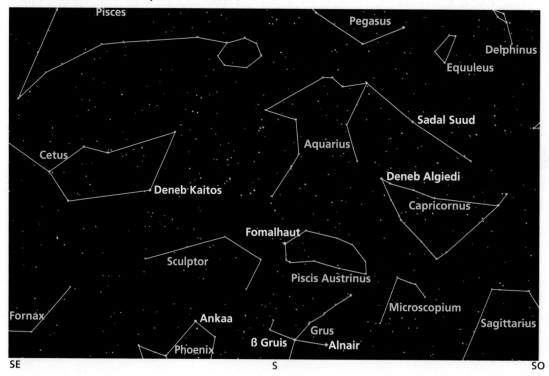

SE   S   SO

El diagrama Hertzsprung-Russell

El diagrama Hertzsprung-Russell (H-R) es una gráfica en la que aparecen marcadas las estrellas según su luminosidad y temperatura superficial. La mayoría de las estrellas se sitúan en una banda diagonal llamada secuencia principal. En la etapa de secuencia principal del ciclo vital de una estrella, la luminosidad está estrechamente relacionada con la temperatura superficial. Las estrellas gigantes rojas y supergigantes rojas aparecen arriba de la secuencia principal del diagrama. Estas estrellas son luminosas con relación a su temperatura superficial ya que sus enormes áreas superficiales emiten una gran cantidad de luz. Las enanas blancas, de poca luminosidad, aparecen debajo de la secuencia principal.

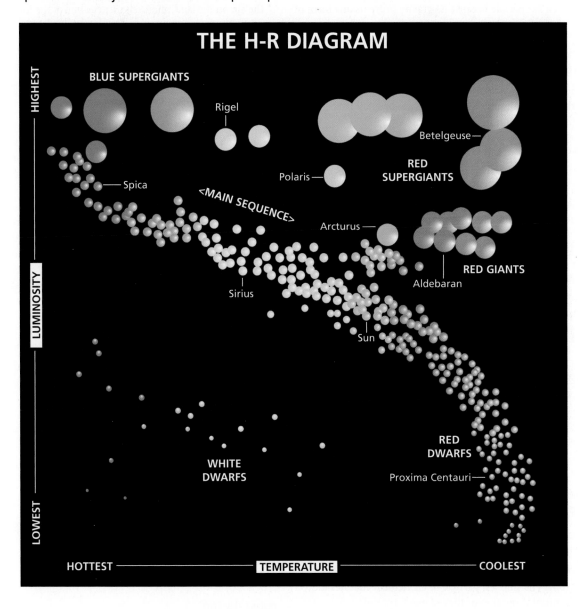

Glosario

A

agujero negro
La etapa final de una estrella de enorme masa, la cual es invisible porque su gravedad evita que cualquier tipo de radiación escape.

> **black hole** The final stage of an extremely massive star, which is invisible because its gravity prevents any form of radiation from escaping. (p. 126)

anillo
En astronomía, una zona ancha y plana de pequeñas partículas que orbitan alrededor del ecuador de un planeta.

> **ring** In astronomy, a wide, flat zone of small particles that orbit around a planet's equator. (p. 97)

año luz
La distancia que viaja la luz en un año, la cual es de casi 9.5 billones de kilómetros (6 billones de millas).

> **light-year** The distance light travels in one year, which is about 9.5 trillion kilometers (6 trillion mi). (p. 122)

asteroide
Un pequeño cuerpo sólido y rocoso que orbita alrededor del Sol. La mayoría de los asteroides orbitan en una región entre Marte y Júpiter denominada cinturón de asteroides.

> **asteroid** A small, solid, rocky body that orbits the Sun. Most asteroids orbit in a region between Mars and Jupiter called the asteroid belt. (p. 103)

atmósfera
La capa externa de gases de un gran cuerpo que se encuentra en el espacio, como un planeta o una estrella; la mezcla de gases que rodea la Tierra sólida; una de las cuatro partes del sistema terrestre.

> **atmosphere** (AT-muh-sfeer) The outer layer of gases of a large body in space, such as a planet or star; the mixture of gases that surrounds the solid Earth; one of the four parts of the Earth system. (p. xix)

átomo
La partícula más pequeña de un elemento que tiene las propiedades químicas de ese elemento.

> **atom** The smallest particle of an element that has the chemical properties of that element. (p. xvii)

B

biosfera
Todos los organismos vivos de la Tierra, en el aire, en la tierra y en las aguas; una de las cuatro partes del sistema de la Tierra.

> **biosphere** (BY-uh-sfeer) All living organisms on Earth in the air, on the land, and in the waters; one of the four parts of the Earth system. (p. xix)

C

ciclo
Una serie de eventos o acciones que se repiten regularmente; un proceso físico y/o químico en el cual un material cambia continuamente de lugar y/o forma. Ejemplos: el ciclo del agua, el ciclo del carbono y el ciclo de las rocas.

> **cycle** *n.* A series of events or actions that repeat themselves regularly; a physical and/or chemical process in which one material continually changes locations and/or forms. Examples include the water cycle, the carbon cycle, and the rock cycle.
> *v.* To move through a repeating series of events or actions.

clima
Las condiciones meteorológicas características de un lugar durante un largo período de tiempo.

> **climate** The characteristic weather conditions in an area over a long period of time. (p. xxi)

cometa
Un cuerpo que produce una coma de gas y polvo; un cuerpo pequeño y helado que se mueve en órbita alrededor del Sol.

> **comet** A body that produces a coma of gas and dust; a small, icy body that orbits the Sun. (p. 104)

compuesto
Una sustancia formada por dos o más diferentes tipos de átomos enlazados.

> **compound** A substance made up of two or more different types of atoms bonded together.

constelación
Un grupo de estrellas que forman un patrón en el cielo.

> **constellation** A group of stars that form a pattern in the sky. (p. 12)

convección

La transferencia de energía de un lugar a otro por el movimiento de un líquido o gas calentado; se piensa que en el manto terrestre la convección transfiere energía mediante el movimiento de roca sólida, la cual puede moverse como un líquido cuando está muy caliente y bajo alta presión.

convection The transfer of energy from place to place by the motion of heated gas or liquid; in Earth's mantle, convection is thought to transfer energy by the motion of solid rock, which when under great heat and pressure can move like a liquid. (p. 116)

corona

La capa exterior de la atmósfera del Sol.

corona The outer layer of the Sun's atmosphere. (p. 116)

cráter de impacto

Un pozo circular en la superficie de un planeta u otro cuerpo en el espacio que se forma cuando un objeto más pequeño golpea la superficie.

impact crater A round pit left behind on the surface of a planet or other body in space after a smaller object strikes the surface. (p. 32)

D

datos

Información reunida mediante observación o experimentación y que se puede usar para calcular o para razonar.

data Information gathered by observation or experimentation that can be used in calculating or reasoning. *Data* is a plural word; the singular is *datum*.

densidad

Una propiedad de la materia que representa la masa por unidad de volumen.

density A property of matter representing the mass per unit volume.

E

eclipse

Un evento durante el cual un objeto en el espacio proyecta una sombra sobre otro. En la Tierra, un eclipse lunar ocurre cuando la Luna se mueve a través de la sombra de la Tierra, y un eclipse solar ocurre cuando la sombra de la Luna cruza la Tierra.

eclipse An event during which one object in space casts a shadow onto another. On Earth, a lunar eclipse occurs when the Moon moves through Earth's shadow, and a solar eclipse occurs when the Moon's shadow crosses Earth. (p. 63)

efecto Doppler

Un cambio en la frecuencia observada de una onda que ocurre cuando la fuente de la onda o el observador están en movimiento. Los cambios en la frecuencia de la luz a menudo se miden observando los cambios en la longitud de onda, mientras que los cambios en la frecuencia del sonido a menudo se detectan como cambios en el tono.

Doppler effect A change in the observed frequency of a wave, occurring when the source of the wave or the observer is moving. Changes in the frequency of light are often measured by observing changes in wavelength, whereas changes in the frequency of sound are often detected as changes in pitch. (p. 136)

eje de rotación

Una línea imaginaria alrededor de la cual gira un cuerpo, como lo hace la Tierra.

axis of rotation An imaginary line about which a turning body, such as Earth rotates. (p. 44)

elemento

Una sustancia que no puede descomponerse en otra sustancia más simple por medio de cambios químicos normales. Un elemento consta de átomos de un solo tipo.

element A substance that cannot be broken down into a simpler substance by ordinary chemical changes. An element consists of atoms of only one type.

elipse

Un óvalo o círculo aplanado.

ellipse An oval or flattened circle. (p. 81)

energía

La capacidad para trabajar o causar un cambio. Por ejemplo, la energía de una bola de boliche en movimiento tumba los pinos; la energía proveniente de su alimento permite a los animales moverse y crecer; la energía del Sol calienta la superficie y la atmósfera de la Tierra, lo que ocasiona que el aire se mueva.

energy The ability to do work or to cause a change. For example, the energy of a moving bowling ball knocks over pins; energy from food allows animals to move and to grow; and energy from the Sun heats Earth's surface and atmosphere, which causes air to move. (p. xv)

equinoccio

En una órbita, la posición y el tiempo en los cuales la luz del Sol incide de la misma manera en el Hemisferio Norte y en el Hemisferio Sur; una época del año en la cual la luz del día y la oscuridad son casi iguales para la mayor parte de la Tierra.

equinox (EE-kwhu-nahks) In an orbit, a position and time in which sunlight shines equally on the Northern Hemisphere and the Southern Hemisphere; a time of year when daylight and darkness are nearly equal for most of Earth. (p. 46)

espectro

1. Radiación de una fuente separada en una gama de longitudes de onda. 2. La gama de colores que aparece en un haz de luz visible cuando éste pasa a través de un prisma. Ver también radiación electromagnética.

spectrum (SPEHK-truhm) 1. Radiation from a source separated into a range of wavelengths. 2. The range of colors that appears in a beam of visible light when it passes through a prism. See also electromagnetic radiation. (p. 16)

estación

Una parte de un patrón de cambios de temperatura y otras tendencias meteorológicas en el curso de un año. Las estaciones astronómicas se definen y son causadas por la posición del eje de la Tierra en relación a la dirección de la luz del Sol.

season One part of a pattern of temperature changes and other weather trends over the course of a year. Astronomical seasons are defined and caused by the position of Earth's axis relative to the direction of sunlight. (p. 46)

estación espacial

Un satélite en el cual la gente puede vivir y trabajar durante períodos largos.

space station A satellite in which people can live and work for long periods. (p. 24)

estrella de neutrones

Un núcleo denso que puede resultar después de que una estrella de mayor masa explota en una supernova.

neutron star A dense core that may be left behind after a higher-mass star explodes in a supernova. (p. 126)

evaporación

El proceso por el cual un líquido se transforma en gas.

evaporation The process by which liquid changes into gas. (p. xv)

experimento

Un procedimiento organizado para estudiar algo bajo condiciones controladas.

experiment An organized procedure to study something under controlled conditions. (p. xxiv)

F

fósil

Un rastro o los restos de un organismo que vivió hace mucho tiempo.

fossil A trace or the remains of a once-living thing from long ago. (p. xxi)

fricción

Una fuerza que resiste el movimiento entre dos superficies en contacto.

friction A force that resists the motion between two surfaces in contact. (p. xxi)

fuerza

Un empuje o un jalón; algo que cambia el movimiento de un objeto.

force A push or a pull; something that changes the motion of an object. (p. xvii)

fusión

Un proceso en el cual las partículas de un elemento chocan y se combinan para formar un elemento más pesado, como la fusión de hidrógeno en helio que ocurre en el núcleo del Sol.

fusion A process in which particles of an element collide and combine to form a heavier element, such as the fusion of hydrogen into helium that occurs in the Sun's core. (p. 116)

G

galaxia

Millones o miles de millones de estrellas unidas en un grupo por su propia gravedad.

galaxy Millions or billions of stars held together in a group by their own gravity. (p. 10)

geosfera

Todas las características de la superficie de la Tierra, es decir, continentes, islas y el fondo marino, y de todo bajo la superficie, es decir, el núcleo externo e interno y el manto; una de las cuatro partes del sistema de la Tierra.

geosphere (JEE-uh-sfeer) All the features on Earth's surface—continents, islands, and seafloor—and everything below the surface—the inner and outer core and the mantle; one of the four parts of the Earth system. (p. xix)

gigante de gas

Un planeta grande compuesto principalmente de gases en forma densa. Los cuatro planetas grandes en el sistema solar exterior — Júpiter, Saturno, Urano y Neptuno — son gigantes de gas.

gas giant A large planet that consists mostly of gases in a dense form. The four large planets in the outer solar system—Jupiter, Saturn, Uranus, and Neptune—are gas giants. (p. 94)

la gran explosión
De acuerdo a la teoría científica, el momento en el tiempo en el cual el universo empezó a expandirse a partir de un estado extremadamente caliente y denso.

big bang The moment in time when the universe started to expand out of an extremely hot, dense state, according to scientific theory. (p. 138)

gravedad
La fuerza que los objetos ejercen entre sí debido a su masa.

gravity The force that objects exert on each other because of their mass. (p. xvii)

H

hidrosfera
Toda el agua de la Tierra: en la atmósfera y en los océanos, lagos, glaciares, ríos, arroyos y depósitos subterráneos; una de las cuatro partes del sistema de la Tierra.

hydrosphere (HY-druh-sfeer) All water on Earth—in the atmosphere and in the oceans, lakes, glaciers, rivers, streams, and underground reservoirs; one of the four parts of the Earth system. (p. xix)

hipótesis
Una explicación provisional de una observación o de un fenómeno. Una hipótesis se usa para hacer predicciones que se pueden probar.

hypothesis A tentative explanation for an observation or phenomenon. A hypothesis is used to make testable predictions. (p. xxiv)

I, J, K, L

ley
En las ciencias, una regla o un principio que describe una relación física que siempre funciona de la misma manera bajo las mismas condiciones. La ley de la conservación de la energía es un ejemplo.

law In science, a rule or principle describing a physical relationship that always works in the same way under the same conditions. The law of conservation of energy is an example.

longitud de onda
La distancia entre una cresta y la siguiente cresta en una onda.

wavelength The distance between one peak and the next peak on a wave. (p. 16)

M

mancha solar
Una mancha oscura en la fotosfera del Sol. Una mancha solar se ve oscura porque es más fría que el área que la rodea.

sunspot A darker spot on the photosphere of the Sun. A sunspot appears dark because it is cooler than the surrounding area. (p. 118)

mare
Una planicie grande y oscura de lava solidificada en la Luna. El plural de mare es maría.

mare (MAH-ray) A large, dark plain of solidified lava on the Moon. The plural form of mare is maria (MAH-ree-uh). (p. 53)

masa
Una medida de la cantidad de materia de la que está compuesto un objeto.

mass A measure of how much matter an object is made of.

materia
Todo lo que tiene masa y volumen. Generalmente la materia existe como sólido, líquido o gas.

matter Anything that has mass and volume. Matter exists ordinarily as a solid, a liquid, or a gas. (p. xvii)

meteorito
Un pequeño objeto del espacio exterior que pasa a través de la atmósfera de la Tierra y llega a la superficie.

meteorite A small object from outer space that passes through Earth's atmosphere and reaches the surface. (p. 105)

meteoro
Un breve rayo luminoso producido por una partícula pequeña que entra a la atmósfera de la Tierra a una alta velocidad.

meteor A brief streak of light produced by a small particle entering Earth's atmosphere at a high speed. (p. 105)

módulo de aterrizaje
Una nave diseñada para aterrizar en la superficie de un planeta.

lander A craft designed to land on a planet's surface. (p. 28)

molécula

Un grupo de átomos que están unidos mediante enlaces covalentes de tal manera que se mueven como una sola unidad.

molecule A group of atoms that are held together by covalent bonds so that they move as a single unit.

N

nebulosa

Una nube de gas y polvo en el espacio. Las estrellas se forman en las nebulosas.

nebula (NEHB-yuh-luh) A cloud of gas and dust in space. Stars form in nebulae. (p. 125)

O

órbita

s. La trayectoria de un objeto en el espacio a medida que se mueve alrededor de otro objeto debido a la gravedad; por ejemplo, la Luna se mueve en una órbita alrededor de la Tierra.

orbit *n.* The path of an object in space as it moves around another object due to gravity; for example, the Moon moves in an orbit around Earth. (p. 10)

orbitar

v. Girar alrededor de algo, o moverse en una órbita; por ejemplo, la Luna orbita la Tierra.

orbit *v.* To revolve around, or move in an orbit; for example, the Moon orbits Earth.

P

paralaje

El cambio aparente en la posición de un objeto cuando se observa desde diferentes puntos.

parallax The apparent shift in the position of an object when viewed from different locations. (p. 123)

penumbra

Una región de sombra más tenue que puede rodear a una umbra; por ejemplo, la sombra más tenue cónica proyectada por un objeto espacial.

penumbra A region of lighter shadow that may surround an umbra; for example, the spreading cone of lighter shadow cast by a space object. (p. 63)

planeta terrestre

La Tierra o un planeta parecido a la Tierra que tiene una superficie rocosa. Los cuatro planetas en el sistema solar interior — Mercurio, Venus, la Tierra y Marte — son planetas terrestres.

terrestrial planet Earth or a planet similar to Earth that has a rocky surface. The four planets in the inner solar system—Mercury, Venus, Earth, and Mars—are terrestrial planets. (p. 85)

Q

quásar

El centro muy brillante de una galaxia distante.

quasar The very bright center of a distant galaxy. (p. 133)

R

radiación

Energía que viaja a través de las distancias en forma de ciertos tipos de ondas.

radiation (ray-dee-AY-shuhn) Energy that travels across distances as certain types of waves. (p. xv)

radiación electromagnética

Energía que viaja a través de las distancias en forma de ciertos tipos de ondas. Las ondas de radio, las microondas, la radiación infrarroja, la luz visible, la radiación ultravioleta, los rayos X y los rayos gamma son tipos de radiación electromagnética.

electromagnetic radiation (ih-lehk-troh-mag-NEHT-ihk) Energy that travels across distances as certain types of waves. Types of electromagnetic radiation are radio waves, microwaves, infrared radiation, visible light, ultraviolet radiation, x-rays, and gamma rays. (p. 15)

revolución

El movimiento de un cuerpo alrededor de otro, como la Tierra en su órbita alrededor del Sol; el tiempo que le toma a un objeto dar la vuelta una vez.

revolution The motion of one body around another, such as Earth in its orbit around the Sun; the time it takes an object to go around once. (p. 45)

S

satélite
Un objeto que orbita un objeto de mayor masa.

satellite An object that orbits a more massive object. (p. 23)

secuencia principal
La etapa en la cual las estrellas producen energía mediante la fusión de hidrógeno en helio.

main sequence The stage in which stars produce energy through the fusion of hydrogen into helium. (p. 126)

sistema
Un grupo de objetos o fenómenos que interactúan. Un sistema puede ser algo tan sencillo como una cuerda, una polea y una masa. También puede ser algo tan complejo como la interacción de la energía y la materia en las cuatro esferas del sistema de la Tierra.

system A group of objects or phenomena that interact. A system can be as simple as a rope, a pulley, and a mass. It also can be as complex as the interaction of energy and matter in the four spheres of the Earth system.

sistema solar
El Sol y su familia de planetas, lunas y otros objetos en órbita.

solar system The Sun and its family of orbiting planets, moons, and other objects. (p. 10)

solsticio
En una órbita, la posición y el tiempo durante los cuales un hemisferio obtiene su área máxima de luz del Sol, mientras que el otro hemisferio obtiene su cantidad mínima; la época del año en la cual los días son los más largos o los más cortos y el ángulo de la luz del Sol alcanza su máximo o su mínimo.

solstice (SAHL-stihs) In an orbit, a position and time during which one hemisphere gets its maximum area of sunlight, while the other hemisphere gets its minimum amount; the time of year when days are either longest or shortest, and the angle of sunlight reaches its maximum or minimum. (p. 46)

sonda espacial
Una nave espacial enviada a la atmósfera de un planeta o a una superficie sólida.

probe A spacecraft that is sent into a planet's atmosphere or onto a solid surface. (p. 29)

T

tecnología
El uso de conocimientos científicos para resolver problemas o para diseñar nuevos productos, herramientas o procesos.

technology The use of scientific knowledge to solve problems or engineer new products, tools, or processes.

tectónica
Los procesos en los cuales el movimiento del material caliente bajo una corteza cambia la corteza de un cuerpo espacial. La Tierra tiene un tipo específico de tectónica denominado tectónica de placas.

tectonics The processes in which the motion of hot material under a crust changes the crust of a space body. Earth has a specific type of tectonics called plate tectonics. (p. 86)

telescopio
Un aparato que reúne luz visible u otra forma de radiación electromagnética.

telescope A device that gathers visible light or another form of electromagnetic radiation. (p. 17)

teoría
En las ciencias, un conjunto de explicaciones de observaciones y fenómenos que es ampliamente aceptado. Una teoría es una explicación bien probada que es consecuente con la evidencia disponible.

theory In science, a set of widely accepted explanations of observations and phenomena. A theory is a well-tested explanation that is consistent with all available evidence.

U

umbra
La región central y oscura de una sombra, como la sombra completa cónica proyectada por un objeto.

umbra The dark, central region of a shadow, such as the cone of complete shadow cast by an object. (p. 63)

unidad astronómica
La distancia promedio de la Tierra al Sol, la cual es de aproximadamente 150 millones de kilómetros (93 millones de millas).

astronomical unit AU Earth's average distance from the Sun, which is approximately 150 million kilometers (93 million mi). (p. 81)

universo
El espacio y toda la materia y energía que hay dentro de él.

universe Space and all the matter and energy in it. (p. 10)

V, W, X, Y, Z

variable
Cualquier factor que puede cambiar en un experimento controlado, en una observación o en un modelo.

> **variable** Any factor that can change in a controlled experiment, observation, or model. (p. R30)

viento solar
Una corriente de partículas eléctricamente cargadas que fluye hacia fuera de la corona del Sol en todas las direcciones.

> **solar wind** A stream of electrically charged particles that flows out in all directions from the Sun's corona. (p. 119)

volumen
Una cantidad de espacio tridimensional; a menudo se usa este término para describir el espacio que ocupa un objeto.

> **volume** An amount of three-dimensional space, often used to describe the space that an object takes up.

vulcanismo
El proceso del movimiento de material fundido del interior caliente de un cuerpo espacial a su superficie.

> **volcanism** The process of molten material moving from a space body's hot interior onto its surface. (p. 86)

Índice

El número de las páginas con las definiciones aparece en **negrita**.
El número de las páginas con las ilustraciones, los mapas y las tablas aparece en *cursiva*.

A

ácido sulfúrico, 90
Actividades en Internet
    exploración espacial, 7
    formas de las galaxias, 113
    Sol, 41
    vuelo espacial, 77
Administración Nacional de Aeronáutica y el
    Espacio (NASA), 23–26, 34. *Ver también*
    exploración del espacio.
agua, xix
    en Marte, 92
    hidrosfera, xix
    meteorización y erosión, 86, *87*
    océanos, xv, xix
    radiación, xv
agujeros negros, **126**, *127*, 133, *133*
aire, xix
análisis de datos, xx
análisis crítico, R8
anillos planetarios, **97**, *97*, 108
años, 45
años luz, **122**
arco iris, 16
área, **R43**
asteroides, 2–5, 79–82, *80*, 103, **103**, *103*, 106,
    108
astrolabio naútico, 72, *72*
astronautas, 22–25, 34, 36
    misiones lunares, 53, 55, 84
    peligro del viento solar, 119
astronomía, 9–10, 36. *Ver también* exploración
    del espacio.
atmósferas, xv, **xix**
    gravedad, 88, 94
    Júpiter, 95–96
    Marte, 88, 92
    Neptuno, 99

    planetas gigantes de gas, 94–95, 108
    planetas terrestres, 88, 108
    Plutón, 101
    Saturno, 96
    Sol, 116, *117*, 140
    Tierra, 18–19, 31–32, 88, 119, *119*
    Venus, 88, 90
átomos, **xvii**
aurora, 119, *119*

B

basalto lunar, 55, *55*, 56
Betelgeuse, 124
biosfera, **xix**
Brahe, Tycho, 73
brillo de las estrellas, 123, 140

C

Calisto (luna), 102
calor, xiv, **xv**, xix. *Ver también* energía.
campos magnéticos, xvii
carbono, 126
Caronte (luna), 101
centros de las galaxias, 133
ciclos de día y noche, 43–44, 49, 89–90
ciclos de vida de las estrellas, 125–128, *127*, 140
ciencia, naturaleza de, xxii–xxv
ciencias de la Tierra, xiii–xxi.
cifras significativas, **R44**
cinturón de asteroides, 103
clasificación de las estrellas, *125*
clima, **xxi**, 88
color de las estrellas, 124–125, 140
cometas, 79, *80–81*, 82, 103–105, **104**, *104*, 108
    cometa Hale Bopp, *104*
constantes, **R30**
constelaciones, **12**, *12*, 12–13, *14*, 36

convección, **116**

Copernicus, Nicolaus, 72

corona, **116**, *117*, 119

corrientes oceánicas, xv, xix

cortezas, 85–86, *87*

cráteres, 32, *32*

    de la Luna, 53–54, 56

    de los planetas, 86, *87*, 89, *89*, 103

cráteres de impacto, *32*, **32**, 53–54, 56, 86, 108

    Investigación del capítulo, 106–107

    Marte, 91

    Mercurio, *87*, 89, *89*

    Venus, 91

creciente, luna, 60, *61*

crecimiento de las plantas, 35

crítico, análisis, R8–R9

cuerpos espaciales pequeños, 100–105, 108

    asteroides, 79–82, *80*, 103, **103**, *103*, 108

    cometas, 79, *80–81*, 82, 103–105, **104**, *104*

    lunas, 98, 101–102, *102*

    meteoros y meteoritos, **105**, *105*, 108

    tamaño y forma, 100

Cygnus, *12*

D

decimales, **R39**, R40

    dividir, R40

    multiplicar, R40

    restar, R40

    sumar, R39

desarrollo del universo, 139

desplazamiento al azul de la luz, 136–137, *137*

desplazamiento al rojo de la luz, 136–137, *137*

dinosaurios, 103

dióxido de carbono, 88, 90, 92

direcciones, 44

diseño, tecnológico, xxvi–xxvii

distancias de las estrellas, 122–123

E

eclipses, **63**, 63–65, 68

    lunares, 63, *63*

    solares, *64*, 64–65

ecuador, 46, 48–49

efecto Doppler, **136**, 136–137, *137*

Einstein, Albert, 74

eje de rotación, **44**, 68

elipses, **81**

elípticas, galaxias, 132, *132*, 140

enanas blancas (estrellas), 124, *124*, 126, *127*

energía, xviii–xix

    calor, xiv, **xv**, xix

    convección, **116**

    fusión, **116**, 140

    producida por el Sol, 115–116

    sistema de la Tierra, xix

equinoccios, **46**, *47*, *48*, 49

equipo de laboratorio

    balanza de dos platillos, R19, *R19*

    balanza de resorte, R16, *R16*

    balanza de tres brazos, R18, *R18*

    gradillas para tubos de ensayo, R13, *R13*

    menisco, R16, *R16*

    microscopios, *R14*, R14-R15,

    pinza para tubos de ensayo, R12, *R12*

    pinzas, R13, *R13*

    placas calentadoras, R13, *R13*

    probetas graduadas, R16, *R16*

    reglas métricas, R17, *R17*

    tubos de ensayo, R12, *R12*

    vasos de precipitados, R12, *R12*

erosión, 108

    Marte, 86, *87*, 91

    Mercurio, 89

    Tierra, 86, *87*

    Venus, 91

erupciones, 118

espectro, **16**, 20

espectro electromagnético, 15–16, *16*

espectroscopios, 20–21

espirales, galaxias, 132, *132*, 140

Estación Espacial Internacional (ISS), *24*, 24–25

ÍNDICE

estaciones (tiempo), xv, 45–46, **46,** *47*
   Actividad en Internet, 41
   ángulos de la luz, 48
   duración de los días, 49
   Investigación del capítulo, 50–51
estaciones espaciales, **24,** 24–25, *24*
estrategias de vocabulario, R50–R51
   cuatro cuadrados, R50, *R50*
   diagrama de marco, 42, R51, *R51*
   palabra imán, 8, R51, *R51*
   rueda descriptiva, 114, R50, *R50*
   triángulo de palabras, 78, R51, *R51*
estrategias para tomar apuntes, R45–R49
   apoyar ideas principales, R47, *R47*
   apuntes combinados, *42, 114,* R45, *R45*
   diagrama de Venn, R49, *R49*
   esquema, *44,* R48, *R48*
   idea principal y detalles, *78, 114,* R46, *R46*
   mapa conceptual, R49, *R49*
   mapa mental, R47, *R47*
   marco de contenido, R45, *R45*
   red de ideas (principales), *8, 114,* R46, *R46*
Estrella del Norte , 13
estrellas, xvii, **12,** 12–13, *14,* 36. *Ver también* Sol.
   acompañantes, 128, 140
   años luz, **122**
   brillo, 120–121, 123, 140
   ciclos de vida, 125–128, *127,* 140
   clasificación, 125
   color, 124–125, 140
   de gran masa, 126, *127*
   de masa menor, 126, *127*
   de neutrones, **126**
   distancia, 122–123
   fusión, 122, 126
   gigantes, supergigantes y enanas blancas, 124, *124,* 126, *127*
   gravedad, 128
   Investigación del capítulo, 120–121
   masa, 128, 140
   múltiples, 140
   paralaje, **123**
   pulsares, 126, *126*
   secuencia principal, **126**
   supernovas, 75, 126, *127*
   tamaño, 124, *124,* 126, *127,* 140

   temperatura, 124–125, 140
   variables cefeidas, 74
Europa (luna), 102, *102*
evaluar información, R8
evaporación, **xvi**
evidencias, recoger, xxiv
exactitud, **R22**
expansión del universo, 135–137, *137,* 140
experimentos, **xxiv.** *Ver también* laboratorios.
   conclusiones, sacar, R35
   constantes, determinar, R30
   controlados, **R28,** R30
   diseñar, R28–R35
   hipótesis, escribir, R29
   materiales, determinar, R29
   observaciones, anotar, R33
   procedimiento, escribir, R32
   próposito, determinar, R28
   resultados, resumir, R34
   variables, R30–R31, R32
exploración del espacio, 6–39, 9–10
   Actividad en Internet, 7
   astronautas, 22–25
   atmósfera de la Tierra, 18–19
   beneficios de, 31–34, 36
   cinturón de asteroides, 103
   constelaciones, **12,** 12–13, *14*
   cráteres de impacto, 32, *32*
   Estación Espacial Internacional (ISS), *24,* 24–25
   estaciones espaciales, 23, *24,* 24–25
   estrellas, **12,** 12–13, *14,* 36
   galaxias, **10,** *11, 19*
   Investigación del capítulo, 20–21
   luz, 15–18
   misiones a la Luna, 9, 14, 23, *23,* 28, 31–32, 53, 55, 84
   módulos de aterrizaje, *28,* 28–29
   nave espacial *Voyager 2*, 99
   naves espaciales, 22–29
   naves espaciales sin tripulación, visitas a otros mundos, 26
   objetos visibles, 9–10, 36
   orbitadores, 27, *27,* 29
   órbitas, **10,** *11,* 31
   planetas, 10, 14, *14*
   programa Apolo, 23, *23,* 31

rotación de la Tierra, 13
satélites, **23,** 23–25, 33
sistema solar, 10, *11*
sobrevuelos, 26, *26*
Sol, 10, *11,* 14
sondas espaciales, 29, **29**
Telescopio Espacial Hubble, 18–19, *19,* 99
telescopios, 15–21, **17,** 36
transbordadores, 25, *25*
universo, 10, *11*
Vía Láctea, 10, *11*
viento solar, 119
exploración espacial sin tripulación, 26

F

fases de la Luna, 59–62, *61,* 68
fórmulas, **R42**
fósiles, **xvii**
fracciones, **R41**
fricción, **xvii**
fuerzas, **xvii**
    de contacto, xvii
    físicas, xvi–xvii
    fricción, **xvii**
    gravedad, **xvii**
    magnéticas, xvii
fusión, **116,** 122, 126, 140

G

galaxia de Andrómeda, *136*
galaxias, **10,** *11, 19,* 130–133
    Actividad en Internet, 113
    centros de, 133
    colisiones, 132, 134
    elípticas, 132, *132,* 140
    espirales, 132, *132,* 140
    irregulares, 132, *132,* 140
    movimiento, 136–137, *137*
    Proyectos para la unidad, 134
    quásares, *133,* **133**
    supercúmulos, 135
    tamaño y forma, 132, *132,* 140
Galileo, 29

gama, **R37**
Ganímedes (luna), 102
Gemini (constelación), *14*
geosfera, **xix**
gibosa, luna, 60, *61*
gráficas
    circulares, R25
    de barra, R26, R31
    de dispersión, 129
    de doble barra, R27
    lineales, R24, R34
gravedad, xvi, **xvii,** 10, 22, 31, 36, 43–44
    atmósferas planetarias, 88, 94
    efecto sobre el crecimiento de las plantas, 35
    efecto sobre las órbitas, 45, 81
    estrellas, 81, 128
    formación de los objetos espaciales, 83
    mareas, 65–66, *66*
    Sol, 81
grupos de control, R30
grupos experimentales, R30

H

Habilidades en las matemáticas
    área, **R43**
    cifras significativas, **R44**
    decimales, **R39,** R40
    describir un conjunto de datos, R36–R37
    exponentes, 30
    fórmulas, **R42**
    fracciones, **R41**
    gama, **R37**
    gráficas de dispersión, 129
    gráficas lineales, 58
    media, **R36**
    mediana, **R36**
    moda, **R37**
    notación científica, **R44**
    porcentajes, 84, **R41**
    proporciones, **R39**
    razones, **R38**
    relaciones, **R38**
    tazas, **R38**
    volumen, **R43**

ÍNDICE

hechos, R9, **R9**
helio, 88, 115–116, 126
hidrógeno, 88, 115–116, 126, 140
hidrosfera, **xix**
hielo, 100
Himalayas, xxi
hipótesis, **xxiv,** xxv, **R3,** R29
hora
    ángulos de la luz, 48
    del día, 43–44
    duración de los días, 49
    mediodía, 48
Hubble, Edwin, 74
Huggins, William, 73
huracanes y la tecnología, xxvi–xxvii, *xxvii*

I

inferencia, **R4,** R35
ingravidez, 22
Investigaciones del capítulo
    estaciones, 50–51
    formación de cráteres de impacto, 106–107
    luz visible, 20–21
    temperatura, brillo y color, 120–121
investigaciones realizadas en el espacio, 24
Io (luna), 102, *102*

J, K

Júpiter, 3, 29, 81, *94,* 94–96, *95, 96*
    atmósfera, 95–96
    diámetro, 95
    distancia del Sol, 95
    Gran Punto Rojo, 96, *96*
    lunas, *96,* 102, *102*
    masa, 95
    nubes, 96
    órbita del Sol, 95
    rotación, 95
    tamaño, 79, *80*
    tiempo meteorológico, 95–96
Kepler, Johannes, 73

L

laboratorios, R10–R35. *Ver también*
        experimentos.
    equipo, R12–R19
    seguridad, R10–R11
latín, 53
lava, xiv, *xiv, xxiii,* 86, *87,* 89, *89,* 91
Leavitt, Henrietta, 74
leyes físicas, xvi
lobos, xviii, *xviii*
longitud de onda, **16,** 136–137, *137*
luces del Norte, 119, *119*
Luna, 14, 52–57, *53,* 68
    atracción gravitacional, 84
    capas de, 56, *56*
    cráteres, 32, 53–54, 56
    creciente, 60, *61,* 62
    distancia de la Tierra, 9, 53, 57
    eclipses, 63–65, *63–64,* 68
    exploración, 9, 14, 23, *23,* 28, 31–32, 53, 55, 84
    fases, 59–62, *61,* 68
    gibosa, *61,* 62
    mare, **53,** 53–54, *54*
    mareas, 65–66, *66,* 68
    menguante, 60, *61*
    meteorización, 55
    orígenes, 56–57
    planicies lunares, 54, *54*
    rocas, *xxiv,* 55, *55,* 56
    rotación, 52–53
    suelo, 55–56
    tierras altas, 54, *54*
lunar, suelo, 55–56
lunas de otros planetas, 98, 101–102, *102*
luz, 15–18, *16,* 44
    crecimiento de las plantas, 35
    desplazamiento de, 136, *136*
    efecto Doppler, 136–137, *137*
    espectros, **16**
    Investigación del capítulo, 20–21
    longitudes de onda, **16**
    visible, xv, 15–18, *16,* 20–21

M

manchas solares, *118,* **118,** 119

mantos, 85–86, *87*

mare/maria (lunar), **53,** 53–54, *54*

mareas, 65–66, *66,* 68

Mars Pathfinder, 29

Marte, 85–88, *91,* 91–92, *92*

    agua, 92

    atmósfera, 32, 88, 92

    casquetes polares, 92

    cráteres, 91

    diámetro, 91

    distancia del Sol, 91

    exploración, 28–29

    lava, 91

    masa, 91

    meteorización y erosión, 86, *87,* 91–92

    órbita al Sol, 14, *14,* 91

    rotación, 91

    tamaño, 79, *80*

    temperaturas, 92

    vientos, 92

    volcanes, 86, *87,* 91

masa, xvii

    de las estrellas, 128, 140

    planetas gigantes de gas, 95, 96, 98, 99

    planetas terrestres, 85, 89, 90, 91

    Plutón, 101

    Tierra, 85

materia, xvi–xix, **xvii**

media, **R36**

mediana, **R36**

medir distancia, 123

Mercurio, 81, 85–89, *89*

    ciclo de día y noche, 89

    cráteres de impacto, 32, *87,* 89

    diámetro, 89

    distancia del Sol, 89

    erosión, 89

    masa, 89

    órbita al Sol, 89

    planicies de lava, 89, *89*

    rotación, 89

    tamaño, 79, *80*

    temperaturas, 89

meteorización, 32–33, 108. *Ver también* clima.

    erosión, 86, *87,* 89–92

    estaciones, 46, *47*

    Marte, 91

    Mercurio, 89

    planetas gigantes de gas, 95

    Sol, xix

    Venus, 91

meteoros y meteoritos, xxiv, 3, **105,** *105,* 108

microondas, 16, *16,* 138–139

microscopios, *R14,* R14–R15

    observar objetos, R15

    realizar una preparación en fresco, R15, *R15*

minerales, xix

Mir, 24

moda, **R37**

módulos de aterrizaje, **28,** *28,* 28–29

montañas, xv, xxi

movimiento de las galaxias, 136–137

N

naves espaciales, 22–29, 36. *Ver también* exploración del espacio.

    estaciones espaciales, *24,* 24–25

    módulos de aterrizaje, **28,** *28,* 28–29

    orbitadores, 27, *27,* 29

    programa Apolo, 23, *23*

    satélites, **23,** 23–25, 33

    sin tripulación a bordo, 26

    sobrevuelos, 26

    sondas espaciales, 29, **29**

    Voyager 2, 26, 99

nebulosas, *83,* 125, *125,* 131

Neptuno, 94, 99, *99*

    atmósfera, *99*

    color, 98–99

    densidad, 98

    diámetro, 99

    distancia del Sol, 99

    lunas, 102, *102*

    masa, 99

    órbita al Sol, 99

rotación, 99

tamaño, 79, *80–81*

temperatura, 98

tiempo meteorológico, 99

Newton, Isaac, 73

notación científica, R44

núcleos de los planetas, 85–86, 95

O

observación, **xxiv, R2**, R5, R33

cualitativa, R2

cuantitativa, R2

Observatorio Chandra de rayos X, 19

Observatorio Compton de rayos gamma, 19

océanos, xv, xix

ondas, xv

de radio, 15, 16, *16*, 126

infrarrojas, 16, *16*

ultravioletas, 16, *16*

opiniones, R9, **R9**

orbitadores, 27, *27*, 29

órbitas, xvii, **10**, *11*, 31, 68. *Ver también* planetas
   específicos, e.g. Marte.

de la Tierra alrededor del Sol, 45–46, *47*

del sistema solar, 81–82, 108

función de la gravedad, 45, 81

orígenes

estrellas, 139

galaxias, 139

Luna, 56–57

planetas, 139

sistema solar, 82–83

Sol, 82

universo, 138–140

P, Q

paralaje, 123

Pathfinder, 29

penumbra, **63**, *63–64*

placas tectónicas, 86, **86**, *87*

planetas, 14, *14*, 26, 79–82, *80. Ver también*
   sistema solar; planetas específicos, e.g.
   Marte.

cortezas rocosas, 85–92

distancias, *80,* 81

dobles, 101

exploración, 27, 29

gigantes de gas, **94**, 94–99, 102, *102*

lunas, 98, 101–102, *102*

mantos, 85

módulos de aterrizaje, **28**, *28,* 28–29

núcleos, 85

órbitas al Sol, 81–82, 108

procesos y formaciones superficiales, 86, *87*

tamaños, 79–81, *80*

terrestres, 85–92

planetas gigantes de gas, **94**, 94–99

anillos, **97**, *97,* 108

atmósferas, 94–95, 108

lunas, 102, *102*

núcleos, 95

órbitas al Sol, 108

temperaturas, 95

planetas terrestres, **85**, 85–92. *Ver también*
   Marte; Mercurio; Tierra; Venus.

atmósferas, 88, 108

cortezas rocosas, 85–88, *87*

formación de cráteres de impacto, 86, *87*

mantos, 85

meteorización y erosión, 86, 87

núcleos, 85

órbitas al Sol, 108

placas tectónicas, 86, *87*

procesos y formaciones superficiales, 86, *87*

volcanismo, 86, 87

Plutón, 81, 100–101, *101*, 108

atmósfera, 101

diámetro, 101

distancia del Sol, 101

luna, 101

masa, 101

materiales, 100

núcleo, 101

órbita al Sol, 101

rotación, 101

tamaño, 79, *80–81*

Polaris, 13

Polo Norte, 44, 46, 49

Polo Sur, 44, 46, 49

porcentajes, **R41**

portaobjetos, R15, *R15*

Práctica para el examen estandarizado

    atmósferas planetarias, 111

    constelaciones, 39

    eclipses, 71

    estrellas, 140

    exploración espacial, 39

    extremófilos, 111

    Luna, 71

    rotación, 39

precisión, **R22**

predicción, **xxiv, R3**

preparación en fresco, R15, *R15*

proceso científico, xxiii–xxv

    compartir resultados, xxv

    determinar lo que ya se conoce, xxiii

    formular preguntas, xxiii

    interpretar resultados, xxv

    investigar, xxiv

programa Apolo, 23, *23,* 31

proporciones, **R39**

protuberancias, 118, *118*

Proyectos para la unidad

    astronomía y arqueología, 67

    colisión de las galaxias, 134

    gravedad y el crecimiento de las plantas, 35

    superficie de Marte, 93

pulsares, 126, *126*

quásares, *133,* **133**

quemaduras de Sol, 48

R

radiación, xiv–xv, **xv,** 15–16

    agujeros negros, 126

    electromagnética, **15,** 15–17

    estrellas de neutrones, 126

    gran explosión, la, 75

    microondas, 138–139

radiosonda lanzable, xxvii, *xxvii*

radiotelescopios, 18, *18*

radiotelescopios del Gran Arreglo de Antenas,
    18, *18*

rayos gamma, 16, *16*

rayos X, 15, 16, *16*

razonamiento erróneo, **R7**

razones, **R38**

relaciones, **R38**

relaciones de causa y efecto, **R5**

relámpagos, *xxiv*

revolución, **45**

rocas, xix

    capas, xxi

    cortezas de los planetas terrestres, 85

    líquido, *xiv,* xiv–xv, *xxiii*

    Luna, *xxiv,* 55, *55,* 56

rotación, 13, 26, 68. *Ver también* planetas
    específicos, e.g. Marte.

    Luna, 52–53

    Sol, 118

    Tierra, 43–49

S

satélites, **23,** 23–25, 33

Saturno, 94, *96,* 96–97, *97*

    anillos, *96,* 97, *97*

    atmósfera, 96

    densidad, 96

    diámetro, 96

    distancia del Sol, 96

    gravedad, 96

    lunas, 102, *102*

    masa, 96

    órbita al Sol, 96–97

    rotación, 96–97

    tamaño, 79, *80*

secuencia principal de las estrellas, **126**

seguridad, R10–R11

    ante el equipo eléctrico, R11

    ante el material de vidrio, R11

    ante las fuentes de calor, R10

    ante las sustancias químicas, R11

    ante los animales, R11

    ante los fuegos, R10

    ante los objetos afilados, R11

    instrucciones, R10

    laboratorio, R10–R11

limpieza, R11

ropa y equipo personal, R10

símbolos, R10–R11

sesgo científico, R6

sismógrafos, *xxii*

Sistema de Posicionamiento Global (GPS), xxvii

Sistema Internacional de Unidades, R20–R21

sistema métrico, R20–R21

cambiar de unidades métricas, R20, *R20*

conversión de temperatura, R21, *R21*

convertir entre unidades del sistema estadounidense, R21, *R21*

sistema solar, xvii, 10, **10**, *11*, 14, 76–111, 108, *Ver también* planetas.

Actividad en Internet, 77

asteroides, 79–82, *80*, 103, **103**, *103*, 106, 108

cinturón de asteroides, 103

cometas, 79, *80–81*, 82, 103–105, *104*

cuerpos espaciales pequeños, 100–105

distancias, *80*, 81

formación, 82–83, *83*

Investigación del capítulo, 106–107

lunas, 101–102, *102*

meteoros y meteoritos, **104**, *104*, 108

objetos en, *80*, 83

órbitas al Sol, 81–82, 108

planetas, 79–82, *80–81*

planetas gigantes de gas, **94**, 94–99, 102

planetas terrestres, **85**, 85–92

Proyecto para la unidad, 93

sistema solar externo, 81, 94–99, 108. *Ver también* planetas gigantes de gas.

sistema solar interno, 81, 85–92, 108. *Ver también* planetas terrestres.

sistemas de estrellas, 128, *128*

de estrella binaria, 128, *128*

de estrellas múltiples, 128

sobrevuelos, 26

Sol, xix, *11*, 14, 32, 115–119. *Ver también* radiación.

Actividad en Internet, 41

ángulos de la luz, 48

atmósfera, 116, *117*, 140

campos magnéticos, 118

corona, **116**, *117*, 119

crecimiento de las plantas, 35

cromosfera, 116, *117*

distancias, 80–81

duración de los días, 49

eclipses, *63–64*, 63–65

erupciones, 118, *118*

estaciones, 46, *47*, 48

formación, 82, *83*

fotosfera, 116, *117*

fusión, **116**

gravedad, 81

interior, 116, *117*, 140

manchas solares, **118**, *118*, 119

núcleo, 116, *117*

producción de la energía, 115–116

protuberancias, 118

rotación, 118

secuencia principal, 126

tamaño, *80*, 81

temperatura, 124

tiempo meteorológico, xix

tormentas magnéticas, 119

viento solar, 119

zona de convección, 116, *117*

zona radiativa, 116, *117*

solsticios, **46**, *47*, *48*, 49

sombras, 48, *48*. *Ver también* eclipses.

sondas espaciales, 29, **29**

suelo lunar, 55–56

supercúmulos, 135

supernovas, 75, 126, *127*

T

tablas de datos, R23

tamaño de las estrellas, 124, 140

tazas, **R38**

tecnología. *Ver también* naves espaciales; telescopios.

aceleradores de partículas, *74*, 139

de los programas espaciales, 31–34, *34*

Estación Espacial Internacional, *24*, 24–25

fotografía y iluminación, *xxiv*

historia de la astronomía, impacto sobre, 72–75

imágenes de color falso, *5, 87, 90, 93, 125, 126, 133*

modelos computarizados, 4, 139

naturaleza de, xxvi–xxvii

seismógrafos, *xxii*

tectónica, 86, **86,** *87,* 89–90, 108

tejido celular, 24

Telescopio Espacial Hubble, 18–19, *19,* 99

telescopios, 15–21, **17,** 36, 73

    de luz, 15–18

    radiotelescopios, 18, *18*

    Telescopio Espacial Hubble, 18–19, *19,* 99

    de reflexión, **17,** *17,* 18–19, 19

    de refracción, **17,** *17*

temperatura, convertir unidades, R21, *R21*

teoría de la gran explosión, 75, **138,** 138–139

terremotos, xv, xxi

tiempo

    ángulos de la luz, 48

    años, 45

    del día, 43–44

    duración de los días, 49

    estaciones, 45–46, *47*

    mediodía, 48

tiempo meteorológico, 32–33, 108. *Ver también* clima.

    erosión, 86, *87,* 89–92

    estaciones, 46, *47*

    Marte, 91

    Mercurio, 89

    planetas gigantes de gas, 95

    Sol, xix

    Venus, 91

Tierra, 10, *11, 85,* 85–88

    atmósfera, 18–19, 31–32, 88

    calor, xiv–xv, xix

    cambios a través del tiempo, xx

    campo magnético, xvii

    características de la superficie, xxi, 31–32

    cráteres, 86, *87,* 103

    diámetro, 85

    distancia de la Luna, 53, 57

    distancia del Sol, 81, 85

    eje de rotación, **44,** 45–46, *47,* 68

    erosión, 86, *87*

    formación de cráteres de impacto, 86, *87*

    fotos de, 31, *31*

    gravedad, xvii

    interior, xiv–xv, xix

    Investigacion del capítulo, 50–51

    masa, 85

    órbita al Sol, 45–46, *47,* 68, 81–82, 85

    placas tectónicas, 85–86, *87*

    procesos, xiv–xv

    revolución, **45**

    rotación, 13, 26, 43–49, 68, 85

    sistemas de, xviii–xix

    tamaño, 79, *80*

    tiempo meteorológico, 32–33, 86, *87*

    vistas de, 31, *31,* 33

    volcanes, 86, *87*

tierras altas lunares, 54, *54*

Titán (luna), 102, *102*

tormentas magnéticas, 119

tornados y la tecnología, xxvi

Tritón (luna), 102, *102*

U

umbra, **63,** *63–64*

unidades astronómicas (AUs), **81**

unidades SI, R20–R21

universo, xvi, xvii, 9–10, **10,** *11*

    expansión del, 135–137, *137,* 140

    formación del, 139

    orígenes, 138–139

    principios de la astronomía, 9

    ver hacia el pasado, 136, *136*

Urano, 94, 98, *98*

    anillos, 98

    color, 98

    densidad, 98

    diámetro, 98

    distancia del Sol, 98

    lunas, 98, 102

    masa, 98

    órbita al Sol, 98

    rotación, 98

    tamaño, 79, *80*

    temperatura, 98

V, W, X, Y, Z

variables, **R30,** R31, R32
   controladas, R17
   dependientes, **R30,** R31
   independientes, **R30**
Venus, 85–88, *90,* 90–91
   atmósfera, 32, 88, 90
   ciclo de día y noche, 90
   cráteres, 91
   diámetro, 90
   distancia del Sol, 90
   erosión, 91
   exploración, 28
   masa, 90
   órbita al Sol, 14, 90

   rotación, 90
   tamaño, 79, *80*
   temperatura, 90
   volcanes, 86, *87,* 90–91
Vía Láctea, 10, *11,* 130–133, *131*
viento, xv, 86, *87*
viento solar, **119**
volcanes, *xiv,* xiv–xv, xxi
volcanismo, 86, **86,** *87,* 108
   atmósferas, 88
   Marte, 91
   Mercurio, 89
   Venus, 90
volumen, **R43**
Voyager 2, 26, 99
Wolf Creek, Australia, cráter, *32*

Agradecimientos

Fotografías

Cover © David Nunuk/Photo Researchers; **i** © David Nunuk/Photo Researchers; **iii** *left (top to bottom)* Photograph of James Trefil by Evan Cantwell; Photograph of Rita Ann Calvo by Joseph Calvo; Photograph of Linda Carnine by Amilcar Cifuentes; Photograph of Sam Miller by Samuel Miller; *right (top to bottom)* Photograph of Kenneth Cutler by Kenneth A. Cutler; Photograph of Donald Steely by Marni Stamm; Photograph of Vicky Vachon by Redfern Photographics; **vi** © Roger Ressmeyer/Corbis; **vii** Courtesy of NASA/JPL/Caltech; **ix** Photographs by Sharon Hoogstraten; **xiv–xv** Doug Scott/age fotostock; **xvi–xvii** © Aflo Foto Agency; **xviii–ix** © Tim Fitzharris/Masterfile; **xx–xxi** Ben Margot/AP/Wide World Photos; **xxii** © Vince Streano/Corbis; **xxiii** © Roger Ressmeyer/Corbis; **xxiv** *left* University of Florida Lightning Research Laboratory; *center* © Roger Ressmeyer/Corbis; **xxv** *center* © Mauro Fermariello/Science Researchers; *bottom* © Alfred Pasieka/Photo Researchers; **xxvi-xxvii** © Stocktrek/Corbis; *center* NOAA; **xxvii** *top* © Alan Schein Photography/Corbis; *right* Vaisala Oyj, Finland; **xxxii** © The Chedd-Angier Production Company; **2–3** © Charles O'Rear/Corbis; **3** *top right* © D. Nunuk/Photo Researchers; **4** © The Chedd-Angier Production Company; **4–5** © David Parker/Photo Researchers; **5** *top center* NASA/JPL; **6–7** NASA; **7, 9** Photographs by Sharon Hoogstraten; **11** Johnson Space Center/NASA; **12** Photograph by Sharon Hoogstraten; **13** *top* © Roger Ressmeyer/Corbis; *bottom* Photograph by Sharon Hoogstraten; **15** Photograph by Sharon Hoogstraten; **16** *center left* Kapteyn Laboratorium/Photo Researchers; *center* National Optical Astronomy Observatories/Photo Researchers; *center right* A. Wilson (UMD) et al., CXC/NASA; **18** © Roger Ressmeyer/Corbis; **19** *top left* NASA Johnson Space Center; *top right* © STScl/NASA/ Photo Researchers; **20** *top left* © ImageState-Pictor/PictureQuest; **20–21, 22** Photographs by Sharon Hoogstraten; **23** *bottom, inset* NASA; **24** Courtesy of NASA/JSC; **25** *top* NASA; *bottom* Photograph by Sharon Hoogstraten; **27** Photograph by Bill Ingalls/NASA; **30** *left, inset* Chris Butler/Photo Researchers; **31** NASA; **32** Courtesy of V.R. Sharpton University of Alaska-Fairbanks and the Lunar and Planetary Institute; **33** Photograph by Sharon Hoogstraten; **34** NASA; **35** *background* © Jan Tove Johansson/Image State-Pictor/ PictureQuest; *left inset* Andy Fyon, Ontariowildflower.com (Division of Professor Beaker's Learning Labs); *right inset* NASA; **36** *top* Photograph by Sharon Hoogstraten; *center* © Roger Ressmeyer/Corbis; *bottom* NASA; **40–41** © Roger Ressmeyer/Corbis; **41** *top right, center right* Photographs by Sharon Hoogstraten; *bottom right* NASA Goddard Space Flight Center; **43** *left* NASA; *right* Photograph by Sharon Hoogstraten; **44** *top* © 2003 The Living Earth Inc.; *bottom* Photograph by Sharon Hoogstraten; **45** Photograph by Sharon Hoogstraten; **47** NASA/JSC; **49** © Arnulf Husmo/Getty Images; **50** *top* © Christian Perret/jump; *bottom left, bottom right* Photograph by Sharon Hoogstraten; **51, 52** Photographs by Sharon Hoogstraten; **53** Courtesy of NASA and the Lunar and Planetary Institute; **54** USGS Flagstaff, Arizona; **55** *top right* Photograph by Sharon Hoogstraten; *bottom right* NASA; *right inset* NASA and the Lunar and Planetary Institute; **58** Photograph by Steve Irvine; **59** © DiMaggio/Kalish/Corbis; **61** *background* Lunar Horizon View/NASA; **62** Photograph by Sharon Hoogstraten; **63** *top* © Roger Ressmeyer/Corbis; *bottom* Photograph by Jean-Francois Guay; **64** *center* NASA/Getty Images; *bottom left* © Fred Espenak; **65** *top* © Jeff Greenberg/MRP/Photo Researchers; *bottom* © 1999 Ray Coleman/Photo Researchers; **67** *top left* © Peter Duke; *right inset* © David Parker/Photo Researchers; *bottom left* Public Domain; *bottom center* Barlow Aerial Photography, Ignacio, CO; **68** *top left* © 2003 The Living Earth, Inc.; *center left* Photograph courtesy of NASA and the Lunar and Planetary Institute; **70** *left* USGS Flagstaff, Arizona; *right* NASA Goddard Space Flight Center; **72** Courtesy of Adler Planetarium & Astronomy Museum, Chicago, Illinois; **73** *top left* © Stapleton/Corbis; *center* © Science Museum/Science & Society Picture Library; *right* Provided by Roger Bell, University of Maryland, and Michael Briley, University of Wisconsin, Oshkosh; *bottom* Courtesy of Adler Planetarium & Astronomy Museum, Chicago, Illinois; **74** *top left* © Harvard College Observatory/Photo Researchers; *top right* Robert Williams and the Hubble Deep Field Team (STScl) and NASA; *bottom* © Fermi National Accelerator Laboratory/Photo Researchers; **75** *top* Ann Feild (STScl); *bottom* © NASA/Photo Researchers; **76–77** Courtesy of NASA/JPL/University of Arizona;

77 *top right, center right* Photographs by Sharon Hoogstraten; **79, 82** Photographs by Sharon Hoogstraten; **83** *left* Photo © Calvin J. Hamilton; *right* Courtesy of NASA/JPL/Caltech; **84** NASA; **85** *top* Photograph by Sharon Hoogstraten; *bottom* Johnson Space Center NASA; **87** *background* Mark Robinson/Mariner 10/NASA; *top right* NASA; *top left* © Walt Anderson/Visuals Unlimited; *bottom left* NASA/ JPL/Malin Space Science Systems; **88** Photograph by Sharon Hoogstraten; **89** *top* USGS; *bottom* Courtesy of NASA/JPL/ Northwestern University; **90** *top, center, bottom* NASA; **91** NASA/JSC; **92** Courtesy of NASA/JPL/Caltech; **93** *left* Courtesy of NASA/JPL/Malin Space Science Systems; *right* MAP-A-Planet/NASA; *right inset* NASA/Goddard Space Flight Center Scientific Visualization Studio; **94, 95** Courtesy of NASA/JPL/Caltech; **96** *top* Courtesy of NASA/JPL/Caltech; *bottom* Photograph by Sharon Hoogstraten; **97** *top* NASA; *bottom* NASA and the Hubble Heritage Team (STScl/AURA); **98** *top* E. Karkoschka(LPL) and NASA; *bottom* © Calvin J. Hamilton; **99** *top* Courtesy of NASA/JPL/Caltech; *center* NASA; **100** near.jhuapl.edu; **101** Hubble Space Telescope, STScl-PR96-09a/NASA; **102** *top left, inset* NASA; *bottom left* Courtesy of NASA/JPL/Caltech; *bottom left inset* NASA; *top right* © NASA/ JPL/Photo Researchers; *top right inset, bottom right, bottom right inset* NASA; **103** Courtesy of NASA/JPL/Caltech; **104** *background* © 1997 Jerry Lodriguss; *right* Courtesy of NASA/JPL/ Caltech; **105** Fred R. Conrad/The New York Times; **106** *top left* © James L. Amos/Corbis; *bottom left* Photograph by Sharon Hoogstraten; **107** Photograph by Sharon Hoogstraten; **108** *top* NASA; *bottom* Courtesy of NASA/JPL/Caltech; **112–113** David Malin Images/Anglo-Australian Observatory; **113** *top left* © Jerry Schad/Photo Researchers; *center left* Photograph by Sharon Hoogstraten; **115** Photograph by Sharon Hoogstraten; **117** Photograph by Jay M. Paschoff, Bryce A. Babcock, Stephan Martin, Wendy Carlos, and Daniel B. Seaton © Williams College; **118** *left* © John Chumack/Photo Researchers; *right* © NASA/Photo Researchers; **119** © Patrick J. Endres/Alaskaphotographics.com; **120** *top* © Dave Robertson/Masterfile; *left bottom, right bottom* Photograph by Sharon Hoogstraten; **121, 122, 123** Photographs by Sharon Hoogstraten; **125** *top* © Dorling Kindersley; *bottom* ESA and J. Hester (ASU),NASA; **126** J. Hester et al./NASA/CXC/ASU; **127** Hubble Heritage Team/AURA/STScl/NASA; **129** © MPIA-HD, Birkle, Slawik/Photo Researchers; **130** Photograph by Sharon Hoogstraten; **131** *top* Allan Morton/Dennis Milon/Photo Researchers; *bottom* Photograph by Sharon Hoogstraten; **132** David Malin Images /Anglo-Australian Observatory; **133** Walter Jaffe/Leiden Observatory, Holland Ford/JHU/STScl, and NASA; **134** *left* NASA and Hubble Heritage Team (STScl); *center* NASA, H. Ford (JHU), G. Illingworth (UCSC/LO), M. Clampin (STScl), G. Hartig (STScl), the ACS Science Team, and ESA; **135** Photograph by Sharon Hoogstraten; **136** © Jason Ware; **138** Photograph by Sharon Hoogstraten; **139** N. Benitez (JHU), T. Broadhurst (The Hebrew University), H. Ford (JHU), M. Clampin (STScl), G. Hartig (STScl), G. Illingworth (UCO/Lick Observatory), the AGS Science Team and ESA/NASA; **140** *top* David Malin Images/Anglo-Australian Observatory; *bottom* N. Benitez (JHU), T. Broadhurst (The Hebrew University), H. Ford (JHU), M. Clampin (STScl), G. Hartig (STScl), G. Illingworth (UCO/Lick Observatory), the AGS Science Team and ESA/NASA; **142** *left* Hubble Heritage Team (AURA/STScl/NASA); *right* Anglo-Australian Observatory/David Malin Images; **R28** © Photodisc/Getty Images.

Ilustraciones y mapas

Accurate Art Inc. **106**
Julian Baum **57, 117, 127, 128, 131, 140**
Peter Bull/Wildlife Art Ltd. **26, 27, 47, 48, 68**
Bill Cigliano **67, 137**
Steve Cowden **48**
Stephen Durke **12, 14, 18**
David A. Hardy **11, 32, 80, 83, 95, 108**
Mapquest.com, Inc. **64**
Dan Maas/Maas Digital **28, 36**
Dan Stuckenschneider **17, 36, R11–R19, R22, R32**
Ron Wood/Wood Ronsaville Harlin **56, 68**